L'islamisme radical

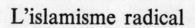

Bruno Étienne

L'islamisme radical

HACHETTE

INTRODUCTION

Il n'est pas possible d'aborder l'Islam sans avoir à l'esprit toute la masse accumulée d'informations qui constituent la mémoire d'une société comme la nôtre : les Croisades, la mission civilisatrice de la France au Moyen-Orient depuis François Ier, la guerre d'Algérie, la présence massive d'immigrés, etc., car l'imaginaire occidental s'est construit une hostilité dramatique à l'encontre de l'Islam.

La re-découverte d'un Orient, d'autant plus anxiogène, d'autant plus inquiétant qu'il est en fait un lieu de nulle part – parce que « nécessité intellectuelle » selon le mot heureux de Renan –, doit être concrétisée quelque part à travers une figure symbolique qui renvoie à l'imaginaire : Kadhafi, l'Ayatollah Khomeyni, après... Nasser, un peu à côté des Mongols, entre Soleiman le Magnifique et Haroun al-Rachid, en passant (pour les Français) par les fellagha coupeurs de gorges et de routes, fanatiques de tous poils unis contre l'Occident civilisateur. Et cela me rappelle furieusement le roman de Dino Buzzati, *le Désert des Tartares* :

« Tous les soirs, au sommet des remparts, Drogo se mettait à attendre ; tous les soirs, la petite lumière semblait se rapprocher un peu et devenir plus grande. Ce ne devait être souvent qu'une illusion, née de son désir... »

Et si les Barbares ne venaient pas, répond en écho le poète Constantin Cavafy :

« Pourquoi cette inquiétude et cette confusion règnent-elles subitement? Comme les visages sont devenus graves. Pourquoi les rues et les places se vident-elles si vite? Et les gens retournent-ils chez eux l'air songeur? Parce que la nuit est descendue et que les Barbares ne sont pas venus. Des gens sont arrivés des frontières et disent qu'il n'y a plus de Barbares. Et maintenant sans les Barbares, qu'allons-nous devenir? Ces hommes-là, en un sens, apportaient une solution... »

Par-delà les mythes constitutifs de l'antagonisme Orient/Occident, il faut rappeler que l'Europe ne serait pas exactement ce qu'elle est si elle n'avait pas connu l'Islam, et il est curieux qu'à part quelques grands savants comme Levi-Provençal, Watt, entre autres, le public ait quasiment oublié qu'il y eut huit siècles de présence musulmane en Espagne, cinq en Crimée (jusqu'à la Volga), et trois en Sicile (dont il reste le Théâtre des « Puppi », qui raconte la geste de Saladin derrière la mosquée des Saints Ermites), et encore cela ne donne qu'une maigre idée de l'imprégnation toujours perceptible dans les Balkans, en Hongrie, ou en Grèce. La littérature, en particulier la littérature française, est féconde en « turqueries », tandis qu'en Europe, désormais, l'image de l'Orient est correctement maîtrisée par les professionnels, comme le prouvent les nombreuses publications et les colloques sur la vie et la mort de l'orientalisme. Or la coupure est drastique entre les professionnels de l'orientalisme et la façon dont les Français reçoivent l'actualité orientale! Il semblerait que la constitution d'un savoir immense sur cette aire géographique ne dépasse pas la sphère des milieux scientifiques alors que le phénomène religieux, sous sa forme politique transmise par les médias, fait irruption chaque jour dans nos foyers. Ainsi à propos des événements du Liban, d'Iran... mais aussi de Pologne; ce qui se passe en Afghanistan [1], et la manière dont nous l'interprétons, éclaire précisément le paradoxe de notre perception. Un de mes collègues russes, spécialiste de monde musulman, me disait qu'il ne comprenait pas l'enthousiasme de la gauche française pour la cause afghane : pour lui, l'URSS « sauvait l'Occident de la barbarie islamique ». Autre témoignage, fort peu écouté : Jacques Abouchar a bien signalé à son retour de captivité que l'Islam des résistants afghans ressemblait fort à ce que géné-

ralement les mass media dénoncent en France sous le nom
d'intégrisme. Mais qui l'a entendu? Par-delà cette dénonciation, le problème en fait reste entier. Si Georges Marchais a pu
invoquer audacieusement la féodalité et le droit de cuissage
pour justifier l'invasion soviétique, les anthropologues avaient,
peut-être, une responsabilité dans ce délire.

Quoi qu'il en soit d'une éventuelle confusion du religieux
et du politique, les cas de la Pologne et de l'Iran ne sont pas
traités de la même façon et la rapidité, voire l'immédiateté, de
l'information n'implique pas une profonde connaissance de ces
pays. Le record dans la différence de traitement et d'interprétation apparaît à propos des guerres du Moyen-Orient, et
notamment de celle du Liban. L'armée israélienne n'est jamais
considérée comme ce qu'elle est et ce qu'elle a été : une armée
d'occupation. Écrire « Tsahal » au lieu de dire ou d'écrire, au
moins, « armée israélienne » occulte d'autant plus ce fait que la
résistance palestinienne ou libanaise est automatiquement et
systématiquement assimilée à du terrorisme. Il faut ajouter à
cette ambiguïté l'extrême difficulté de décrire le mouvement et
le développement des forces sociales lorsque la théologie rend
impossible la lutte en termes de classes. Cette difficulté a pour
conséquence une carence dans l'approche des sciences sociales
qui ne rend pas compte exactement de tout ce qui se passe dans
la société musulmane. Le facteur religieux n'y est pas plus
qu'ailleurs réductible à quelque chose d'isolable ou de suspendu
en l'air (ou au ciel). Ainsi, je ne pense pas que la guerre du
Liban soit *simplement* une guerre civile confessionnelle; pas
plus que je ne crois que la guerre Iran-Irak soit *seulement* une
version moderne du *jihâd* ou de la guerre des religions.

Il me paraît donc nécessaire de commencer cet ouvrage
par quelques remarques méthodologiques qui devraient permettre au lecteur de comprendre comment nous travaillons en
sciences sociales et comment personnellement je procède par
rapport à ce minimum de règles sans lesquelles il n'est pas de
connaissance possible.

Parmi les différentes techniques utilisées par les chercheurs, il existe une sorte de communication inversée qui

consiste à pratiquer l'assimilation d'objets nouveaux à des systèmes déjà existants et à intégrer des objets nouveaux au système d'intelligence en usage. Mais si rien n'est donné et tout est construit, comment faire l'analyse, scientifique, d'un objet insaisissable? Et dans le cas qui nous intéresse, *comment parler de la religion de l'Autre, comment analyser l'Islam avec des concepts européens?* La constitution d'un savoir dans un champ a toujours pour fonction ultime l'hégémonie, c'est-à-dire la domination dans ce champ, et la production de théories scientifiques n'est pas séparable de l'étude des conditions de production du discours scientifique, en fait de la *doxa* (c'est-à-dire d'un indiscuté), qui peut être démasquée à partir de la position des clercs dans le champ de la domination.

Ces précautions en forme d'affirmations expriment parfaitement les difficultés auxquelles nous sommes confrontés dans l'étude des sociétés, et plus particulièrement des sociétés différentes. Et, aujourd'hui, la conscience aiguë de ces obstacles fait l'objet de graves discussions dans l'ensemble des sciences sociales, discussions auxquelles il sera parfois fait allusion au cours de cet ouvrage. En ce qui me concerne, étant par ailleurs enseignant de sciences politiques, je sais que je sais cela, et j'ai pourtant décidé de poursuivre mes recherches. Il faut donc expliquer dans un premier temps comment j'ai travaillé par rapport à une variable fondamentale qui est mon propre itinéraire biographique, tant il est vrai, comme l'ont si bien exposé Bourdieu, Mircea Eliade, Levi-Strauss, Balandier, et d'autres, que le détour par l'étranger est nécessaire à la compréhension de sa propre société.

Il n'est pas possible à un seul chercheur de couvrir l'ensemble du champ islamique dans l'espace, de l'Atlantique à la Chine, et dans le temps, plus de quatorze siècles. Cet ouvrage est donc le résultat de méthodes et de techniques fort différentes, et le produit de mes recherches sur des fronts éloignés : j'ai « fait du terrain », essentiellement au Maghreb, et partiellement au Moyen-Orient, mais je ne suis jamais allé au Pakistan, qui est pourtant un lieu important dans la stratégie des groupes que je vais décrire. Pour le cas de l'Islam non arabe, j'ai lu la production de mes collègues et, le plus souvent, discuté avec eux dans nos réunions professionnelles, colloques et séminaires. Toutefois, comme l'Islam « radical » est essentiellement arabe, ainsi que je le montrerai, je pense avoir à peu près fait le tour des problèmes – sans les épuiser, cela va sans dire. De toute façon j'assume le risque de l'enclosure, puisque après tout l'orientalisme soulève le même problème depuis longtemps, quels que soient sa forme et ses modes de légitimité ou d'illégitimité [2].

C'est donc bien une vue d'occidental que je propose, que l'on ne s'y trompe point; mais d'un occidental perverti par l'Orient, qui a fait le voyage comme Gérard de Nerval, et qui longtemps n'a pas vu ce que ses yeux lui donnaient à voir parce que l'imaginaire l'emportait. Il faut signaler que les orientaux ont également un regard sur l'Occident et que si, dans la découverte de l'Orient par l'Occident, il existe des cycles (les Croisades, la colonisation, l'orientalisme et la peur de l'Islam après le « péril jaune »), ceux-ci ne correspondent pas aux cycles islamiques de la découverte de l'Occident. La vision que les orientaux ont de l'Occident est, en effet, nettement moins connue, et les travaux même savants sont moins nombreux. En outre, si dans les milieux orientalistes quelques chroniques éclairées sont traduites, et bien traduites, comme celle d'Usama Ibn Munqidh due à la plume de Miquel, et sont lues, il existe peu d'ouvrages publics comme la traduction du livre de l'orientaliste anglais Bernard Lewis [3].

J'insisterai donc sur l'histoire islamique, qui est différente non pas simplement sur le plan de sa chronologie mais sur la conception même du temps, comme je l'expliquerai plus loin. Ainsi, à titre d'exemple, même si l'on utilise la lecture la plus proche de l'Occident en matière de conception cyclique (je fais ici allusion à celle d'Ibn Khaldun), il est possible de déceler quatre grandes périodes à l'époque contemporaine dans le cadre de ma démonstration en partant de la notion de *dâr al-islâm* : la Maison de la Soumission constitue une Communauté, la *umma*, même si elle est divisée aujourd'hui en États antagonistes.

Tout d'abord, le dépècement du Dar al-Islam par la colonisation et la résistance confrérique, surtout au Maghreb.

Puis, dans un deuxième temps, le mouvement dit de la *nahḍa,* Renaissance arabe sur la base d'un Islam plutôt scripturaire et urbain, lettré et bourgeois.

L'apparition du nationalisme comme alternative allogène avec plusieurs déplacements villes/campagnes/villes/élites transculturées/ruraux...

Enfin, aujourd'hui, le retour à l'Islam – mais à quel Islam? – car là me paraît être la question centrale posée au monde arabe et dont je ne suis pas sûr que le monde arabe (se) la pose (bien) : *qui se réapproprie l'Islam, et quel Islam*?

C'est un des buts de ce livre de tenter de répondre à cette double interrogation.

Mais le fait d'être un clerc dans le champ de l'orientalisme contemporain implique de faire appel, dans ce travail, à la fois à la constitution de l'imaginaire occidental et aux données objectives. En effet, s'il est vrai que la psychanalyse et le marxisme nous ont appris comment percer les superstructures pour arriver aux causes et aux mobiles véritables, alors l'histoire des religions telle que je la comprends aurait le même but : « identifier la présence du transcendant et le supra-historique dans la vie tous les jours », écrit Mircea Eliade dans son journal, qui poursuit ailleurs :

« Le phénomène capital du XXᵉ siècle, ce n'est pas la révolution du prolétariat mais la découverte de l'Homme non européen et son univers spirituel. L'inconscient... tout comme le monde non occidental ne se laissera déchiffrer que par l'herméneutique de l'histoire des religions [4]. »

Pour une vision comparatiste

Une histoire comparée des religions se heurte souvent à l'européo-centrisme du lecteur occidental; aussi me paraît-il nécessaire de situer l'Islam dans l'ensemble indissolublement lié historiquement que constituent les trois religions monothéistes. Il n'est peut-être pas inutile, en effet, de rappeler que l'Islam fait partie intégrante du tronc commun constitutif du judaïsme et du christianisme.

Cet héritage est parfaitement assumé par l'orthodoxie musulmane, au point que la prophétie mohamédienne est considérée par les Musulmans comme le parachèvement et la clôture de la Révélation. Cette histoire commune n'est pas, bien entendu, interprétée d'une manière identique, et j'aurai l'occasion de souligner les différences, dont certaines ne sont pas négligeables – ainsi, l'héritage d'Abraham à l'égard de son fils sacrifié, Ismaël pour les Musulmans. Mais il n'en demeure pas moins que le fonds de croyance est identique; les Musulmans accusent simplement les Juifs et les Chrétiens de n'avoir pas perçu la logique du procès et d'avoir falsifié les Écritures, qui sont constamment citées dans le texte coranique. Or, curieusement, il n'existe pas d'ouvrage de synthèse qui présente un tableau comparatif de la fixation des textes juifs, chrétiens et musulmans [5]. Chaque religion, sauf exception, ne s'intéresse qu'à sa propre chronologie.

L'implication première de cette évolution chronologique [6] est évidemment que pour les Juifs et les Chrétiens, le prophète Mohammad est un imposteur, alors que pour les Musulmans la plupart des prophètes et des rois sont reconnus dans leur fonction et dans leur mission, sauf en ce qui concerne la nature du Christ [7].

Une différence capitale tient à l'attitude de chacune des religions à l'égard des textes fondateurs. Et sur ce point l'Islam est beaucoup plus près du judaïsme et du protestantisme que de l'Église catholique, qui avait pratiquement interdit à ses fidèles la lecture de la Bible en dehors de l'interprétation qu'en faisaient les intermédiaires autorisés. Fénelon ne disait-il pas que la seule vraie Bible était le prêtre?

Luther et Calvin ont contesté l'Église romaine au nom de la Bible et ont poussé une partie des Chrétiens à un retour aux Écritures. De même, pour les Juifs, nul ne peut être pieux s'il est ignorant : étudier le Livre par excellence est la plus importante des recommandations, et certains pensent même que l'étude de la Thora est une exigence qui dépasse tous les autres commandements. La tradition juive a ajouté aux textes des commentaires de tradition orale (Talmud et Midrash), allant jusqu'à constituer un corps de rabbins, c'est-à-dire de clercs-sachant-les-Écritures, entretenus par la Communauté, dotés d'un statut social et symbolique très élevé dans la hiérarchie des valeurs opposant le travail à la contemplation.

Il en va de même dans l'Islam, *mutatis mutandis* : n'importe quel Musulman, de préférence en s'appuyant sur les commentaires des Anciens, peut et doit se consacrer à l'étude des textes. Néanmoins, le Coran, loin d'être considéré comme l'histoire du peuple, constitue au contraire la Parole incréée de Dieu, ce qui a d'autres implications. Et, contrairement aux partisans du rapprochement islamo-chrétien, dont la bonne volonté n'est pas en cause, il me paraît nécessaire de préciser les grandes différences entre l'Islam et le Christianisme, plutôt que de rappeler sans cesse qu'Abraham est le père fondateur commun.

Il est clair qu'une problématique « protestante » permet de mieux comprendre l'aspect *mondain* de l'Islam, ce que je signalerai plus loin à travers la formule de *dîn wa dunyâ* : « religion et monde ». Dès 1523, Luther – qui ne doute pas de la Loi et du pouvoir – soutient que le point crucial tient dans les limites de l'obéissance; il avance que le pouvoir ne peut contraindre personne à la foi, à comparer avec la formule coranique : *lâ ikrâha fî'l-dîn* « pas de contrainte en religion », car celle-ci est placée sous le pouvoir de Dieu. Ainsi la désobéissance, tirée du *ḥadîth* « pas d'obéissance à la créature désobéissant au Créateur », existe dans le secret de l'âme tandis que le pouvoir ne peut écraser que les corps et les biens : « la liberté spirituelle peut très bien coexister avec la servitude civile ». Cette innovation de l'interprétation permet du coup à l'individu de s'affirmer comme sujet, comme personne, hors de l'Église catholique, parce que dans le cadre de la vie mondaine; la conscience morale et religieuse fait donc du Chrétien un citoyen voué aux lois de la société civile.

Calvin ensuite y ajoute la disparition d'une théocratie qui

plonge l'individu totalement dans le monde : *présence au monde* d'autant plus dramatique que l'impuissance de l'homme est complète face à l'omniprésence de Dieu. Mais que l'on prenne garde : il ne s'agit pas là d'individualisme. L'homme, même prédestiné, ne peut connaître la volonté de Dieu, et doit participer d'une façon active à la vie du monde, travailler à la glorification de Dieu dans le monde; c'est la fidélité à cette tâche qui sera la preuve de son élection [8]. L'individu prend ainsi le pas sur l'Église et s'incarne lui-même dans son action dont le sens est décidé ailleurs.

Il me semble qu'il y a là une clé de la société musulmane, laquelle suppose un individualisme dans le monde non destructeur de la société holiste (société dans laquelle les unités se complexifient de plus en plus en se constituant) : le pôle extra-mondain est supérieur à la société mais il la laisse en place, la prédestination ne conduisant pas nécessairement au fanatisme, au *maktûb,* comme l'a longtemps suggéré la trivialité colonialiste. Les mots sont lâchés qui balisent l'imaginaire : fatalisme, fanatisme... mais qu'en est-il réellement? Les Musulmans sont-ils plus fatalistes, plus fanatiques que les autres croyants? Comment notre perception des événements médiatisés peut-elle traduire la réalité complexe qu'observe l'anthropologue? Comment les images, les symboles, les rituels analysés produisent-ils des significations interprétées différemment par les acteurs et les chercheurs?

L'Islam lui-même propose une lecture plurielle selon qu'on l'aborde par les textes ou par les pratiques, approche qui peut conduire à travers une herméneutique spirituelle *(ta'wîl),* à l'extinction en Dieu justement nommée *fanā'*...

Peut-on appliquer à cette lecture les débats occidentaux sur l'articulation mythe/rite/symbole tels que les ont menés les grands anthropologues comme Mircea Eliade et tant d'autres?

Le simple fait d'avoir posé toutes ces questions m'a conduit, pour ma part, à admettre que même si le sujet ignore parfois le contenu réel du message, et même si ses pratiques sociales sont le plus souvent inconscientes, il est possible au

chercheur de travailler sur les signes, symboles et rituels sans
tenir compte du fait que tous les individus comprennent ou non
leurs significations implicites; quitte à buter sur d'autres
obstacles. Cette démarche conduit à découvrir que les repré-
sentations religieuses ne peuvent se réduire à des fonctions
sociales, psychologiques ou rationnelles. Mais si l'expression
religieuse (y compris la plus élevée, l'extase) se présente
toujours à travers des expressions structurelles et culturelles
spécifiques qui sont historiquement conditionnées, il faut
découvrir l'homme dans son entière complexité à travers ces
structures et ces fonctions. Si pour Durkheim la religion n'était
que la projection de l'expérience sociale (la sociabilité et le
groupe social sont une seule et même réalité), je ne crois plus
aujourd'hui que la vie religieuse soit seulement un épiphéno-
mène de la structure sociale. Il n'existe pas de fait religieux à
l'état pur : celui-ci est toujours en même temps un fait
historique, sociologique, culturel, psychologique et sans doute
certaines autres choses encore. J'insiste sur cette *multiplicité
de sens possibles* parce que la confusion commence lorsqu'un
seul aspect de la vie religieuse est tenu pour fondamental (par
exemple le meurtre du Père ou la mimesis) ou significatif
(l'instance économique). Nul aspect n'est secondaire ou illusoi-
re. Aussi, pour éviter le risque de tomber dans un réduction-
nisme dépassé, nous devons toujours considérer l'histoire des
significations religieuses comme faisant partie de l'histoire de
l'esprit humain [9]. En illustration de ce propos quelque peu
théorique, je prendrai l'exemple de la figure de l'*Imâm* puisque
les médias occidentaux ont fait de ce mot le symbole, à travers
Khomeyni, du fanatisme le plus rétrograde. L'Imam n'est pas
simplement le conducteur de la prière ou « Le chef » (les
occidentaux ne peuvent pas concevoir les sauvages sans un
chef!), chef spirituel de la communauté dont il serait le garant.
Il est bien plus que cela : il est celui par qui advient l'ordre du
Monde. Le martyre d'Ali et de son fils, puis l'occultation des
Imâm-s successifs correspondent à une conception qui investit
l'Imam d'une fonction cosmique sacerdotale faisant de lui le
pôle mystique grâce auquel le Monde de l'homme persévère
dans l'être. Ce pôle *(quṭb)* est *l'homme parfait* qui

correspond à Ali. Mais l'homme total (*al-insân al-kâmil*) n'a rien à voir avec l'homme des Droits de l'Homme. Il est celui qui se *réalise* dans l'Islam.

Cette conception renvoie à ce que les historiens des religions nomment une théologie de l'*Aïon,* c'est-à-dire de l'âge total du Monde, divisé en douze millénaires (dépourvus de chronologie positive), selon laquelle l'ascension vers Dieu se produit à travers une réalisation thanatocratique : le goût exacerbé du martyre et de la mort caractérisant notamment le chiisme duodécimain qui attend le retour du douzième Imam. (Voilà d'ailleurs une vision du monde qui explique tout de même mieux la guerre Iran-Irak que l'argument de la folie sanguinaire d'un seul vieillard.)

Que personne ne pense que je cherche ici à justifier quoi que ce soit, j'essaye de préciser les composants d'un univers mental. On ne parvient à bien percer à jour une religion, une figure divine, un mythe ou un rite particulier, qu'en déchiffrant le système idéologique sous-jacent aux institutions sociales et religieuses. Pour déchiffrer ce sens caché, il me paraît difficile de construire des typologies qualitatives, et surtout quantitatives, des attitudes religieuses, et en même temps il me paraît impossible de ne pas le faire. Par-delà les difficultés de l'enquête (par exemple compter les gens dans les mosquées, ou comptabiliser les prières à domicile), la grande variété de la palette des attitudes rend l'entreprise très complexe. Entre l'athée cohérent (en 25 ans, j'en ai rencontré deux ou trois) et les militants islamiques cohérents (il y en a beaucoup plus que des agnostiques), il existe une infinité de situations : depuis l'homme pieux et pratiquant jusqu'à l'indifférent, en passant par toutes les nuances des pratiques populaires récusées par les orthodoxes (magie, thérapie, culte des saints, pèlerinage, fête, etc.). Donc, contrairement à ce que disent ses porte-parole officiels, l' « Islam » recouvre une pluralité d'Islam-s, vécus sereinement par les masses qui, d'ailleurs, jouent fort habilement sur tous les registres à la fois : l'Islam-culture, l'Islam-refuge, l'Islam-protestation, jusqu'à l'Islam-business (*tabisniz* signifie en argot casablancais « se débrouiller »). L'articulation est habile et probablement, du reste, permet aux gens de survivre.

Cependant les « urbanisés-cultivés » vivent la situation de façon schizophrénique, déchirés entre la modernité et la tradition, et parfois même d'une façon culpabilisée, surtout face à l'enquêteur étranger : plus d'une fois il m'est arrivé de sentir la réaction humiliée de Musulmans orthodoxes devant mon travail de recherche sur l'Islam populaire. Mais étudier le vécu ne doit pas conduire à reproduire le vécu ; tout au plus peut-on constater les distorsions qui apparaissent entre le discours officiel orthodoxe et les pratiques sociales quotidiennes et populaires. Et sur ce point peu m'importe que les savants occidentaux et les savants musulmans m'accusent de confusionnisme : je sais par expérience que ce que nous, nous séparons, les acteurs sociaux le vivent dans l'unité, que les masses arabo-musulmanes bricolent et trafiquent tous les registres qui sont à leur disposition : politique, religieux, clientéliste, rationnel, etc. Il ne s'agit en rien de confusion; bien au contraire, nous sommes en présence de stratégies. La différence de perception tient à ce que l'observateur occidental ne possède pas tous les codes, et en particulier pense la séparation des sphères publique et privée à travers un État, sinon laïcisé, du moins fortement sécularisé depuis longtemps. Il lui est alors plus facile d'imaginer que le péché originel de l'Islam reste la confusion entre le spirituel et le temporel. Mais il lui est alors quasi impossible d'impliquer la pensée occidentale dans l'analyse du religieux, car elle aussi est sécularisée depuis Marx et Hegel...

Signaler cet amoncellement de difficultés conduit à en soulever une ultime, moins évidente : comment décrire des comportements apparemment « illogiques » aux yeux de l'observateur en sachant que, si dans toute société les acteurs sociaux produisent des discours qui masquent la réalité de ce qu'ils font, il ne faut pas compter sur les idéologues, ni sur les intellectuels, pour démasquer le travestissement de leur propre société? Certains soutiennent que la religion est une idéologie comme les autres; je considère pour ma part que cela n'est pas aussi simple. Le débat ne portant d'ailleurs pas sur la fonction sociale remplie par l'idéologie, même si de toute évidence les grandes religions monothéistes ont satisfait historiquement aux

mêmes besoins que les grandes idéologies de l'époque moderne
(qui pense sérieusement que l'on puisse construire une société
sans religion, que celle-ci soit sécularisée ou non?). Par contre
apparaît la nécessité d'une typologie qui différencie les multiples systèmes de croyance en permettant d'intégrer à l'observation des phénomènes apparemment aussi différents que la
magie et les grandes messes (de type Nuremberg), ou les
réunions du congrès de tel parti. Mais on débouche alors sur
une opposition qui ne me paraît pas plus pertinente : la religion
serait propre aux sociétés traditionnelles homogènes et l'idéologie caractériserait les sociétés modernes conflictuelles. Ce qui
me semble du coup relever soit de la myopie intellectuelle, soit
de la naïveté subjective, soit enfin d'un évolutionnisme scien-
tiste qui est fortement contesté en cette fin de siècle, depuis
Habermas tout au moins.

Certes, toute idéologie organique donne un sens au monde
et le monde fait sens pour toute société, même s'il est possible
de soutenir que plus une société se modernise, plus le désenchantement progresse, et moins le monde fait sens. Les
relations entre religion et politique sont conflictuelles dans la
modernité si l'on accepte comme définition de celle-ci :

« Le passage d'une conscience religieuse indivise pour qui la
métaphysique englobe, fonde et informe tous les êtres concrets à une
conscience positive pour qui transcendance, mythe, symbole ne sont
que des moyens d'élaboration de systèmes sémiotiques donc de
représentation du réel empirique [10]. »

Le rapport conflictuel prend plusieurs formes selon que la
conception religieuse envisagée affirme la priorité absolue de la
religion sur le politique et subordonne étroitement le politique
au religieux : nous verrons que c'est en grande partie la
conception qui domine chez les islamistes. D'autres formes
historiquement repérables affirment la primauté de la politique
sur la religion et la soumission de celle-ci à celle-là. Mais
séparer strictement religion et politique pour éviter tout conflit
entre elles est une idée totalement étrangère à l'Islam, qui ne

saurait admettre la domestication de la religion (entendue ici comme une réduction à la sphère du privé), et le seul cas de proposition théorique de séparation fait l'objet de critiques virulentes de la part des islamistes et des orthodoxes [11]...

Il semble en revanche que la critique du rôle social de la religion ne se soit développée qu'en Occident et conduise à sa disparition. Encore que l'on puisse en relire avec attention la formulation la plus parfaite dans la *Critique de la philosophie hégélienne du droit,* dont la fameuse expression « l'opium du peuple » est toujours citée hors de son contexte :

« La religion est le soupir de la créature accablée, le cœur d'un homme sans cœur, comme elle est l'esprit des temps privés d'esprit... Être radical c'est saisir les choses à la racine. Or, pour l'homme, la racine, c'est l'homme lui-même... Il résulte de la critique de la religion que l'homme est l'être suprême pour l'homme... »

Or la définition même de la religion que donne Marx (l'Esprit des temps privés d'Esprit) est la traduction exacte de ce que les arabo-musulmans nomment la *jâhîliyya,* l'ignorance, la barbarie pré-islamique. En s'emparant de cette formule (extirper la *jâhîliyya*), les islamistes signifient qu'ils veulent s'attaquer à la racine du Mal. C'est en ce sens qu'ils sont *radicaux*; ils attendent ainsi le jugement dernier : il faut détruire le monde pour que le royaume advienne. Or cette lecture est peut-être compréhensible aujourd'hui même en Occident : Marcel Gauchet reprend un thème classique de la pensée mystique qui, jusque-là, n'était pas banalisée dans l'histoire des religions. Il soutient en effet qu'il y a eu une lente dégradation depuis les religions primitives jusqu'aux religions les plus modernes qui se parachèvent avec celles de l'État, et ajoute que l'épuisement du règne de l'invisible, caractéristique de nos sociétés modernes, est irréversible. L'État a, peu à peu, dépossédé la religion de ses fonctions sociales et temporelles et le christianisme s'est fait l'agent par excellence de cette séparation. Ce qui l'amène à tirer une conséquence qui pose le problème à propos de l'Islam : il postule que les vraies religions sont, au fond, celles que nous tenons pour sauvages et primitives et que serait « religieux » exclusivement l'extériorité parfaite, c'est-à-dire ce qui situe la divinité hors de toute incarnation possible; mais cette extériorité même des Dieux parallèles à la société des hommes implique l'immobilisme : le monde, donné, doit se répéter comme tel. Il y a là une piste qui permettrait d'avancer l'hypothèse que l'Islam est une brisure par rapport à l'évolution du judaïsme et du christianisme; celui-ci serait la religion « de sortie de la religion » en tant que promoteur des concepts de laïcité et d'athéisme. Tout au contraire, il semble bien que l'Islam ait gardé une idée de la Cité de Dieu qui ne corresponde pas à l'intrusion des temps modernes propulsée par le christianisme séparant le politique, la religion et l'État :

« La très glorieuse Cité de Dieu considérée, d'une part, au cours des âges d'ici-bas, vivant de la foi, elle fait pèlerinage au milieu des impies, d'autre part, dans cette stabilité de l'éternelle demeure, qu'elle attend maintenant avec patience jusqu'au jour où la justice sera changée en jugement [12]. »

Nous verrons que l'équité conduisant au Jugement dernier est le fondement même de la pensée islamiste.

L'islamisme radical

Quelle que soit la définition qu'il donne de la religion, le chercheur n'est pas obligé de l'opposer à celle du croyant : il doit au contraire en tenir compte [13]. Pas un croyant, pas un orientaliste ne s'accorde sur une définition de l'Islam. Plutôt que d'en proposer une de plus, je préfère souligner que *la tension vers l'Unité,* conséquence de l'Unicité de Dieu, *est au principe de l'Islam alors même que l'Islam est pluriel socialement, historiquement, géographiquement;* j'ai donc choisi de traiter un aspect isolé – avec tous les risques que cela comporte – de ces Islam-s : *l'islamisme radical arabe.* Mais, ce faisant, je n'évacue pas certains problèmes dont je suis parfaitement conscient, et au premier chef le fait qu'il existe du point de vue théologique orthodoxe un seul Islam qui est « la religion de la

vérité », selon la formule coranique *(dîn al-ḥaqq)*. Si je choisis
la doctrine de *l'Islam radical* (qui est, lui aussi, pluriel), c'est
parce qu'elle est porteuse de ce qu'Arkoun nomme un *discours
islamique contemporain* [14], sorte d'ossature idéologique qui
donne un support aux luttes actuelles et mobilise les masses,
comme nous le verrons, victimes aujourd'hui autant du désenchantement du monde que de la répression politique et économique. Cette réappropriation du politique passe par le religieux ; elle définit d'ailleurs le titre de cet ouvrage : *l'Islamisme
radical*. Je le prends au sens premier du terme, la doctrine de
l'Islam *à la racine,* et au sens américain du terme, l'Islam
politiquement radical [15], presque révolutionnaire. Je n'utilise
pas l'ensemble « Islam politique » parce que le terme *politique,*
tel que nous le concevons en Occident depuis les Grecs, n'existe
pas dans le Coran ; le mot utilisé actuellement *(siyâsa)* revêt
une acceptation moderne.

Les islamistes sont radicaux par leur re-lecture de l'histoire
de l'Orient et l'Occident. Reprenant, par exemple, dans une
opération inverse de celle pratiquée par l'Occident, l'ensemble
des théories du développement qui font du sous-développement
un phénomène « naturel », lié au « retard » de certaines sociétés
périphériques, les islamistes soutiennent, tout au contraire, qu'il
est le produit de l'Occident et de son imitation *(taqlîd)*. Il
apparaît donc clairement que leur analyse est radicale en ce
sens qu'elle remet en cause l'ordre économique mondial et la
domination de l'Occident ; elle propose comme solution à tous
les maux de la modernité/modernisation le retour aux racines
de l'Islam politique : la Cité idéale des *Rašîdûn,* des quatre
Califes « bien inspirés ».

Ce choix, limité, de ne traiter que de l'islamisme radical,
est encore justifié par une autre caractéristique qui, selon moi,
est au principe de l'Islam : le militantisme, au double sens d'une
*doctrine qui fait de tout Musulman un prosélyte et un
combattant.* L'Islam est le Sceau de la Prophétie monothéiste
aux yeux des Musulmans. Dieu a voulu par là que soient
rectifiées les erreurs des Juifs et des Chrétiens. Ainsi ce vieux
savant musulman qui m'a beaucoup appris sans jamais exiger
quoi que ce soit en retour m'écrivait cet hiver :

« Je viens de lire votre travail sur la *sakîna* (présence de Dieu)...
il est intéressant mais faux... je ne voudrais pas être incorrect à votre
égard ni paraître malveillant pour vous et vos convictions religieuses...
(j'ai, vainement, expliqué à cet honorable vieillard mon agnostiscisme
professionnel, peu lui chaut : pour lui je suis un Chrétien...). Si les
« vôtres » (les Occidentaux) et vous-même avez du respect pour notre
façon de penser et pour notre religion, c'est que celle-ci vous domine
ou que vous manquez de confiance en la vôtre... »

Je pourrais, pour faire pédant, ajouter qu'il utilise le mot
istiḍᶜâf, qui est un concept péjoratif pour « faiblesse », généralement employé dans les théories de la nécessité *(ḍarûra)*,
c'est-à-dire pour une période troublée où la dissimulation est
permise provisoirement au Musulman craintif.

En fait, ce type de réflexion vient immédiatement à l'esprit
de tout Musulman qui lit dans nos écrits, ou dans nos discours
officiels, notre respect profond de la conscience musulmane.

Mon vieil ami poursuit dans une autre de ses lettres :

« ... Or sur ce terrain il ne peut y avoir pour nous d'ambiguïté »,
et d'affirmer : « Lorsque deux religions s'affrontent, ce n'est pas pour
se comparer et se décerner les compliments mais pour se combattre.
C'est pour cela que jamais vous ne nous entendrez dire que nous
respectons votre religion... De votre part, ce respect à l'égard de la
nôtre paraît une abdication : vous renoncez à nous imposer votre foi,
nous ne renoncerons jamais à étendre l'Islam. »

Et, balayant les présupposés « scientifiques » que je pou-
vais mettre en avant, il continuait ainsi :

« Matériellement, vous nous avez maîtrisés par votre force
guerrière et votre puissance économique, mais du point de vue
religieux vous êtes restés des vaincus. »

Au Maroc, en particulier, les lettrés musulmans citent
toujours la bataille d'Alcasar-Kébir, dite la bataille « des trois
Rois », qui se solda par la défaite de rois très chrétiens en 1578
et marqua l'émergence d'al-Mansour, le victorieux! Et mon
vieil ami d'ajouter encore, récusant mes arguments à l'appui

des bienfaits de la civilisation occidentale à travers les procédés de modernisation :

« Vos arguments marquent la précarité de votre domination. Car rien ne se construit qui n'ait pour fondation la foi en Dieu, le Très Haut, et rien n'est durable qui n'ait pour fondation la foi en Dieu et en la mission de son prophète Sidna Mohammad, que le Salut soit sur lui... »

Il développait ensuite les raisons, selon lui, de notre faiblesse, qu'il trouvait notamment – outre le Sceau de la Prophétie – dans l'éducation de nos enfants et le laxisme de nos mœurs. Puis de continuer encore :

« Comment osez-vous ne pas vous prétendre « chrétien » alors que vous avez un Pape qui, lui, a compris qu'il ne fallait pas contrôler la naissance des croyants, comme il l'a dit au Brésil ? »

Il s'agit là d'un bel effet de rétroaction – le retour de l'anxiété de l'Occident face à la croissance démographique du tiers monde – qui se présente ici comme un argument incontournable!

Mais ce type de raisonnement n'est pas seulement courant, il est parfaitement orthodoxe. L'Islam étant porteur essentiellement d'une communauté unique, en perpétuelle gestation, à tout moment tout Musulman est en mesure de s'y référer. Dans le Dar Al-Islam plus que partout ailleurs, le tissu subtil de la réalité sociale est en fait constitué par l'imaginaire et pas seulement par les forces productives. L'institutionnalisation même de la société est un produit de l'imaginaire : les forces qui font tenir ensemble une totalité sociale ne sont pas réductibles à la contrainte; ce sont des forces symboliques [16]. Sur ce point, l'erreur commune à tous les positivistes est d'opposer l'imaginaire au rationnel comme l'illusion s'oppose à la vérité. Or la réalité elle-même est une invention sociale parce qu'elle est un effet de cette constitution de la société par elle-même, et, dans ce domaine précisément, l'originalité des sociétés arabo-musulmanes contemporaines, bien qu'extrêmement diversifiées, est qu'elles présentent une entropie caractéristique qui se traduit par d'extrêmes difficultés à se couler dans la rationalité des États-nations modernes, tandis que les tendances à la reconstitution de communautés primordiales sont, partout, sinon les plus fortes tout au moins productrices de tensions contradictoires.

Aussi, lorsque l'Islam, dans un pays quelconque, est le seul véritable instrument de mobilisation des masses, aucune politique, aucune transformation sociale de quelque ampleur n'a de chance de réussir si ses promoteurs ne puisent pas au sein de l'idéologie islamique les thèses susceptibles de les accréditer. L'édification d'une société islamique en accord avec la morale religieuse reste le seul projet civilisateur concevable. Les réformistes politiques se trouvent ainsi contraints de se doubler de prédicateurs moraux. Mais des « outsiders » peuvent surgir au moment où la disponibilité communautaire est telle qu'ils apparaissent comme désignés par la Providence : l'imaginaire a préparé leur venue comme *rectificateurs* et c'est alors qu'ils peuvent, selon l'heureuse formule de Gilles Kepel, à l'instar des rétiaires, retourner le filet contre les politiques de ceux qui ont utilisé l'Islam d'une façon irresponsable, en puisant dans le stock idéologique même des dominants, au profit des dominés. L'islamisme est alors radical par l'utilisation d'un référent unique, le même, re-lu, le legs réinterprété. Cela n'est possible que parce qu'ils partagent la cosmogonie des dominants. Or le sens immédiat du monde, et en particulier du monde social, suppose ce que Durkheim appelait le conformisme logique, c'est-à-dire une conception homogène du temps, de l'espace, du nombre, de la cause, qui rend l'accord possible entre les intelligences. Or sur ce plan les Musulmans ont une conception homogène (et... différente de la nôtre). Pour les Musulmans, par exemple, l'heure la plus importante *(sâ^ca âkhira)* est celle qui précède le Jugement dernier. Nous verrons d'ailleurs la place de l'Apocalypse dans une telle conception. Le monde arabe connaît en effet actuellement des émeutes « de la faim » que j'appelle « émeutes F/M/I », et que les médias occidentaux attribuent aux F.M. (Frères musulmans) et non à la Banque mondiale et à l'incurie des dirigeants qui pratiquent une répression farouche. En général, les relations de domination entre les hommes prennent des formes très diverses et la violence politique se manifeste rarement d'une façon brutale et visible car son usage est l'*ultima ratio* du pouvoir. Le plus souvent, la domination utilise la forme douce et invisible, parce que occultée, de la violence symbolique à travers l'orthodoxie. Le pouvoir symbolique est un pouvoir de construction de la réalité qui tend à établir un « ordre gnoséologique » (selon le mot de Durkheim), un consensus à travers l'appréhension de l'ordre du monde. Or, sur ce plan, la violence des émeutes et de leur répression, tant à Casablanca qu'au Caire et à Tunis, traduit clairement une rupture du consensus sur le sens du monde entre la classe politique et la société civile. En effet, la solidarité sociale repose sur le fait de partager un système symbolique, c'est-à-dire une langue, une religion qui rendent possible le consensus sur le sens de la société, contribuant ainsi à la reproduction de l'ordre social. Mais dans tout champ religieux, dans tout champ politique comme dans tout champ symbolique, il existe une lutte entre des groupes – qui sont généralement des classes – pour faire prévaloir la conception du monde, et donc du monde social, la plus conforme à leurs intérêts, qu'ils soient conscients, ou inconscients.

Cette lutte, dans le cas des trois religions monothéistes, a toujours été menée par l'intermédiaire de spécialistes : ces *clercs* que Gramsci nomme « intellectuels organiques » et que Weber appelle « prêtres » ou encore « clercs-légitimes-de-la-gestion-des-biens-du-salut », c'est-à-dire tous les clercs-sachant-les-Écritures, quel que soit leur statut dans une religion particulière (curé, rabbin, pasteur, etc.). Ils ont en commun le fait d'être des spécialistes de la production religieuse et d'avoir le monopole de l'accès aux Écritures. Mais le système idéologique des clercs est travaillé de l'intérieur par des contradictions : en général les principes religieux qu'ils inculquent aux masses pour les dominer au profit de la classe du pouvoir contiennent en eux-mêmes les mécanismes qui permettent de dévoiler la domination elle-même. Ainsi Duby démontre comment, par réflexe évangélique, le prêtre finit par accuser le Seigneur de sucer le sang du peuple, et Gramsci trouve l'explication de cette désoccultation dans la base sociale du

recrutement des uns et des autres. Du coup, comme l'explique
Bourdieu, l'idéologie religieuse aurait pour fonction d'imposer
l'appréhension de l'ordre établi comme naturel « à travers
l'imposition masquée (donc méconnue comme telle) des systèmes de classement et des structures mentales, objectivement
adaptées aux structures sociales ».

L'idéologie religieuse fonctionnerait donc, à l'instar de
toute idéologie dominante, comme légitimation de l'ordre
établi. Formulation un peu rigide qui correspond, en gros, à la
thèse « marxiste [17] ». Mais les guerres de religion ne me
semblent pas réductibles à de simples querelles théologiques, si
violentes fussent-elles, ni à de simples conflits entre les intérêts
matériels des classes dominantes et des classes dominées.
L'étude de l'islamisme radical m'a conduit à éviter de juger
l'Islam à l'aune de l'une de ces deux explications prises
isolément. En fait les guerres de religion sont explicables par
ces deux éléments *inséparables,* en ce sens que la religion étant
une des formes de réalisation de l'humanité, les catégories
théologiques rendent impossible la lutte de classes en tant que
telle : en revanche, elles permettent de la mener, sans toujours
la penser, sous la forme d'une guerre de religion. C'est le sens
que je donne à la guerre du Liban et au conflit Iran/Irak. La
lutte des classes passe bien dans ces deux cas par l'émergence
des Chiites en tant que classe, oubliée, confortée par le thème
musulman de l'opprimé : *al-mustaḍ'afûn.* Ce thème, fort constant dans l'histoire arabo-musulmane, est aujourd'hui réappro-
prié avec vigueur par les groupes islamistes, comme nous le
verrons; il signifie clairement « tous ceux qui sont en dériliction,
abandonnés de tous, peut-être même de Dieu »...
Si l'idéologie hégémonique, en tant que conception du
monde, est bien dominatrice, c'est parce qu'elle structure,
imprègne, pénètre les pratiques des dominés; et ces derniers ont
en quelque sorte intérêt à accepter la domination, parce qu'ils
vivent leur condition et leur existence politique à l'intérieur des
formes politiques dominantes. J'en tire logiquement l'idée
radicale soutenue par les islamistes : *les dominés vivent leur
révolte contre le système de domination dans le seul cadre*

référentiel de la légitimité dominante. C'est pourquoi les gouvernements ont parfois du mal à écraser *physiquement* les révoltes messianiques [18] qui puisent dans le même référent théologique que celui assurant la légitimité des dominants, et je soutiens que là se trouve probablement une des clés du succès des prêcheurs islamistes.

Il faut toutefois aller plus en avant dans la description de l'Islam pluriel, puisqu'à lui seul le radicalisme n'explicite pas pourquoi l'amalgame est constant dans la vision française des « terroristes », « fanatiques » qui sont confondus avec les Chiites : tous les radicaux musulmans ne sont pas chiites, tant s'en faut, et tous les Chiites ne sont pas des terroristes! Il faut donc éclaircir ce point : comment distinguer le chiisme du sunnisme?

Sunnisme et Chiisme

En général les auteurs prennent position sur l'orthodoxie *en fonction de leur propre choix* [19]. D'où un problème qui ressurgit régulièrement. Comme il n'existe pas dans l'Islam de pouvoir interprétatif collégial, à l'inverse de ce qui s'est produit dans l'Église catholique [20], il n'y a pas eu de magistère doctrinal unique. En conséquence, tout homme de bon sens et informé peut s'ériger en interprète des sources de la Loi. Ainsi, peu à peu, une sorte de consensus s'est dégagé autour de personnes connues qui se sont imposées par leur conduite et non pas par des institutions.

Dans ces conditions, pourquoi serions-nous autorisés à considérer le sunnisme comme l'expression de l'orthodoxie islamique? Les orientalistes occidentaux ont suivi les affirmations sunnites, traditionnistes, c'est-à-dire celles des orthodoxes eux-mêmes; or, les tenants des autres grandes écoles se présentent eux aussi comme des orthodoxes, ce qui fait écrire à juste titre à Arkoun que

« ceux qui se sont arrogé le titre flatteur d'orthodoxes ont adopté une méthode de lecture du Coran appropriée à l'élaboration d'une théorie du fait accompli : il faut obéir au calife en place en légitimant son pouvoir d'après les textes explicites et le comportement des premiers disciples... La possibilité même d'un sens latent du Coran se trouve ainsi rejetée. Or, c'est cette latence du sens que les Chiites vont privilégier et s'efforcer de mettre au jour grâce à une technique d'interprétation *(ta'wîl)* qui traverse les apparences du langage pour atteindre l'intention cachée *(bâṭin)* ».

Par-delà les différences, apparentes aujourd'hui, *il n'existe pas de divergence théologique fondamentale entre le chiisme et le sunnisme.* En revanche il existe de sérieuses distorsions : dans la mystique, dans l'évolution philosophique, dans les pratiques de clandestinité, et surtout dans le quadrillage de la société civile par le « clergé » chiite. Mais la divergence essentielle me paraît tenir dans la différence d'interprétation de la *légitimation politique* au sens le plus large du mot. Le problème fondamental est donc celui de la dévolution du pouvoir. La distinction clé entre la direction spirituelle *(imâma)* et la direction politique *(khilâfa)* de la Communauté musulmane s'est affirmée au cours des âges et sépare totalement aujourd'hui les Chiites et les Sunnites. D'autant plus que le « Califat » a été aboli par Attaturk et que l'imamat n'est plus revendiqué par (d'éventuels) descendants d'Ali.

Mais il n'est pas possible de concevoir cette articulation entre les fonctions du calife et de l'imam sans faire référence à la dialectique du *bâṭin* et du *ẓâhir* (l'ésotérique et l'exotérique), car elle justifie mon affirmation sur la nature et les sens différents de l'*imâma* et de la *khilâfa* : l'imam n'est pas simplement l'héritier spirituel du « Serviteur-Prophète »; il est investi d'une fonction sacerdotale qui fait de lui, comme homme parfait *(al-insân al-kâmil),* le *quṭb,* le pôle mystique grâce auquel le monde de l'homme persévère dans l'être : la royauté temporelle n'a rien à voir avec la guidance *(walâya)* inscrite dans l'avertissement eschatologique de la *nubuwwa* (Prophétie).

Celle-ci correspond en effet à cette « théologie de l'Aïon » évoquée plus haut, celle des âges et des cycles du monde; or, il n'existe pas de chronologie positive pour la réalisation de l'épiphanie, d'autant plus que la lumière mohammadienne descendue en ce monde n'est jamais une incarnation.

Aussi convient-il de rappeler succinctement comment se sont constituées dans l'histoire de l'Islam les différentes interprétations du Coran.

Le sunnisme ne s'est pas imposé tout de suite, même si l'on accepte le cas des Kharéjites, sortis de l'Islam en 657, à cause du problème de la dévolution du pouvoir. (Ils sont partisans de la désignation du chef de la communauté par l'accord des croyants, indépendamment de tout rattachement dynastique et même de race. Idée que reprendront d'autres « non-orthodoxes » à partir de la formule « tout Musulman peut être khalife, même un esclave noir ».)

L'expression francarabe « sunnisme » est d'ailleurs impropre : le terme exact est *ahl al-sunna wa'l-jamâ°a* (« les gens de la tradition et de la communauté ») ou encore *ahl al-kitâb wa'l-sunna* (« les gens du Livre et de la tradition »), parfois également *ahl al-ijtimâ°* (« les gens du consensus ») et enfin *ahl al-ḥadîth* (« les gens des dits » du prophète et de ses compagnons immédiats [21]). Il s'agit en effet de l'accord de l'ensemble des Musulmans (*ijmâ°* : « consensus ») sur les fondements de la jurisprudence telle qu'elle s'est développée à partir de l'interprétation du Livre et de la tradition du Prophète. En général, les Sunnites admettent les cinq statuts légaux de tout acte : *l'obligation, l'interdit, le recommandable, le répréhensible, le licite.* De plus ils sont d'accord également sur les pratiques culturelles (*°ibâda* : la profession de foi, l'état de pureté, la prière, l'aumône légale, le jeûne du mois de Ramadan et le pèlerinage à La Mecque).

Les difficultés commencent avec le détail des *mu°malât* ou des *âdât* : les relations sociales et les usages. Très rapidement, des écoles d'interprétation, improprement appelées « rites », se sont mises en place entre le VIIIᵉ et le Xᵉ siècle.

Les Sunnites ont aussi en commun la science du *ḥadîth.* En effet, les paroles comme les actes du Prophète (rapportés par les disciples et les compagnons, puis par les successeurs des disciples qui avaient entendu les compagnons, puis par les

disciples des disciples qui avaient entendu les précédents...)
étaient si nombreux, que le moment advint de mettre un peu
d'ordre, et aujourd'hui encore deux ouvrages sont utilisés : les
compilations de Bukhari, mort en 870, et celles de Muslim,
mort en 875, qui limitèrent à quelques milliers le nombre des
ḥadîth utilisables, mais le débat sur leur véracité et sur leur
pertinence continuera longtemps.

Le sunnisme a donné également lieu à d'autres formes de
théologie, d'herméneutique, d'interprétation spirituelle et de
pensée que je dois malgré tout signaler, bien qu'elles sortent un
peu de mon épure, parce qu'elles balisent l'imaginaire des
Musulmans : *j'ai en effet rencontré beaucoup de Musulmans
qui m'ont soutenu que l'Islam était Un mais, pour ma part, je
n'ai pas rencontré un seul Musulman qui ressemblât à un
autre.* Deux types de spéculation théologique se sont développés au cours des siècles : le *kalâm,* sorte de théologie spécula-
tive, et le *taṣawwuf,* qui est plutôt un vécu, un état spirituel
(improprement appelé « le soufisme », en Occident). La différence entre les deux a produit des clercs totalement opposés :
les premiers correspondent à la catégorie wébérienne des
« clercs-légitimes-sachant-les-Écritures [22] ». Les seconds sont des
mystiques ou des ascètes qui mettent la sainteté au-dessus de la
vie publique et s'adonnent à un enseignement et à une pratique
initiatique correspondant à l'acceptation d'un monisme existen-
tiel, sulfureux aux yeux des orthodoxes [23]. Néanmoins le
sunnisme se présente essentiellement comme l'affirmation de
l'existence et de l'unicité de Dieu, ainsi que Lui-même s'est
décrit dans le Coran, et comme le Prophète l'a conformé dans la
Sunna. Ceci n'est d'ailleurs pas contesté par les Chiites. Aussi la
différence entre les deux apparaît dans les autres caractéristiques du sunnisme et parmi celles-ci, dans la condamnation et
l'excommunication de toutes les croyances et de toutes les sectes
qui furent considérées comme hérétiques et schismatiques, et
dont l'Islam fut prolixe [24].

L'argument principal des Sunnites est contenu dans la
notion d'*ijmâ*ᶜ*,* c'est-à-dire de « consensus communautaire »,
puisque selon un hadith (attesté par le consensus) : « ma
communauté, a dit le Prophète, ne saurait tomber d'accord sur

une erreur ». Je ne peux entrer ici dans les détails des commentaires sur *l'ijmâ*, car tout ceci est encore beaucoup plus compliqué comme toujours en matière de théologie. Je préfère insister sur la dernière caractéristique, celle qui, à mes yeux, différencie essentiellement le sunnisme et le chiisme : *la définition du politique*. Le sunnisme est en effet avant tout la reconnaissance de la légitimité des quatre premiers califes, appelés les « biens inspirés » *(Rašîdûn)* : Abou Bakr, Omar, Othman et Ali. Or aucun des quatre ne fut désigné de la même façon, trois furent assassinés, et Othman, au moins, est claire-ment récusé par les Chiites. Si l'on ajoute que le sunnisme enseigne au Musulman qu'il doit obéissance à tout chef politique qui n'ordonne pas de désobéir à Dieu (hadith : « Pas d'obéissance à la créature dans la désobéissance au Créateur »), on perçoit alors qu'il y a là une *différence essentielle* avec le chiisme, qui est une *révolte permanente contre l'injustice commise* à l'égard des Alides assassinés et frustrés de leur légitime succession dans la direction de la communauté.

Le débat entre Chiites et Sunnites n'est donc pas à proprement parler un débat théologique. Il s'agit de l'impossi-bilité de parvenir à la synthèse entre l'*imâma* (la direction spirituelle de la Communauté) et la *khilâfa* (la succession du Prophète), ce qui place dans l'illégitimité tous les régimes arabes actuels, à l'exception, peut-être, du Roi du Maroc (cf. les généalogies en fin de chapitre).

Les Chiites et les Sunnites, l'Islam populaire ou l'Islam scripturaire, toutes les autres formes, quelles qu'elles soient, se réfèrent à ce qu'Arkoun appelle le *noyau dur* de l'Islam, c'est-à-dire la *šahada* (profession de foi) et les cinq obligations. Le pluralisme et la pluralité des Islam-s [25] ne vient qu'après : les Sunnites privilégient l'exégèse littéraire et grammaticale, tan-dis que les Chiites se sont engagés dans la voie de l'interpré-tation ésotérique : cette double démarche a produit deux mémoires collectives différentes parce qu'elle présupposait deux épistémologies différentes, et une conception opposée de la langue et de la pensée à partir d'une polarisation caractéris-tique des trois religions monothéistes : l'herméneutique des textes initialement oraux devenus écrits mais dans le cas de l'Islam sans magistère doctrinal unique : le chiisme perpétue aussi le sens caché de la révélation, close pour les Sunnites.

Un certain nombre d'auteurs, aussi bien islamistes que plus orthodoxes, commencent à dire et à écrire publiquement que la véritable rupture politique dans l'Islam ne remonte pas à l'abolition du califat par les Turcs ou au colonialisme. Ils affirment que tout s'est joué au Xe siècle (IVe et Ve siècles de l'Hégire) et que l'État califal n'a vécu que jusqu'en 334/945. C'est en effet la date réelle de la rupture historique entre l'Islam arabe et l'Islam iranien [26]. La Cité musulmane y perd les intellectuels iraniens qui, à partir de ce moment-là, s'expriment en persan. La langue arabe se confine dans l'usage scolastique qui produit la disparition de la confrontation intellectuelle et lorsque le turc deviendra langue officielle, la clôture sera achevée et durera jusqu'au début du XXe siècle.

Une synthèse de l'*imâma* et de la *khilâfa* me paraît impossible parce qu'elle passe par des interprétations contradictoires de la succession du Prophète, et c'est la fonction sacerdotale qui est en jeu à travers elle. Or cette fonction n'est pas interprétée de la même façon par les orthodoxes exotériques et par les Musulmans mystiques. En effet, pour ces derniers, le concept qui fonde le rapport entre le Calife et l'Imam est celui de la réalité mohammédienne éternelle et la dureté de la fête (Achoura) commémorant le martyre d'Ali et la bataille de Kerbéla (ce lieu Saint des Chiites est actuellement en Irak [27]). Le 10 octobre 680, le fils d'Ali, l'imam Hussein, fut tué dans la bataille qui l'opposait au Calife Ommayade Yazid Ier : c'est le *point focal de l'histoire arabo-musulmane* parce que ce qui était en cause ce jour-là tournait autour du débat, non résolu depuis, posé par la direction spirituelle ou politique et temporelle de la communauté musulmane. Le califat devait l'emporter contre les Chiites; mais ceux-ci, entrés dans une clandestinité qui dure depuis quatorze siècles, portèrent tout au long de l'histoire des coups constants à la compromission de l'Islam sunnite avec tous les pouvoirs. Les Arabes et les Musulmans connaissent, dans leur inconscient, l'enjeu réel de Kerbéla, même si l'histoire officielle de tel ou tel

État arabo-musulman se garde bien de rappeler les nombreuses révoltes de la foi suscitées par les déshérités *(mustaḍʿafûn)* contre les tyrans : la première révolte chiite, celle d'Abou Muslim en 747 conduisant des paysans « vêtus de noir », balaya la dynastie des Ommayades; comme les *Ḥaššašiyyûn* (« Assassins ») devaient mettre à bas les Fatimides d'Égypte, pourtant eux-mêmes chiites à l'origine; comme à l'autre bout du *dâr-al-islâm,* Ibn Toumert devait constituer le plus grand empire unitaire de l'occident musulman. De Marrakech à Téhéran, de Mascate à Istanbul, tous les Musulmans connaissent la geste des Arabes et attendent *al-ḥaqîqa al-muḥama-madiyya,* certains estimant que le Prophète n'a pas voulu être Roi et qu'en tant que serviteur de Dieu il ne pouvait pas transmettre à ses successeurs une royauté temporelle. Ainsi la distinction fondamentale tient donc au fait que le sunnisme n'envisage que l'héritage temporel du Prophète et sa transmission dans la personne du calife, alors que le chiisme soutient qu'un calife sans fonction cosmique sacerdotale est inutile, et que l'Imam, qui est l'ami de Dieu, ne peut être choisi par les hommes puisqu'il l'est par Dieu. Cette différence d'approche de l'essence du pouvoir constitue *la véritable séparation du tronc commun.* En outre le chiisme insiste sur le cycle de la *walâya,* lente ascension de l'homme guidé vers un horizon eschatologique garantissant l'attente de l'Humanité; cette garantie est manifestée par la ligne ininterrompue des *Imâm-s* qui sont entrés dans un cycle d'occultation et de clandestinité. Cette vision de l'histoire structure autant l'imaginaire que les pratiques des Chiites. De là l'impossibilité de comprendre, aujourd'hui, la révolution iranienne sans recourir à une lecture de la dialectique des *Imâm-s cachés* [28] : car les Chiites ne conçoivent pas le temps historique, ni le temps eschatologique de la même façon que les autres Musulmans, et privilégient deux dates clés : celle de la mort de Hussein fils d'Ali (10 muharram 61/10 octobre 680), puis la double date de 874 à 940, qui marque le passage de la « petite occultation » à la « grande occultation », avec la « disparition » de l'Imam, du moins chez les Chiites duodécimains, ceux qui attendent le retour du douzième Imam. Ce qui explique le goût du martyre, retour du cavalier masqué, *al-fâris al-mutalaththam,* annonciateur du Mahdi et de la fin des temps [29]. Le Roi est nu devant l'histoire du peuple.

Mais cette dialectique se complexifie à partir de deux idées fondamentales, qui sont d'ailleurs partagées par les Sunnites et les Chiites. La première est que l'Imam doit être « impeccable » et « infaillible », c'est-à-dire qu'il doit être le meilleur de son temps.

Il découle de cette proposition que celui qui a été indûment porté au pouvoir, donc le détenteur du pouvoir profane, alors que le meilleur existe quelque part dans la société civile, est constamment en danger. La deuxième raison est rarement invoquée par les Musulmans, parce qu'elle fait partie du non-dit qui structure l'imaginaire des Arabes : elle tient au fait que le prophète Mohammad est resté sans filiation. « Mohammad n'est le père d'aucun homme... » Cette phrase lourde de sens est prononcée pudiquement comme à regret. Dans une société qui privilégie non seulement la filiation paternelle mais la primogéniture masculine [30], toutes les conséquences symboliques de cette non-paternité obèrent l'imaginaire de la même façon que l'origine du mythe abrahamique (la descendance d'Ismaël et d'Israël) fit l'objet de controverses traumatisantes (bien longtemps avant que Freud n'en formalisât la théorie).

La dispute généalogique, qui est au principe même de la succession du Prophète, pose en toile de fond ce non-dit de la non-paternité de Mohammad puisque Ali est à la fois son gendre (il a épousé sa fille Fatima), et son neveu, en tant que fils d'Abou Talib. Les querelles Qoraïchites sont d'ailleurs l'objet central d'une mémoire collective. Et c'est en remontant plus haut encore dans l'arbre généalogique que les Ommayades prétendirent à la succession puisque Moawiya descendait, comme le Prophète, de leur arrière-arrière-grand-père commun, Abd Manaf, tandis que les Abbassides avaient des prétentions plus proches puisque al-Abbas était l'oncle direct du Prophète [31].

L'unité de la communauté musulmane a été sans cesse, au cours des siècles, parcourue par ce débat dynastique au point que le mot utilisé aujourd'hui encore pour traduire « État » signifie mieux en arabe généalogie, dynastie, *al-dawla*, que le *Staat* hégélien. Or l'islamisme radical pose le seul débat doctrinaire insoluble actuellement : *la vraie nature de l'État.*

Tableau des successeurs du prophète

632 : mort de Mohammad.

1. – Abou Bakr (beau-père), 632-634.
2. – Omar, 634-644.
3. – Othman (gendre *), 644-656.
   657 : séparation des Kharéjites (schisme).
4. – Ali (cousin/gendre), 656-661.
5. – 661 : Moawiya, début de la dynastie Ommayade à *Damas*, jusqu'en 750 (mais Espagne 756-1031).
   Yazid Moawiya est le petit fils d'Abd Manaf, arrière-grand-oncle du Prophète par les femmes et les hommes.
6. – 750-1258 : Abbassides de *Bagdad*.

* Othman a épousé deux filles du Prophète, Omm Kolthoum et Roqayya.

TABLEAU DE LA GÉNÉALOGIE DU PROPHÈTE

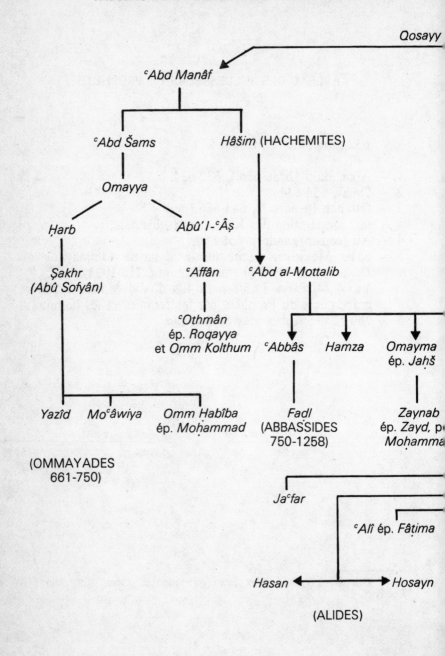

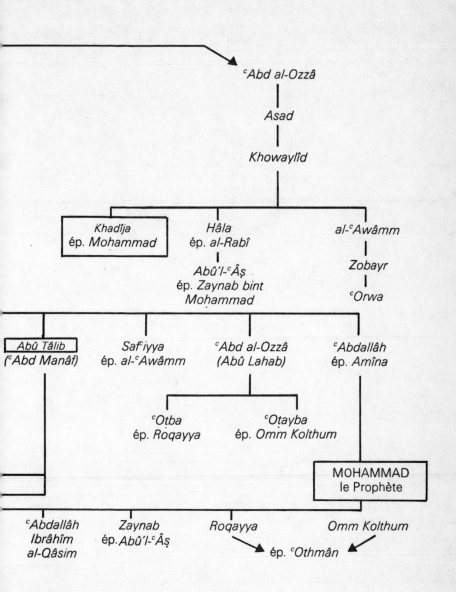

Lignée des *Imâm* (cf. schéma du chapitre VII, p. 227).

I

LE CORAN COMME PRAXIS

Si la religion est l'un des modes de réalisation historique de l'homme, elle est cependant, comme telle, liée aux vicissitudes de l'histoire où elle perpétue l'affirmation d'un absolu. Le Coran peut alors être lu comme une praxis et le destin de l'Umma-Cité doit se lire comme une dialectique incessante entre la Révélation, la Vérité et l'Histoire [1].

Le Coran n'est pas simplement un guide pratique pour l'organisation de la vie individuelle et communautaire; il est la science opératoire de la société en tant qu'elle se fait elle-même à travers le mouvement réel qui, par l'action des hommes, permet à l'humanité tout entière et à l'homme concret de récupérer leur être authentique. L'histoire a un sens et un seul. Le Coran constitue les indications de Dieu pour réaliser l'Histoire.

C'est pourquoi, lorsque les Occidentaux me demandent si le Coran est une œuvre politique, je réponds par l'affirmative dans la mesure où je soutiens, avec d'autres, que l'essence du politique se trouve, ou tout au moins peut être recherchée, dans le champ religieux. Mais le Coran n'est pas que cela, tant s'en faut.

J'utilise la graphie communément admise en français bien qu'elle ne « dise » pas clairement le sens de la graphie arabe : *al-qur'ân* signifie proprement « la récitation », la lecture par excellence, alors que la Bible est... un ensemble hétéroclite de livres sur lesquels d'ailleurs les trois religions monothéistes ne sont pas tout à fait d'accord. L'importance de la lecture dans la pratique musulmane est primordiale; l'harmonie qui se crée par les tonalités du son et la lecture du sens du texte constitue, à mon sens, l'obstacle majeur aux conversions à l'Islam : le Coran ne peut que se psalmodier en arabe et quelqu'un qui n'a pas, dès sa plus tendre enfance, été bercé par les *stimuli* audio-visuels de cette lecture/récitation, ne peut pas vivre le Coran; il peut le comprendre mais pas participer à l'ordonnancement du chaos que sa lecture produit. Dans la langue arabe, comme en hébreu, l'orthoépie, la bonne lecture, est rendue possible par l'adjonction de points et de voyelles de cantilation : accents qui remplissent des fonctions grammaticales en même temps qu'ils fixent le rythme de la lecture. La fonction symbolique de ceux qui savent le Coran par cœur est attestée depuis les débuts de l'Islam.

Il existe au Caire (mais ailleurs aussi) une magnifique mosquée dite Hussein, où, lors des nuits de Ramadan, se déroulent des concours d'orthoépie coranique, de lecture-récitation. Il y a deux techniques de lectures chantées : le *tajwîd* et le *tartîl;* si le *tajwîd* est la perfection de la lecture correcte, le *tartîl* permet la *communion*. Il ne s'agit pas simplement de chanson profane *(ghinâ')*, ni de prose rimée *(saĵ°)*, mais d'un mode fort complexe, essentiellement vocal comme un chant non instrumental (qui a donné en Espagne le *cante jondo*). Les Musulmans qui viennent assister à ces manifestations ne sont pas toujours nécessairement les plus croyants et les plus fervents... par contre ils sont là aussi pour des raisons d'esthétique, pour recevoir des vibrations et donc pour participer à l'harmonie du monde. Ils écoutent, la tête légèrement penchée, assis en position rituelle, le ventre coupé par les flexions des voix et les beaux passages particulièrement bien psalmodiés sont ponctués de « wallah »..., qui ressemblent fort aux « ollé » andalous (dont je pense d'ailleurs qu'ils sont les ancêtres [2]).

J'ai compris, là, en ces quelques nuits de Carême *(laila ramaḍân)*, pourquoi tant de Chrétiens ne comprennent pas la musique arabe : ils ont oublié le chant grégorien. Il faut donc avoir écouté Oum Kalthoum * pendant des heures pour com-

---

* Ce pseudonyme signifie « La Mère de tous les Hommes ».

prendre que les vibrations ordonnent le monde et, par là même, la Communauté. Il n'est pas possible de ne pas être pris au plexus dans la tourmente qui fait se jeter en l'air des bourgeois de Rabat et des prolétaires du Caire, qui fait danser-chanter-debout, les mains au ciel, des milliers de jeunes gens, dans un nuage de fumée herbée, participant à un show de Nass al-Ghywouane ou tout autre groupe de Pop-Folk.

Alors que j'écoutais un concert de musique arabe offert par le centre culturel français à un congrès, personne ne bougeait dans la salle, comme si nous écoutions de la musique de chambre, et un collègue outré me fit taire, alors que les rares Égyptiens présents commençaient à s'agiter, désespérés. Le courant ne passait pas parce que nous n'étions pas une « Gemeinschaft », une communauté. Or le Coran, transformant une société bédouine liée à la fois à un mode de production agraro-pastoral et au commerce caravanier, propose la constitution d'une Communauté qui anticipe sur des catégories que les anthropologues formaliseront beaucoup plus tard dans l'étude du passage de la communauté à la société, de la solidarité mécanique à la solidarité organique, puis, éventuellement, de la *societas* à la *civitas*.

Le Coran est le recueil des révélations que Dieu fit au prophète Mohammad (N. B. désormais, lorsque j'écrirai « le Prophète » avec une capitale, il s'agira du prophète Mohammad), révélations effectuées essentiellement par l'intermédiaire de l'archange Gabriel, appelé Jibril en arabe, dans les années 610-632 de l'ère dite chrétienne, en Arabie et plus particulièrement à Makka (La Mecque) et à Médine, *al-Madîna*, la ville par excellence. Aux yeux des Musulmans, ce message de Dieu clôt la prophétie monothéiste : le Prophète est le Sceau de la Révélation.

L'ensemble du message a été révélé par morceaux, aussi le texte du Coran est-il divisé en 114 chapitres, ou sourates [3], eux-mêmes divisés en versets numérotés. Ces divisions, ainsi que les titres, lettres ou signes placés en tête de chaque sourate, ne datent, vraisemblablement, que du Xe siècle (IIIe siècle de l'Hégire), et l'ordre de classement des sourates ne concorde pas avec la chronologie de la Révélation, ni d'ailleurs avec leur importance, bien que les plus longues soient placées au début et que les dernières ne comportent que quelques versets. La tradition musulmane a indiqué en tête de chaque sourate si celle-ci a été révélée à La Mecque ou à Médine. La sourate 96 est considérée comme la première puisqu'elle aurait été révélée au Prophète alors qu'il méditait dans la grotte de Hira, au début de son ministère.

Toutes les sourates, sauf une, débutent par la formule liturgique : « Au nom d'Allah (Dieu) [4], le miséricordieux... » Les auteurs musulmans, mis à part Arkoun, n'ont jamais réussi à proposer un système de classement cohérent des sourates. Le Coran lui-même a fait et fait encore l'objet de commentaires qui remplissent des volumes entiers dans la tradition musulmane. Cet ensemble, monumental, s'appelle le *tafsîr,* auquel il faut ajouter un genre différent mais aussi prolixe, la jurisprudence... L'interprétation du Coran, puis de la *sunna* ou tradition des dits *(ḥadîth)* rapportés du Prophète, a engendré une catégorie particulière de clercs-sachant-les-Écritures, des savants plus ou moins légitimes, orthodoxes et concurrentiels, hiérarchisés dans un ensemble sans toutefois constituer un corps : ᶜ*ulamâ, fuqahâ, ṭulaba,* etc., dans la version sunnite, et constituant plus un clergé de type « protestant » dans la tradition chiite.

Bien que faisant partie intégrante des religions monothéistes, l'Islam n'a pas produit le même type de clercs spécialisés [5] dans l'herméneutique que le judaïsme et, encore moins, que la prêtrise catholique. Il a en effet pour particularité que tout croyant-savant peut remplir la fonction d'interprétation des textes et, par ailleurs, qu'il n'existe pas de fonction sacerdotale. En effet, la constitution du texte coranique comme corpus orthodoxe explique pourquoi il n'y a pas eu de « prêtres » ni d'institutions ecclésiastiques dans le système musulman. Le Coran est tout d'abord et avant tout un message reçu *en arabe* qui se déclare lui-même être un signe *(aya)* de Dieu : *Coran* LXXXI, 19; LVI, 79-80; XLI, 2-3, etc.

Dans un deuxième temps, après l'installation de Mohammad à Médine, surgit l'idée, parmi ceux qui l'écoutent, de prendre des notes : celles-ci seront fragmentaires et recueillies sur des matériaux frustes.

Puis, dans un troisième moment, après la disparition du Prophète, l'Empire s'étendant, son successeur, le calife Abu Bakr, donne l'exemple car il connaît le texte du Coran par cœur et plusieurs personnes de l'entourage du Prophète également. Il existe donc, dès cette époque, quelques recensions individuelles. C'est Othman, le troisième calife (644-656), qui procédera à une recension systématique sur une base plus large qui constituera la vulgate. C'est ainsi que s'est développé le premier corps de « clercs » originaux et typiques, les *qâri'* ou lecteurs/récitateurs du Coran qui allaient diffuser – par-delà la fixation écrite de la vulgate – un texte appris par cœur, dont certaines divergences ne sont pas simplement articulatoires, morphologiques ou dialectales. Raison pour laquelle apparaîtront plus tard les grammairiens, dont la science sera considérée comme « religieuse ».

Enfin, ultime étape de la constitution d'une *doxa*, c'est-à-dire d'un indiscuté, lorsque la dynastie ommayade affermit son pouvoir, le calife Abd al-Malik (685-705) fait homogénéiser l'orthographe du texte du Livre sacré.

Si l'on compare ce processus à celui des Écritures juives et chrétiennes, il est possible d'affirmer, en prenant toutes les précautions nécessaires (car la vie du Prophète n'est pas aussi bien connue que l'affirment les Musulmans), que le texte coranique tel qu'il est fixé moins de cinquante ans après la disparition de celui-ci est définitif et en la forme que nous connaissons aujourd'hui. On ne peut pas soutenir la même certitude en ce qui concerne les Évangiles et cela n'est pas sans conséquence pour la suite : l'interprétation des textes dans leur langue originale, que ce soit le grec pour la Bible des « Septante », l'araméen ou le grec pour les Évangiles, alors que c'est l'arabe (quasi) parfait pour le Coran. Aussi est-il nécessaire de distinguer entre les clercs et ne pas confondre le magistère, la cure des âmes, la prêtrise et la pastorale, pas plus que la science des textes. L'Islam ne s'est pas constitué ni institutionnalisé en Église avec clergé séparé, et les occidentaux ne doivent pas confondre un ayatollah et un curé; à la rigueur la comparaison avec un pasteur calviniste peut se faire, encore que les clercs musulmans ressemblent plus aux « rabbins » qu'à des prêtres. Il y a là une caractéristique qui tient sans doute à la nature même du Coran, mais aussi aux conditions historiques de la Révélation.

Contrairement à la Thora, à la Bible chrétienne et aux Évangiles, le Coran n'est pas une « chronique des événements », ni un recueil de jurisprudence. Plus fondamentalement, il constitue l'ensemble des normes de la vie politique, sociale, familiale, religieuse pour tout Musulman, c'est-à-dire pour le quart de l'humanité. En outre, il abroge la Loi révélée car, aux yeux des Musulmans, les Chrétiens, et avant eux les Juifs, ont manipulé les Écritures et, ce qui est pire, refusent d'admettre la mission mohamédienne. Ceci explique d'ailleurs l'acharnement réciproque dans la formation de l'imaginaire, par exemple à travers la lecture fort différente des Croisades que font Chrétiens et Musulmans [6], et la référence constante à la « guerre sainte » dans les médias occidentaux, comme celle relative à l'esprit des Croisades dans les médias moyen-orientaux.

Les conditions mêmes de la lutte du prophète Mohammad pour s'imposer [7] font du Coran un texte éminemment politique.

Le fait qu'il ait eu d'abord à conquérir les Arabes, puis l'émigration *(hijra)* consécutive à l'échec initial constituent deux démarches qui ont entraîné une coupure radicale dont sortira une mutation essentielle : la Prophétie érigée en *code*.

Le Prophète en effet doit fuir La Mecque (le 12 du mois de Rabi I, soit le 24 décembre 622) et se réfugier à Médine. L'événement marque le début de l'ère musulmane, l'Hégire *(hijra)*, qui commence le 16 juillet 622. (L'an 1979 de l'ère chrétienne correspondant à 1400 de l'Hégire, nous sommes donc en 1408 en ce moment.)

En moins d'un siècle, l'extension de l'Islam à des territoires dont l'ampleur n'était dépassée que par la diversité a impliqué que les successeurs du Prophète se soient servis du message religieux à travers son vecteur magnifié, la langue arabe, pour transformer l'ensemble du projet eschatologique en système politico-juridique, tout en maintenant l'idée de la fin des temps, d'une Parousie et d'une Cité idéale. C'est pourquoi, contrairement au « christianisme » qui est fondé sur une christologie réalisée, l'Islam n'est pas « mahométanisme » ou « mahométisme », mais « coranisme ».

La logocratie coranique [8]

Le Coran est le vecteur à travers lequel le lecteur musulman accomplit sa propre ascension dans un ordre du monde où la Parole de Dieu hypostasiée instaure un mode de connaissance parfaitement original. Loin de briser l'homme par le fanatisme [9] et la soumission [10], cette praxis revêt sa dimension révolutionnaire : l'histoire a un sens, c'est-à-dire possède une fin au double sens de but et de terminaison. Les Arabes, et avec (mais après) eux tous les peuples islamisés, forment une communauté (al-umma) dépositaire de l'ultime expression de la volonté divine, qui doit montrer à l'humanité l'horizon du Salut : il y a Parousie à venir dans un projet eschatologique. Il est possible de représenter le cycle de la prophétie comme un arc ascendant allant d'Adam à Mohammad, puis une ligne droite – qui se brise parfois car les Hommes sont attirés par le Mal – allant vers la Parousie. C'est ainsi que l'interprétation (le sens est plus fort en arabe : le ta'wîl est l'herméneutique spirituelle) permet au sujet de s'affranchir de l'Histoire : le Coran est la Parole de Dieu descendue dans l'Histoire qui produit une pratique d'ascension dans la méta-histoire.

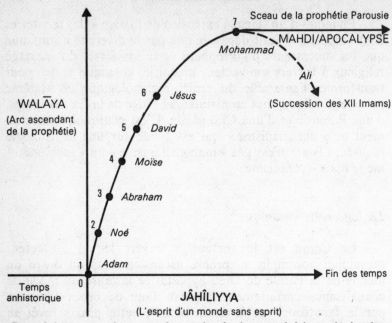

Ce schéma, représentant le cycle de la prophétie, mis à plat pour la commodité de la lecture, est faux en un sens : il devrait d'abord descendre, puisque la Révélation émane de Dieu. Mais comme Dieu est partout, cela n'est pas gênant pour représenter la dialectique de l'hypostase. La *walâya* comporte un cycle de sept dans la version sunnite et de douze dans la version chiite, qui est caractérisée par une vision plus pessimiste encore, et même thanatocratique, de l'histoire : comme le montre le schéma suivant [11], le sens n'y est plus linéaire mais *descendant*.

Ces deux schémas montrent bien que l'Islam propose un projet de Cité idéale apparemment comparable aux utopies juive et chrétienne, et qu'il s'agit bien en ce sens d'un projet eschatologique. Mais, à la différence des autres utopies, la Cité idéale musulmane concrète *est réalisée* dans la pratique du Prophète et des quatre premiers califes, dits « les bien inspirés » *(rašîdûn)*. Elle n'est donc plus à faire, ce que parfois les Princes indignes oublient, obligeant alors à revenir à l'indiscuté, à la *doxa*, à rectifier les tendances à la Jahiliyya (la barbarie

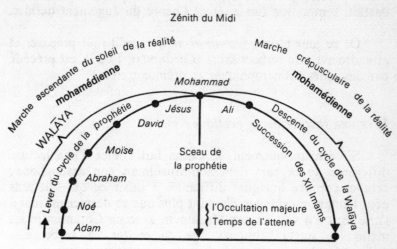

Zénith du Midi

Marche ascendante du soleil de la réalité

Marche crépusculaire de la réalité mohamédienne

WALĀYA mohamédienne

Lever du cycle de la prophétie

Descente du cycle de la Walāya

Succession des XII Imams

Mohammad

Jésus   Ali

David

Moïse

Sceau de
la prophétie

Abraham

Noé   { l'Occultation majeure
                        { Temps de l'attente

Adam

Mahdi XIIe Imam

(D'après Daryush SHAYEGAN)

préislamique), y compris par la violence; la tradition rapporte d'ailleurs qu'à chaque siècle, Dieu envoie aux hommes des « rectificateurs », qui peuvent prendre des formes différentes. Autrement dit nous sommes confrontés à une conception de l'histoire qui a un sens et un seul, où le temps consiste en l'attente de la Parousie, ce qui explique que l'événementiel est tout à fait secondaire [12].

La version chiite de ce scénario est encore plus drastique puisqu'elle comporte un arc descendant, visible dans le second schéma. Ceci me paraît justifier l'aspect désespéré de la stratégie chiite, auquel il faut ajouter le goût pour le martyre dû aux circonstances de la mort d'Ali et de ses successeurs. Le deuxième schéma permet de comprendre que l'histoire a un sens univoque qui produit une conception du temps très particulière : sans entrer dans les méandres de la théologie, surtout chiite *(šīʿa)*, le concept de *rajʿa*, le retour pour la vengeance de la justice, précède la résurrection comme prodro-

me : le surgissement du temps eschatologique accélère le processus de décomposition du monde de la corruption, le seul instant
parfait, sommation finale, étant l'heure du Jugement dernier.

Or ce jour ultime *(yawm al-akhîr)*, qu'il faut préparer et
attendre avec un respect sacré (*Coran* XLII, 17-21), est précédé
par des jours catastrophiques et prémonitoires.

Vers une théorie de la pratique

Situé historiquement, le Coran fait l'objet d'une lecture
différente de la part d'un non-Musulman non arabophone :
celui-ci éprouve quelques difficultés à saisir ce qui fait sens
pour l'actant musulman, d'autant plus que ce dernier est mal à
l'aise lorsqu'il voit un non-Musulman avec un Coran entre les
mains (ce qui est impur), lire ou réciter en arabe. Les
difficultés s'amoncellent donc pour un lecteur européen. Le
problème de la traduction est quasi insoluble. Car la tradition
musulmane implique un lien entre le développement de la
langue arabe et la Révélation, le Coran précisant lui-même qu'il
a été révélé en arabe (sourate XLVI, verset 11, et XXXIX, 28; ces
deux versets contiennent le mot *ᶜarabiyya* : *qur'ânan ᶜara-
biyyan*). Si je traduis par exemple le verset 3 de la sourate V
par : « J'agrée pour vous l'Islam comme religion », je n'indique
pas le sens fort du rapport *islâm/imân* (soumission-foi) car
« Islam » signifie ici la remise totale à Dieu : telle est la religion.
Si Israël est encore dans l'Espérance, et si la Chrétienté
propose un message de paix à travers la pratique de la charité,
l'Islam est, lui, centré sur la foi.

Mais comme l'interprétation n'était pas plus évidente en
arabe, les penseurs arabo-musulmans ont développé d'une façon
surprenante les recherches philologiques et grammaticales. En
effet, le paradoxe du texte coranique est double : il est la
nouvelle idéologie au travers de laquelle le prophète Mohammad, Porte-Parole suprême, transmettait le message irréfutable
de Dieu pour qui voulait se prononcer sur le vrai et le faux.

Mais en l'absence du Prophète, et surtout après sa disparition, ce document devait être consultable. Il allait fatalement être interprété; aussi, pour couper court à des déviations possibles, le texte lui-même fut fixé très tôt et se transforma ainsi en Livre, alors qu'il était (et demeure) essentiellement une Récitation.

L'autre face du paradoxe est que le système d'écriture que représente le Coran permet moins une lecture à proprement parler qu'il ne sert de *support visuel à la récitation d'un texte connu par cœur,* dont l'orthoépie *(tajwîl)* joue de plus un rôle vibratoire non négligeable en ce sens qu'il organise le chaos : comme la Thora qui ne se lit point mais se chante, le Coran se psalmodie rituellement, en sorte qu'il est impensable de sous-estimer l'impact physique que procure cette lecture/récitation, surtout quand elle est faite communautairement.

Comme, par ailleurs, la Parole hypostasiée de Dieu est une, indivisible et immuable, très vite se sont posées les limites de l'interprétation : le *ḥadîth,* c'est-à-dire la traduction des dits du Prophète et des *logii* par analogie, se trouvèrent associés au développement du fait coranique; éléments indissociables qui vont constituer l'orthodoxie, que les occidentaux appellent improprement le Sunnisme, à travers les avatars d'une théologie sans théologiens mais avec des jurisconsultes vite transformés en clercs redondants, tandis que se développaient les théophanies et, parallèlement, un ésotérisme occulté qui faisaient aussi, du Coran, le plus beau des poèmes mystiques.

Les interprètes-interprétateurs du Coran vont être nombreux et les radicaux musulmans se réfèrent à des auteurs fort classiques. Mais, avant de signaler les référents des islamistes, il faut préciser pourquoi ce phénomène de l'interprétation est possible; la Bible et les Évangiles ne sont pas incréés puisqu'ils sont le fait des hommes; en revanche, le Coran est incréé – aux yeux des Musulmans – puisqu'il est la Parole même de Dieu et le Livre n'est que la reproduction du grand Livre qui se trouve aux pieds de Dieu. Ainsi, dans l'Islam, l'homme est seul face à Dieu avec le Coran pour seule arme.

Il ressort ainsi de cette conception que l'Homme, dans sa solitude, peut faire n'importe quelle lecture du Coran. Il n'en

rendra compte qu'à Dieu lors du Jugement dernier; d'autant
plus qu'aucun Musulman n'a autorité sur un autre Musulman
pour lui imposer une « bonne » lecture du Coran.

C'est pourquoi plusieurs types de lectures se sont développés et ont acquis, plus ou moins, droit de cité, plutôt d'ailleurs
en fonction du charisme de leurs auteurs que par une quelconque institutionnalisation de la « bonne » lecture. Et il est du
coup possible de distinguer entre une lecture exotérique et
orthodoxe et une lecture ésotérique *(bâṭin/ẓâhir)*.

L'Islam propose, en fait mais pas en droit, deux voies :
sulûk ʿišqî, la marche initiatique, basée principalement sur la
vertu du désir spirituel, et *sulûk ʿilmî*, fondée principalement
sur la compréhension doctrinale. Cette dernière étant la voie
visible *(al-sunna al-ẓuhrâ)*, autrement dit l'étude de la
šarîʿa [13].

Sur le plan pratique, le Coran structure la vie quotidienne
du croyant. Non seulement les Musulmans n'utilisent pas le
même calendrier que les occidentaux, mais leur temps social est
fondamentalement différent. Et au lieu de répéter ce qui peut
se trouver aisément sur les obligations *(ʿibâda et muʿmalât)*,
il me semble préférable, pour la suite de ma démonstration, de
préciser que la pensée produite par cette conception du temps
est non seulement difficilement comparable à celle du monde
occidental moderne, capitaliste, dans laquelle la rationalité
wébérienne s'impose (c'est-à-dire la possibilité de faire des
choix en fonction de stratégies « raisonnables »), mais encore
qu'elle produit une cohérence interne dont il faut lire les
inférences à travers sa logique propre. Il est clair, en effet, que
la structuration de l'imaginaire chez les Musulmans se distingue par cet élément fondamental : le temps. On sait toute
l'importance qu'accordait Durkheim au temps social et les
formes prises par les conceptions du temps en Occident depuis
Kant. Pour leur part, les Musulmans envisagent (consciemment
ou inconsciemment) le temps d'une façon fort différente. Tout

d'abord, au degré zéro, ils font partir d'Adam l'origine du Monde (comme les Juifs et les Chrétiens). Le Coran dit expressément qu'il « connaissait le nom de chaque chose »; mais, par-delà cette définition mythique des temps préhistoriques, les Musulmans considèrent aussi que l'histoire commence le 16 juillet 622, l'Hégire marquant le début de l'ère musulmane. Par ailleurs, ils utilisent un calendrier lunaire : il y a donc treize mois dans l'année, qui comportent vingt-huit jours (soit 364 jours). Ceci implique que les fêtes principales sont *mobiles* et varient d'année en année. Entre autres conséquences, le pèlerinage et le jeûne du Ramadan avancent chaque année d'une quinzaine de jours et, dans la vie d'un homme moyen, se placent au moins deux fois en été et deux fois en hiver. De même les cinq prières quotidiennes sont mobiles (sauf celle du milieu du jour, *al-ẓohr,* à 12 h ou 13 h), car elles dépendent du lever et du coucher du soleil : l'appel du muezzin peut retentir à 3 h 30, à l'aube. Mais l'heure la plus importante pour un Musulman pieux *(sāᶜa âkhira)* est celle du Jugement dernier, qui peut advenir à tout moment.

De fait, pour les théologiens musulmans, le temps n'est pas une durée continue mais une constellation d'instants; l'espace n'existe pas, il n'y a que des points : cela a produit quelques belles hérésies, et aujourd'hui encore beaucoup de Musulmans ne pensent pas qu'il soit possible d'annoncer la fin du Ramadan à partir de calculs théoriques. J'ai constaté plusieurs fois en Algérie et en France qu'il y eut deux « Aïds » à un jour près! Ainsi l'instant apparaît, à toute la communauté musulmane, à la nuit tombante avec le premier croissant de lune; les « témoins de l'instant » doivent l'épier et le constater empiriquement pour que s'ouvre la période, de durée variable, pour l'accomplissement des rituels : rupture du jeûne, pèlerinage, délai de viduité, prières, et autres...

Les travaux de Mircea Eliade, ou encore ceux de Walter [14], ont montré combien étaient différentes les sociétés qui vivaient dans l'irrégularité (les phases de la lune), par rapport à celles qui honoraient la régularité mathématique. L'Islam reconnaît dans ce temps irrégulier la manifestation d'une

Volonté dont les desseins ne dépendent pas des saisons.

Finalement, cette conception du temps me paraît produire un effet parfaitement décrit par les grammairiens, qui différencient très nettement ce qui est *accompli* de ce qui ne l'est pas. Sans entrer dans la discussion théologique, il me semble que cette attitude favorise *l'avènement des événements imaginés* par rapport aux événements vérifiables : dans la mesure où le futur ne peut être qu'inaccompli, pourquoi ne pas admettre qu'il est déjà? En revanche, l'angoisse persiste face au terme marqué et annoncé par la Prophétie : le Coran enseigne ce qu'est là l'instant le plus important, ce Jour Ultime qui sera précédé des catastrophes prémonitoires de l'Apocalypse. *La prégnance actuelle de l'islamisme tient justement dans la combinaison de cette conception eschatologique du temps* qui, face à ce que Weber appelle le désenchantement du monde, *accélère le processus de décomposition du monde de la corruption.* Il s'agit donc bien d'eschatologie, puisque le Prophète nie que le fondement historique du salut soit antérieur à son temps. C'est en ce sens que Mohammad est le Sceau de la Prophétie dans la ligne ininterrompue de l'arc ascendant-*walâya.* Le message, l'avertissement eschatologique, *al-nubuwwa,* devient le comble du progressisme : le Coran devient praxis car il est plus prométhéen que le mythe grec par sa dimension utopique et non pas statique, qui l'introduit dans le futur parousistique.

Veillard Baron [15] écrit :

« Bloch a oublié que le prophétisme juif n'a jamais été prédiction d'événements futurs, mais essentiellement rappel de la dimension verticale du message biblique, face à un peuple qui précisément attachait trop d'importance aux problèmes historiques. Ce que Bloch a manqué, c'est l'idée fondamentale que ce qui ouvre l'avenir historique de l'Homme ne peut être historique. Mettre l'Esprit absolu hors de l'Histoire comme fait Hegel, ce n'est pas refuser à la dimension historique tout dynamisme, c'est au contraire lui permettre d'avoir un avenir. L'Histoire n'est orientée que si elle réfère à un pôle supra-sensible, à un Orient spirituel. »

Il est alors possible de comprendre comment, à partir d'un temps différent, les Musulmans ont construit un lieu géométrique particulier : tout d'abord en construisant une géographie originale, puis en articulant un *topos,* un lieu de nulle part, la mosquée, avec un lieu situé, l'enceinte sacrée *(ḥaram)* du temple abrahamique. Cependant, là encore, il faut apporter quelques précisions sur l'imaginaire : si les Arabo-Musulmans ont construit un temps différent du nôtre, ils ont aussi inventé une *géographie,* qui n'est pas devenue la nôtre. Il ne faut pas oublier que les géographes arabes ont beaucoup voyagé et que si les voyageurs musulmans ne sont pas très nombreux en Europe, les Arabes ont largement décrit notre zone géographique : un certain nombre d'appellations sont à la fois identiques et opposées; par exemple, la mer Méditerranée est généralement désignée sous le titre de mer de Syrie *(al-baḥr al-šâmî),* tandis que, par rapport à leurs univers, les Musulmans nomment l'Europe *bilâd al-ᶜajam,* c'est-à-dire le pays barbare, ou encore *al-kafara,* terre des infidèles. Par ailleurs, les Arabes ont conçu un monde en sphères et un espace dont le centre est la Pierre noire dans la mosquée al-Haram. Cette *praxis* fondamentale nécessite un lieu privilégié : la Mosquée.

La mosquée est en effet le lieu parfait de l'identité communautaire. Le mot « communauté musulmane » signifie à la fois une collectivité de croyants unis par leur foi commune – en ce cas on la désigne par *jamâᶜa,* mais aussi le communauté juridico-religieuse comme constituée dans le *dâr al-islâm,* il s'agit alors de la *umma*; cependant, la mosquée est avant tout un lieu de prière, et même si elle porte souvent le nom de « Maison de Dieu », elle n'est en rien un temple *consacré* au sens occidental du terme. La première mosquée construite à Médine en 622 était en fait la demeure du Prophète; elle occupait un large espace limité par quatre murs; le long d'un de ceux-ci, le Prophète fit aménager un toit fait de troncs de palmiers pour abriter les fidèles du soleil.

Déjà, ce premier lieu comportait deux des éléments

essentiels de la mosquée : un oratoire, plus large que profond pour permettre l'ordonnance des fidèles alignés pour la prière collective, et une cour, plus vaste. Ensuite la mosquée se diversifia, et il faut distinguer la simple *aire de prière,* qui peut être un tracé dans le désert ou une salle dans une maison (c'est alors le sens de *masjid*), de la mosquée dite *jâmi^c,* parfois traduite par « grande mosquée » ou « mosquée-cathédrale », dans laquelle se fait la prière solennelle du vendredi et qui est pourvue d'une chaire *(minbar)* pour le prône; par contre toutes les catégories de mosquées possèdent une niche d'orientation *(miḥrâb),* qui indique la direction de La Mecque. De simples nattes ou des tapis plus ou moins luxueux garnissent le sol et, comme certaines mosquées sont aussi des lieux d'enseignement (depuis la simple *zawiya,* ce qui signifie proprement le « coin » où enseigne un Maître, jusqu'aux plus célèbres Universités – al-Azhar, al-Zaytuna), on y assiste parfois à des réunions qui ne sont pas nécessairement destinées à l'oraison. Le minaret, enfin, pour l'appel à la prière, n'est pas une nécessité absolue, tandis que la *mîḍâ',* salle d'ablutions, est indispensable car le Musulman ne peut pas prier en état d'impureté.

Toujours orientée vers La Mecque, la mosquée structure la ville par rapport au double sens exotérique et ésotérique, de la cosmogonie musulmane *(ṣûrat al-arḍ)* du centre du monde et de l'axe du monde : la ville est par analogie l'image du centre du monde et du centre de l'être par son propre centre, cœur de la cité; chaque ville possède à la fois son caractère et tout ce qui la rattache aux autres et à leur principe commun. Ainsi, toutes les villes musulmanes sont par rapport à La Mecque et à Médine comme la multiplicité face à l'unité. Le sentier *(ṭarîqa,* la voie, la règle) qui fait aller de la *šarî^ca* à la *ḥaqîqa* (le réel-vrai), de l'extérieur vers l'intérieur, qui donc incarne le moyen d'atteindre le centre de l'Islam, passe par Médine et La Mecque : les deux villes peuvent être figurées par un cercle dont la circonférence correspondrait à toutes les villes, le centre à La Mecque et le rayon à Médine. Chaque ville du *dâr al-islâm* est structurée de la même façon par un cercle correspondant à l'enceinte dont le centre est *jâmi^c,* la mosquée, ce cercle lui-même étant coupé par deux diamètres rectangulaires qui correspondent aux rues principales et aux activités classiques : Suq ou Qissariya, Hamman, Mahakma *.

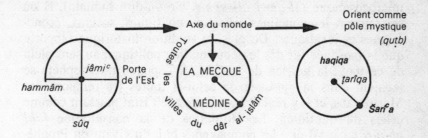

Toutefois la Kaaba est le point de convergence *(qibla)* du monde musulman, et la ville sacrée est bien une image du centre du monde. Si Médine est aussi importante dans le parcours y conduisant, c'est parce qu'elle fut la seule ville vaincue par la foi, alors que toutes les autres furent vaincues par les armes. La perfection de réalisation de ce schéma n'est pas seulement atteinte dans les grandes mosquées célèbres, comme celle des Ommayades à Damas, elle existe aussi bien, par exemple, à Ghardaïa (M'zab-Algérie), qui reproduit dans son architecture la forme primordiale de l'univers en colimaçon, que dans la plus petite mosquée du désert faite d'un simple tracé de pierres ou de peinture blanche ou bleue, comme j'en ai vu si souvent aussi bien en plein Sahara qu'au Sinaï, formes simples et parfaites reliant le ciel, la terre et le temps.

Ceci nous explique pourquoi il n'est pas possible de concevoir une implantation « neutre » pour une mosquée du Dar al-Islam : elle impose l'homologie (que je viens de décrire plus haut), par l'établissement du *miḥrâb* de la mosquée, principe de fondation de la ville, sans que puissent être séparés des niveaux qui

* La *maḥakma* est le tribunal du droit musulman mais, dans les premiers temps, le Qadi siégeait soit à la mosquée, soit chez lui.

s'ordonnent dans l'ensemble du cosmos par rapport aux deux pôles essentiels et substantiels de la manifestation : macrocosmique *(al-qawl al-kabîr,* représenté par le Zodiaque) et microcosmique *(al-qawl al-ṣaghîr,* c'est-à-dire humain), là où se trouvent les domaines religieux, politiques, sociaux, économiques et juridiques. De plus, la tradition historique rapporte que la mosquée fut dès le début un lieu politique, au sens plein de ce mot : la gestion de la Cité. A l'époque du Prophète se tenaient dans la mosquée de celui-ci toutes les réunions des Musulmans, et il y réglait les affaires de l'État naissant comme celles du quotidien. Les titulaires de la consultation *(ahl al-šûra),* c'est-à-dire les compagnons qui, du vivant du Prophète, faisaient office de gouvernement, avaient construit leurs habitations autour de la mosquée-demeure du Prophète. Et par la suite les gens de la ᶜâmma (classes populaires, par opposition à la *khâṣṣa,* les élites et les notables) se réunissaient dans les mosquées en vue de proclamer ou de ratifier le choix du souverain par la *bayᶜa,* élection/pacte d'allégeance.

Les islamistes ont réinvesti aujourd'hui cet espace : pour eux, il ne fait en effet pas de doute que les Musulmans, en rangs ordonnés, se tenant par l'attouchement des pieds nus pour prier dans un lieu orienté, participent ainsi à l'ordre du monde, à l'*ordo ab* chaos. Mais comment réaliser ce lieu quand on vit perpétuellement dans l'impureté environnante, quand les princes impies retournent à la *jâhîliyya?* En excommuniant le siècle. Cette idée de *takfîr,* qui sera exposée plus loin, est au principe du lieu/communauté. L'alternative que propose la *jamâᶜa,* prise au double sens ici de communauté et de communauté ayant un local, apparaît nettement dans les réponses de mes interlocuteurs; *elle est l'ordre gnoséologique et, du coup, plus crédible, peut-être parce que c'est le rituel qui donne le sens.* Mais peut-être aussi parce que, dans une société moderne, les Musulmans sont les seuls à avoir un projet eschatologique, ou peut-être encore parce que – la Raison émancipatrice s'étant embourbée dans l'idéologie – il est nécessaire de renouer avec la communication et que celle-ci n'est possible que dans les petits groupes, les *Gemeinschaft-s.*

On constate effectivement que l'expérience privilégiée

socio-culturelle du groupe communautaire a été transformée par la modernisation (et l'indépendance des États-nations), c'est-à-dire par l'intrusion des rôles industriels. Pour utiliser les catégories wébériennes *(Verein/Anstalt)*, la communauté musulmane *(umma)* qui était une *association communautaire* est ainsi devenue *un établissement* *. Le traumatisme produit par cette transformation n'est pas du tout assumé dans la double émigration massive qu'ont connue les Arabes dans ces vingt dernières années : les exodes massifs qui ont ruralisé les villes et les départs à la recherche du travail en Europe ou dans le Golfe. L'humiliation de l'émigration conçue comme homothétique de l'Hégire mohamédienne transforme un fait historique en métaphore qui, face à tous les attributs de la puissance temporelle du monde moderne, fait que ce sont les biens du salut qui l'emportent : les islamistes reformulent à leur profit la dialectique de la légitimité de la Jérusalem céleste. En effet, le projet de société moderne vendu comme une vulgaire savonnette, ce projet universel n'est légitimé que par la contingence de l'efficacité grâce aux « transferts de technologie ».

A ce projet totalement aliénant, les islamistes opposent un projet de société déduit du décryptage du sens de l'histoire, c'est-à-dire symboliquement de *l'anticipation des fins dernières,* alors que le monde moderne sombre dans la vulgarisation eschatologique parce que la signification de la modernisation est un échec au fur et à mesure que se vérifie dans la réalité l'infirmation du projet développementaliste et que l'interprétation du monde raréfie le sens. Or l'autorité des islamistes découle de leur capacité (qu'ont désormais perdue les clercs modernistes) à répondre à la *demande de sens* de la société, car ce qui assure les sociétés c'est le transit des sens. Le monde grec avait inventé son origine dans l'ordonnancement du chaos par le logos : c'est la trame du discours symbolique qui empêche que l'informe n'investisse le monde. Le sens assure la cohésion, une société se perpétue si elle rassure ses membres sur le sens de leur existence et les structures structurent l'individu en le

___
* Ce que nient avec virulence certains prêcheurs : « Non, l'Islam n'est pas un mouvement *(ḥaraka)* ni un parti *(ḥizb)* profane, etc. »

situant dans une hiérarchie qui est aussi une filiation. Et sauf à chercher le sens au désert [16]... *c'est bien dans la mosquée, lieu ordonnant le monde, que se crée le sens qui va restructurer les Musulmans perdus, les ruraux mal socialisés* et les prolétaires en dériliction. La tradition musulmane rappelle en effet constamment que les *déshérités* l'emportent toujours sur l'injustice des puissants, et les islamistes ne manquent pas de rappeler toutes les révoltes qui émaillent l'histoire arabo-musulmane. Il reste à tous ces *mustaḍᶜafûn* les retrouvailles avec toutes formes de cavernes, matrices, de solidarité première. Or le groupe dans lequel le rite fait sens pour un Musulman est le regroupement des Musulmans dans une mosquée.

La mosquée est un cercle magique qui protège et où circulent la parole et la sagesse des prophètes. Leur message retrouvé est *prouvé par la lutte sociale et idéologique du Prophète,* qui enseignait que, pour vivre Dieu, il suffit de vivre dans une communauté fraternelle, société sans classes, sans « discrimination », sans préoccupation ni préjugés autre que la piété. Ce réel, vécu par un peuple qui rêve une cité fraternelle, est une *praxis* révolutionnaire parce que le Royaume, qui est de ce monde, est la tâche à accomplir par l'homme : un Royaume autre fondé sur une relecture du legs *(turâth)* arabo-musulman et sur un constat d'échec. Les Musulmans savent désormais que l'Internationale prolétarienne est un échec dans la relation Centre et périphérie, et que leur présence au Centre implique une relecture du problème de la lutte des classes. Ils ne constituent pas le prolétariat, puisque le capitalisme ne s'est pas réellement imposé à la périphérie et que la Communauté empêche la constitution de classes; ils ne participent pas non plus au bloc dominant, parce que leur organisation sociale antérieure a été bouleversée par la modernisation; mais à cause de leur éducation, ils ne peuvent, du fait de la crise, basculer dans la transculturation « intégratrice » qu'en perdant leur identité.

En ce sens, l'islamisme comme retour aux origines est une renaissance, récupération du réel vécu par un peuple qui rêve de cité fraternelle : l'Islam révolutionnaire est une *tradition retrouvée.* L'Islam révolutionnaire, c'est la « retraditionalisation par excès de modernité [17] » dans le *tawḥîd* : pour vivre Dieu dans l'unité, il suffit de vivre car il est non pas le Maître d'en haut, mais l'âme du monde, l'homme totalement accompli, *al-insân al-kâmil.* Or ne pas penser Dieu hiérarchiquement conduit à nier le monde hiérarchisé et à le penser au contraire comme société sans classes, sans préjugés ni discriminations, dans la *šûra,* la participation de la communauté à la gestion de la vie sociale. La pertinence de cette ligne se trouve dans la véracité du Message prouvé par la lutte idéologique du Prophète lui-même, réinterprétée par les islamistes. Les systèmes symboliques se distinguent en effet fondamentalement, selon qu'ils sont produits et du même coup appropriés par l'ensemble du groupe, ou au contraire produits par un corps de spécialistes dans un champ relativement autonome. Les islamistes, saisissant la logique spécifique de chacune des formes symboliques, savent bien que la langue (ici l'arabe de la prière et des *khoṭba* « prônes ») est un médium structuré qui reconstruit la relation constante entre le son et le sens. Les nouveaux prêcheurs, transformant les prônes en transes sonores, ont rempli les mosquées.

La fonction sociale du symbolisme ne se réduit pas à la communication. Il est l'instrument par excellence de l'intégration sociale car il ne peut y avoir de solidarité sociale qu'entre individus partageant un système symbolique qui rend possible le consensus sur le sens du monde : en ce sens, la mosquée est le lieu de l'intégration des Musulmans à travers le mythe de la *umma,* produit collectif et collectivement approprié par tous les Musulmans pratiquants, quelle que soit leur localisation spatio-temporelle. Or ce mythe a pour fondement l'Unité de la Communauté, l'Unicité de Dieu et de l'Être.

II

De l'unicité de Dieu
a l'unité de la communauté musulmane

Il n'est pas aisé d'exposer simplement la complexité et les différents visages de l'Islam; aussi, parfois, paradoxalement, le conte oriental est plus efficace que la sociologie objective. Sans toutefois sombrer dans l'orientalisme à la Pierre Loti ou à la Gérard de Nerval, l'anthropologie participative permet de parfaire le positivisme objectiviste.

Je suis assis sur une natte, en position rituelle; le vieux maître parle doucement en balançant légèrement son buste; un souffle presque inaudible exhale sa pensée complexe comme s'il avait envie de la retenir, parce que, après tout, il n'est pas tout à fait sûr que je comprenne ce qu'il m'explique. Comme l'Émir Abdelkader écrivait dans sa Lettre aux Français [1] :

« Si venait me trouver celui qui veut connaître la voie de la vérité, pourvu qu'il comprenne ma langue d'une façon parfaite, je le conduirais sans peine jusqu'à la voie de la vérité; non en le poussant à adopter mes idées, mais en faisant simplement apparaître la vérité à ses yeux de telle sorte qu'il ne puisse pas ne pas la reconnaître. »

Les tourterelles roucoulent dans le jardin de la mosquée de Fès, à moins que ce ne soit dans celle du Caire, à Bab Zouella. Je ne sais plus... Le vieil homme m'explique le paradoxe de l'Unité...

« Dieu est l'Un... Mais l'Unique étant l'impensé de l'Un, il est double car aussitôt pensé il cesse d'être unique. »

Soupir/Silence.

« Dieu EST pour avoir répondu à la question de Sidna Moïse :
qui es-tu ?

C'est pour cela que le *taşawwuf* (la voie mystique dans l'Islam)
distingue les cheminots sur la voie de Dieu par le passif et non l'actif ;
murîd/murâd, aimant/aimé de Dieu car je suis et Dieu EST...

Nous sommes deux mais quand je me fonds en LUI, je SUIS,
anâ, anâ... »

Le bruissement des feuilles ressemble aux ailes des
Archanges, les bruits extérieurs nous parviennent feutrés ; j'ai
mal à la hanche, je suis ankylosé... mon corps est une gêne –
peu à peu, il se balance au souffle de l'âme/*rûḥ* mot fondateur,
ᶜaql/raison, *nafs*/souffle. Mais ai-je bien une âme ?

« Et si l'interdit divin frappait l'idée même de Dieu ?

Tout était dans l'attente de Dieu... ainsi Dieu devança l'idée
même de Dieu... la question crée mais la réponse tue...

L'interdit épargne le double.

Dieu est sa parole... il est le Lieu... mais l'interdit est l'interdit du
dit... Le désert est le lieu où la Parole a surgi... »

Mais alors le désert est plus vieux que Dieu ?... Ma pensée
ne s'est même pas exprimée : le Maître a souri.

« Mais le désert témoigne par son silence...

C'est pour cela d'ailleurs qu'il est plein de démons et de faux
prophètes...

L'image de Dieu, hypostasiée, réelle ou réifiée, cède à la pression
réitérée de l'absence d'image, la présence de Dieu *(sakîna)* c'est son
absence [2]... »

Même à partir de ce type d'expérience, comment l'anthropologie ou la sociologie religieuse peuvent-elles rendre compte
de ce qui fait sens pour les acteurs sociaux ? La transcendance
ne se laisse pas enfermer dans des catégories qui la nient, et le
thème de l'exil de la présence de Dieu, qui parcourt le
Judaïsme et l'Islam [3], implique à travers la descente du Livre

dans l'histoire et sa lente remontée dans la méta-histoire, une lecture plurielle qui ne peut satisfaire ni le croyant ni le scientifique... Comme esprit fini, l'Homme, le sujet, se trouve séparé de Dieu...

Mon vieil ami théologien fassi insistait régulièrement dans nos discussions sur l'originalité de l'unicité de Dieu dans l'Islam :

« Non seulement comme les Juifs, vous, Chrétiens, vous avez falsifié les Écritures et vous avez refusé d'entendre l'ultime Messager, mais encore vous associez quelqu'un à Dieu. Alors que Sidna Issa (le Christ) n'est que le dernier des prophètes missionnés... Et de plus, non contents d'associer le Christ à Dieu, vous le consommez dans un banquet rituel et, horreur de l'abomination, vous le mélangez dans votre corps avec du vin... »

Et le saint homme, dont la pâle langueur caractérisait ces savants qui se sont longtemps penchés sur les livres saints, en tremblait de dégoût; mes explications, plutôt calvinistes, pour le convaincre de ma bonne foi et de la complexité du problème de la Trinité, ne réussirent jamais à atténuer son accablement.

Deux points en effet caractérisent l'Islam par rapport aux deux autres religions monothéistes : l'unicité de Dieu et la clôture de la prophétie.

L'unicité de Dieu

Les versets coraniques attestant l'unicité de Dieu et proclamant la nécessité d'affirmer cette unicité sont aussi nombreux que précis : sourate II, verset 163; III, 19; IV, 171; V, 116; XVI, 51; XXI, 22 et 92; XXIII, 53 et 91; XXIX, 4; CXI, 103; CXII, 1-4.

Ce dernier est particulièrement net :

« Dis que Dieu est unique, qu'Il est la ressource, qu'Il n'a point engendré, et qu'Il n'a point été engendré et que personne ne peut Lui être égalé... »

Plusieurs versets précisent effectivement que Jésus, fils de Marie, n'est pas le fils de Dieu, et la sourate III, verset 57, d'exhorter :

« Dis aux gens de l'Écriture, ralliez-vous à une formule qui nous soit commune; que nous n'adorions que Dieu, que nous ne Lui associions rien et que nous ne prenions ensemble aucun Maître que Lui. S'ils refusent, dites : soyez témoins que nous embrassons la religion du Dieu unique. »

En effet, la même sourate insiste, au verset 19 :

« La seule religion admise par Dieu est celle de la croyance en un Dieu unique (l'Islam), ce n'est qu'après que leur fut donnée cette connaissance de l'unicité de Dieu que se sont divisés, par esprit de sectarisme, ceux qui avaient reçu les Écritures. Que celui qui repousse les signes de Dieu sache qu'Il est prompt à établir la balance des comptes. »

La première obligation du Musulman, et d'ailleurs à la limite la seule, tient dans l'affirmation, dans la profession de foi de cette unicité de Dieu, selon la formule de la *šahada* : il n'y a pas de divinité si ce n'est Allah. La formule arabe exacte est : *lâ ilâha illâ'llâh*. Sa traduction précise pose problème et mon hésitation trahit un grand débat, non pas sur les interprétations de l'unité mais sur le sens ésotérique de la formule. Le Coran lui-même (III, 7) précise que certains versets restent mystérieux.

En effet, la première partie de la phrase est constituée par une négation :

lâ, c'est-à-dire « il n'y a pas », et d'un mot ancien contracté, *al-ilâh*, sous la forme *ilâh*, c'est-à-dire « la divinité » en général; il est possible effectivement de traduire cette première partie par « il n'y a pas de divinité », sous-entendu autre que Dieu; mais ceci est extrêmement dangereux si l'on meurt au moment du prononcé de la négation. Aussi de nombreuses techniques ont été inventées, en particulier par les différentes confréries, pour produire des sons qui permettent de limiter les risques.

La deuxième partie de la phrase, *illâ allâh,* est au contraire une constatation plus qu'une affirmation : « et pourtant Allah »... Sous sa forme exotérique, la profession de foi annonce donc à la fois un triomphe et une destruction, dans ce que Henri Corbin a nommé une *idolâtrie métaphysique.*

Beaucoup de mystiques préfèrent à cette première formule celle qui peut se traduire : « il n'y a pas d'autre divinité que Lui ». Le son *huw* pouvant être exprimé avec des techniques respiratoires appropriées dans un souffle qui participe du cosmos dans la louange au Maître de l'Univers : *là ilâha illâ huw al-ḥamdu lillâh rabbi'l-ᶜâlamîn* (sourate XL, verset 65).

D'autres vont plus loin encore et énoncent le symbole de la foi dans un monisme exacerbé : « il n'y a dans l'être que Dieu », qui implique que tout être participe de l'unicité de l'être; ce qui ne va pas sans conséquence sur les pratiques et les affirmations de certains Musulmans... mais tous posent Dieu comme UN et cet UN affirme immédiatement la vérité réelle de lui-même *(al-ḥaqq)*; l'Un seul, étant réel, implique l'anéantissement du multiple.

Dans la théologie et dans la théophanie, pour la commodité de la vie de tous les jours, la pratique a développé non pas les attributs mais les noms de Dieu que le Musulman pieux psalmodie avec un chapelet; mais il s'agit de symboles puisque ces noms sont au nombre de quatre-vingt-dix-neuf et les chapelets divisés en trois sections de trente-trois grains.

Le problème du *tawḥîd,* de cette unité, a été étudié et médité « jusqu'au vertige » selon la formule de Corbin. Ce primat de l'Un sur le multiple est admis et partagé par tous les Musulmans, qu'ils soient chiites ou sunnites orthodoxes, mystiques ou simples croyants avec la foi du charbonnier. Cette unanimité ne va pas sans conséquence à la fois pour la compréhension de la société musulmane et pour ce problème plus général qu'est la connaissance de l'homme dans toutes ses manifestations existantes.

Tout homme musulman est imprégné de cette unité et de cette unicité, qui fait de lui un être transcendantal puisque l'Un ne se révèle que dans l'absence de soi : la reconnaissance de l'Un exige que le sujet se reconnaisse comme une existence unifiée dans une métaphysique qui lie indissolublement l'unicité à l'unité de l'unique.

« Si la connaissance la plus haute est celle du degré d'existence qui décide de l'essence, alors la métaphysique est la connaissance de la hiérarchie du monde. Or, cette hiérarchie est l'émanation de l'Un, le savoir culmine donc « dans la contemplation de l'Un » écrit Christian Jambet [4], qui ajoute une phrase de Spinoza en exergue d'un autre chapitre : « Plus nous connaissons les choses singulières, plus nous connaissons Dieu. »

Avant de tirer les conséquences de cette affirmation de l'unité sur la société arabo-musulmane, il faut rappeler la deuxième principale caractéristique de l'Islam : *la clôture de la prophétie.*

La parole est dite définitivement, la Loi est annoncée et il n'est plus de place ni de temps pour de nouvelles révélations. La vie doit s'organiser à partir de la Loi et doit s'y soumettre. Toute interprétation prétendant aller au-delà de la Loi est suspecte de briser le Sceau de la prophétie, c'est-à-dire en fait de vouloir créer une nouvelle religion. Cette clôture a pour conséquence première la sérénité des Musulmans à propos des autres religions monothéistes dont l'Islam est le couronnement, et leur certitude inébranlable que les Juifs et les Chrétiens n'ouvrent pas les yeux face à cette vérité révélée, par malveillance ou méconnaissance. Il faut bien comprendre que le problème est insoluble puisque le prophète Mohammad, venant *après* le fils de Dieu, ne peut être, aux yeux des Chrétiens, qu'un imposteur; cette analyse me fait soutenir qu'il n'y a aucun dialogue possible entre les religions monothéistes. Les quelques rencontres qui ont eu lieu jusqu'à maintenant dissimulent mal le seul point qu'elles ont en commun, la désignation de l'ennemi : le matérialisme, le marxisme et le plus souvent un antisémitisme benoît, dissimulé derrière un antisionisme d'autant plus aisé qu'il participe rarement aux combats de la révolution palestinienne.

De l'unicité à l'unité

Il peut paraître surprenant de faire appel à un concept religieux (l'Unité/Unicité de l'Être nécessaire) pour expliquer le mythe de l'unité arabe [5]. Pour ce faire, il faut comprendre que le crime suprême dans l'Islam consiste à associer quelqu'un à Dieu, et que l'homme totalement accompli pense le monde comme société sans préjugés, sans classes, sans discriminations, sans hiérarchies.

Dans ces conditions, comment accepter que le monde de l'Islam soit divisé? Il ne manque pas de *ḥadîth* (sentences du Prophète) pour rappeler deux points précis : d'abord que la communauté musulmane ne peut pas se mettre d'accord sur l'erreur, et ensuite que les divisions de la communauté constituent le désordre suprême *(fitna)* – par exemple, Coran, II, 217.

Cette affirmation de l'unité permet également de comprendre, sans faire appel à Rousseau, pourquoi existe une grande tradition de l'unanimité dans les pays arabo-musulmans, qui choque les démocrates...

Phénomène moins connu des Occidentaux, la discussion préalable, la verse et la controverse *(munâzara)* est la norme dans la société musulmane [6]; mais une fois la décision prise sur la base de celui qui a produit les meilleurs arguments, la minorité accepte au nom de l'unité de la communauté de ne pas diviser les Musulmans par une opinion contraire.

Les concepts de *tawḥîd* (unité) et de *umma* (communauté) me paraissent produire des tensions vers l'Unité bien plus profondes. C'est ainsi, en tout cas, que je lis personnellement cette incantation magique qui préside toujours les unions (avortées) entre la Syrie, l'Égypte, la Libye, l'Algérie, etc. :

« Par ce traité..., les deux pays visent à renforcer davantage les liens solides qui existent entre eux, pour apporter une contribution essentielle à l'édification du Grand Maghreb arabe et, par là même, à franchir une étape historique dans la voie de la réalisation de l'Unité de la nation arabe, ce qui permettra de conjurer les dangers qui assaillent la nation arabe et le monde islamique et, en premier lieu, la Palestine et Jérusalem. »

Depuis vingt ans, c'est invariablement en ces termes (qui légitiment leurs auteurs) que s'achèvent les innombrables visites d'envoyés spéciaux, de réunions en comités, jusqu'aux rencontres au plus haut niveau entre les chefs d'État.

J'ai pris un texte récent, celui de l'accord Libye/Maroc (août 1984), mais il est interchangeable [7] et illustre cette idée que, dans les relations « fraternelles », il faut toujours être en chiffre impair [8] : le Syrien Assad se précipite à Alger à l'occasion de cet accord comme chaque chef d'État arabe se rend chez le voisin du signataire d'un accord avec un tiers... Lorsque la Mauritanie se rapproche de l'Algérie, le Maroc se réconcilie avec la Libye; lorsque l'union « définitive » est proclamée entre la Syrie et l'Égypte, le Soudan découvre des vertus à la Libye, ou l'Irak à la Jordanie. Les Occidentaux ont tort de sous-estimer ces tentatives car l'Unité est inscrite dans l'histoire des grands empires, rêves brisés des mémoires collectives : les Fatimides, les Almoravides, etc.

Le *tawḥîd* appliqué à la communauté est un processus d'unification dans le futur à partir du fait accompli dans le passé [9].

Des amis marocains, interrogés à propos du référendum ratifiant l'union avec la Libye, m'ont répondu : « Comment refuser l'union avec un État musulman? »

Sous-évaluant ce mythe de l'Unité, les Occidentaux se sont trompés essentiellement sur un point : nous avons écouté (et cru?) le discours des élites transculturées, formées à notre image, dans nos Facultés, souvent par nous-mêmes. Discours qui convenait à notre quiétude idéologique, comme il convenait à nos intérêts : progrès/développement, transferts de technologies (*sic*), aides au développement, coopération, comme si pour *coopérer,* il ne fallait pas être *deux.* Effectivement, pour saisir la *logique interne* [10], sinon la cohérence, de la stratégie arabe et arabo-musulmane, il faut avoir constamment présents à l'esprit l'histoire et la géographie, et ne jamais oublier que, sur ce plan, les Arabes n'ont ni la même vision, ni surtout la même *mémoire* que les Occidentaux : lorsqu'un conteur de Jama'al-Fna à Marrakech raconte la geste de Haroun al-Rachid ou de Soleyman le Magnifique, les touristes ébahis prennent des photos « pittoresques », mais ne comprennent pas qu'il s'agit de l'histoire d'un peuple en marche. En marche, depuis les origines : l'expansion de l'Islam fut foudroyante. En cinquante ans, et ce après le premier siècle de l'Hégire, l'Islam atteint la Chine et l'Atlantique, telle une marée (ce mot – *JZR* – est encore utilisé, par les islamistes, aujourd'hui, pour signifier leur devoir d'expansion). Et ainsi de grands empires et de grandes capitales devinrent le centre du monde : Damas, Bagdad et Cordoue, avec des flux et des reflux. Il faut comprendre que la perte de l'Andalousie fut aussi douloureuse que l'est l'occupation de la Palestine : elles sont présentes toutes les deux dans les chansons populaires.

Cet élan initial a produit une stratégie communautariste de l'union qui ne saurait masquer la division actuelle du monde arabo-musulman en États-Nations, ultime avatar de l'impérialisme et qui ne saurait pas plus être lue à travers la seule grille d'une éventuelle folie mégalomaniaque du colonel Kadhafi ou de la stratégie tout aussi sournoise que tentaculaire du KGB... à travers l'équation Kadhafi = URSS, ou Syrie = URSS; pour ma part, je crois à l'autonomie des acteurs secondaires sur la scène internationale [11].

Et voilà qu'a surgi du tréfonds du monde arabe une nouvelle vague (*JZR*) que nous avons d'abord niée, puis que nous avons essayé de délégitimer en la qualifiant d'intégriste, de réactionnaire; aujourd'hui, nous sommes bien forcés de l'analyser pour mieux la combattre ou la contenir, où... pour nous laisser porter par elle – tant il est vrai que lorsqu'il est question de stratégie, nous devons avoir *aussi* présent à l'esprit les enjeux de la connaissance scientifique dans cet affrontement.

Le concept de l'unité de la communauté musulmane est tiré de nombreux versets du Coran; celui-ci enjoint aux Musulmans de s'éloigner de tout ce qui risque de les diviser et leur ordonne d'éviter de se constituer en groupes et en partis.

Les versets 30-31 de la sourate XXX précisent même que s'ils cédaient à cette tendance, ils seraient alors considérés comme des « associateurs »; or l'association (associer quelqu'un à Dieu) est le crime suprême dans la tradition musulmane.

Ainsi, les commentateurs musulmans ont très vite admis que le concept de l'unité de la communauté musulmane contenait également l'idée de solidarité sociale dans tous les domaines et que l'unité sociale qui en découlait nécessairement résolvait en même temps la question de l'unicité territoriale à travers l'unité politique, autrement dit *postulait l'existence d'un seul État islamique.* En ce sens, les islamistes sont parfaitement orthodoxes lorsqu'ils proclament que l'État islamique est idéologique et non territorial. Plus encore, le Coran considère que la faiblesse des Musulmans provient des conflits entre eux (Coran, VIII, 45-49).

Or, Dieu a promis la victoire aux croyants (XXXVII, 165 et s.).

L'unité de la Communauté et la solidarité sociale qui en déroule sont décrites à la fois par le Coran et par les *ḥadîth*; par exemple Coran, XLVII, 29 :

« Mohammed est l'envoyé de Dieu; ses compagnons sont terribles aux infidèles et tendres entre eux-mêmes... »

Ce verset est généralement interprété comme le signe de la solidarité entre Musulmans, d'autant plus que « les infidèles en conçoivent du dépit » *(ibidem).*

Cette interprétation est confirmée par plusieurs *ḥadîth*, par exemple, celui rapporté par Abu Mussa – « le croyant est pour le croyant comme une construction qui se soutient elle-même ».

Cet élan de solidarité est constamment rappelé par des *ḥadîth* qui invitent les Musulmans à se regrouper tous contre les non-musulmans, le fort protégeant le faible, et ceux qui combattent partageant les biens gagnés avec ceux qui ne participent pas au combat. Les commentateurs insistent sur le fait que le Prophète incitait ses compagnons à pratiquer la politesse, la salutation, la consultation et le conseil, mais aussi les visites aux malades et les honneurs aux morts car Dieu rétorque à l'interrogation dubitative :

« Mon serviteur avait soif et tu ne l'as pas abreuvé. Si tu l'avais abreuvé, tu aurais trouvé ceux-ci chez moi. »

(Ce *hadîth*, rapporté par Muslim, rappellera des textes identiques aux lecteurs chrétiens.)

De nombreux *hadîth* rapportent que le Prophète incitait les Musulmans à s'unifier, à s'entraider, à s'éloigner de l'avarice car la possession n'est pas ce que détient l'individu mais ce qui est dépensé en aumône, parce que la mort frappe lorsque Dieu le décide.

Mais plus nombreux encore sont les *hadîth* qui montrent la gravité des divisions dans la Communauté musulmane, et l'on peut citer dans un ordre croissant une série de *hadîth* tirés également de Muslim :

« D'après Abu Hureira, Dieu aime que vous fassiez trois choses et il hait que vous en fassiez trois autres, il agrée que vous l'adoriez et que vous ne Lui associez rien d'autre et que vous vous accrochiez à sa corde, que vous ne vous divisiez pas et que vous conseilliez celui que Dieu vous a choisi comme chef. Il hait trois choses : rapporter ce que les autres disent, poser trop de questions, et gaspiller les biens. »

Plusieurs autres *hadîth* précisent :

« Celui qui nous combat ou qui nous trompe n'est pas de nous » ou encore : « Il y aura dans ma communauté des comportements illégaux... Celui qui cherchera à diviser les Musulmàns alors qu'ils sont unis, frappez-le avec l'épée, quel qu'il soit. »

Et la sanction suprême apparaît dans ce *hadîth* :

« Même si quelqu'un quitte la Communauté ne serait-ce que d'un empan, et cela sans l'intention de la combattre, il quitte l'Islam. »

Certes, les Musulmans ne peuvent se différencier entre eux que par la piété mais, par-delà cette affirmation de principe, la société arabo-musulmane souchée sur une histoire précise (et celle d'une famille aussi particulière que complexe) a produit une hiérarchie implicite que certains contestent mais qui, en tout cas, structure l'imaginaire des arabo-musulmans. Il faut donc très rapidement exposer ces différences pour comprendre comment le Prophète Mohammad a essayé, avec quelques succès, de surpasser le statut bédouin sur lequel il inscrit la nouvelle religion; mais l'idéologie bédouine a tout de même facilité le contournement de l'égalité affirmée entre les Musulmans selon le seul principe de différenciation entre les individus et les groupes qui résidait dans l'appartenance à la nouvelle religion; il n'est de différence entre le ʿajamî (le non-Arabe, le barbare) et l'Arabe que par la religion : « les plus nobles d'entre vous sont les plus pieux » affirme un ḥadîth tenu pour confirmé. Mais très rapidement la combinaison de la conception arabe traditionnelle, de la valeur sociale des liens du sang et de la hiérarchie constituée par le militantisme des premiers Musulmans constitua *de facto* une inégalité entre l'appartenance à certaines familles arabes et la nouvelle norme islamique.

Aujourd'hui encore, lorsqu'un Marocain commence par poser son « chérifisme » en introduction de dialogue, l'affirmation de sa descendance se situe dans l'axe de la légitimité prophétique; d'ailleurs, la plupart des Musulmans, en invoquant ce type d'argument, s'appuient sur plusieurs versets du Coran qui précisent que Dieu accorde « ce qu'Il veut à qui Il veut » en matière de grâce et de rang, et que de toute façon, personne ne sera lésé. De plus, il ne manque pas d'arguments, y compris tirés du Coran, pour rappeler que Dieu a privilégié les uns sur les autres comme il a privilégié le genre humain sur les autres créatures, et comme il a privilégié les Arabes, puisque le Coran a été révélé en arabe.

Hiérarchies musulmanes

Dans le genre humain, Dieu a établi un privilège entre l'homme et la femme et entre les peuples, et si la connaissance et la piété fondent cette inégalité, elle justifie *a fortiori* les différences entre les croyants et les mécréants.

Cette idée même d'égalité de tous les croyants affirmée par les *ḥadîth* et par le Coran n'a pas toujours triomphé des valeurs que les sociétés tribales [12] attribuaient aux généalogies, surtout à celles qui remontent au Prophète.

La religion n'a pas permis la rupture totale avec la mentalité pré-islamique et surtout tribale; ceci ne fut pas sans conséquences sur la succession du Prophète, mais a incontestablement favorisé l'intégration des convertis même quand ils étaient non arabes et même si les *mawâlî* (les « clients » des Arabes) ont fait longtemps l'objet de discriminations dont les effets se font sentir jusqu'à aujourd'hui en Afrique noire [13].

La hiérarchie entre les « gens de la maison du Prophète » – les premiers compagnons, ceux qui ont suivi ou accueilli le Prophète à Médine (*anṣâr, muhâjirûn*...) – reste tout de même bien vivace. D'autant plus qu'entre les croyants, et à l'intérieur même de la communauté des croyants, Dieu a privilégié certains prophètes [14] comme le Sceau de la prophétie privilégie le prophète Mohammad et sa communauté puisque :

« C'est ainsi que Nous avons fait de vous une communauté du juste milieu pour que vous soyez témoins contre les gens et le messager témoin contre vous »,

selon la sourate II, 143, que se plaît à citer le roi du Maroc. Or, dans cette Communauté, c'est la langue arabe qui a été choisie pour propager le message divin et ce sont les Arabes qui ont été choisis pour cette diffusion.

Primauté de l'arabo-musulman

Cette arabité de l'Islam est attestée par le comportement du Prophète insistant pour que les Arabes se convertissent à l'Islam sans qu'il leur soit laissé d'autre alternative, alors que les Juifs et les Chrétiens pouvaient esquiver la conversion et la mort par le paiement du tribut *(al-jiziya)*.

Dans le débat entre Arabes musulmans et Musulmans non arabes, il n'a jamais fait de doute pour personne (sauf pour quelques faux prophètes... ou encore, à l'époque contemporaine, pour quelques Africains adeptes de sectes « douteuses ») que tout Musulman est obligé de connaître la langue du Coran pour accomplir ses obligations.

Un certain nombre de distinctions, établies au début de l'expansion de l'Islam, sont aujourd'hui encore efficaces sur le plan social : parmi les Arabes, la tribu de Quraïch est privilégiée, et ce pour plusieurs raisons : d'abord parce que en tant que descendants d'Abraham et d'Ismaël, ses membres prétendent être restés (relativement) monothéistes. De plus, ils détenaient la gestion du temple de la Ka'ba, d'après l'interprétation qu'ils font eux-mêmes de la sourate XXVIII, verset 57 :

« ... Ne les avons-Nous pas établis sur un territoire saint, sûr, où sont apportés des produits de toute sorte comme attribution de Notre part ? »

En fait, sans sombrer dans la trivialité, il apparaît que les conditions dans laquelle la famille du Prophète et ses alliés ont adhéré plus ou moins rapidement, conformément à des intérêts divergents, à la nouvelle religion, constitue la clé de cette hiérarchie. En effet, viennent immédiatement en tête les croyants, les émigrés *(muhâjirûn)*, ceux qui ont suivi le Prophète dans son exil et qui ont dû abandonner leurs biens à cause de leur foi.

Mais il existe, parmi les Émigrés, dix personnes à qui le Prophète a promis le paradis. Ces dix ont, de plus, bénéficié de droits politiques qui viennent se surajouter aux privilèges de leur place dans la hiérarchie hagiographique : parmi ces dix compagnons se trouvent bien évidemment les quatre premiers califes : Abu Bakr, Omar, Othman, Ali, mais la tradition rapporte le nom des autres qui remplissent des fonctions symboliques spécifiques *encore aujourd'hui lorsqu'il s'agit pour un Musulman de justifier un acte ou une attitude et qu'il se réfère* par exemple à Sa'id Ibn Zayd Ibn Nufail, cousin d'Omar Ibn Khattab, à Atlha ou à Zubayr, ou encore à Sa'id Ibn Abi Waqas, à Abdulrahman Ibn Auf, ou enfin à Abou Obaïda

Ibn Aljarrah; leur légitimité vient de leur témoignage immédiat qui fonde, pour la suite, la pertinence du raisonnement analogique : « Un tel rapporte qu'un tel, qui a entendu un compagnon rapporter que le Prophète avait dit... »

Par ailleurs, les Médinois ralliés au Prophète sont classés en deuxième rang : la tradition les appelle *anṣâr*.

Viennent ensuite les catégories qui se sont complexifiées au fur et à mesure que l'Islam s'étendait : ceux qui ont participé à certaines batailles, ceux qui ont participé dans l'ordre défini par le Prophète au partage du Butin, ceux qui sont allés vivre dans d'autres pays pour enseigner l'Islam, ceux qui ont fait des dépenses pour le *jihâd*.

Ceux qui ont participé à la bataille de Badr et ceux qui ont fait l'acte d'allégeance sous l'arbre à Hudaibiya, lors de la paix avec les Mecquois, en l'an 4 de l'Hégire, sont appelés « les mentionnés » et la plupart de ces gens font partie du *conseil de consultation*. La tradition les appelle « ceux qui ont le pouvoir de lier et de délier » *(ahl al-ᶜaqd wa'l-ḥall)*.

Toute une série de *ḥadîth* légitiment ainsi cette génération [15] (et cette famille) qui « fut la meilleure » et fondent ainsi une série de confusions qui vont aboutir à l'éclatement *politique* à partir des Ommayades. Les problèmes théologiques posés alors, aggravés jusqu'à la rupture du IXe siècle, sont toujours insolubles aujourd'hui encore.

Mais c'est seulement après, bien après, que seront appliqués les autres critères de différenciation entre les croyants : le degré de la foi, la connaissance du Coran par cœur ou enfin, selon Bukhari, l'âge qui seul permet une connaissance du Coran sans fanatisme et sans négligence.

Mais plus importante encore que toutes les sourates et tous les *ḥadîth* me paraît être l'intériorisation de ces valeurs par les peuples arabo-musulmans. Elle se traduit, encore aujourd'hui, quotidiennement, dans le langage populaire, en particulier à l'égard des non-musulmans. Il existe en effet de fort savants traités de droit musulman concernant le statut des non-musulmans vivant sous la protection de l'État islamique. La tradition aborde également le problème de l'altérité et le statut des autres croyances.

Le refus de l'altérité

De cette unité de la Communauté, à travers ses hiérarchies, découlent en effet des conséquences claires et constantes dans la pensée arabo-musulmane à propos du statut des minorités religieuses, et une absence de statut pour les minorités non religieuses, athées ou adeptes de philosophies « orientales ». Il me paraît tout de même surprenant que les occidentaux continuent, en dépit des écrits savants sur ce sujet, à s'égarer dans un sentimentalisme erroné à ce propos : la place et la situation des minorités dans la société arabo-musulmane est en effet parfaitement décrite à la fois par le Coran lui-même et par la tradition du Prophète, et en particulier par la façon dont celui-ci a agi au moment de l'extension de l'Islam. Le statut des minoritaires est l'homologue inversé de la hiérarchie des Musulmans eux-mêmes, que je viens de décrire. Or ce point, clair depuis des siècles, est constamment confirmé; si je comprends que l'Occident s'émeuve régulièrement, pour des raisons d'ailleurs parfaitement connues sur le plan historique, il me paraît tout de même surprenant que la confusion soit maintenue là où il n'y a pas de doute possible, dans le statut de *dhimma*.

Les minorités ne peuvent jamais espérer avoir une place autre que subalterne dans une société musulmane. Toutes les tentatives pour briser, à l'époque contemporaine, cette loi millénaire ont abouti à des échecs douloureux : depuis le cas de Curiel, et tous les Juifs qui furent la base de nombreux partis communistes tant au Maghreb qu'au Machreq, en passant par les rares Français qui ont réussi, non sans mal, à obtenir la nationalité algérienne ou marocaine, force est de constater aujourd'hui que pour être citoyen à part entière dans la quasi-totalité des États arabo-musulmans, il faut être indigène, autochtone, arabe et musulman, et bien souvent les quatre à la fois [16].

Le cas du Liban démontre que personne n'a sérieusement envie, pas plus dans le monde arabe qu'en Israël, que *perdure*, et *a fortiori* que réussisse, une expérience de démocratie pluri-confessionnelle qui va à l'encontre de l'unité et de l'unicité de la communauté arabo-musulmane, comme d'ailleurs de l'unicité particulariste d'Israël; seuls les Chrétiens palestiniens en ont tiré les conséquences ultimes : ils sont laïcs d'une façon acharnée.

Mais la xénophonie (et en particulier l'antisémitisme latent dans les pays arabo-musulmans) tient moins au droit musulman qu'aux pratiques sociales réelles. La « sagesse des Nations » est pleine de dictons vivants qui sonnent le glas d'une tolérance mythique. D'ailleurs, rares sont les Arabes et surtout les Musulmans avec qui l'on peut débattre sereinement de ce problème, aggravé, il est vrai, par la politique expansionniste d'Israël.

Et pourtant, comme l'a dit très courageusement Mohammed Harbi dans une conférence internationale, il faudra bien un jour que les Arabes fassent le point sur leur propre anti-sémitisme. Il faut cependant rappeler avec fermeté que l'Islam n'est pas à l'origine de l'Holocauste, alors que les Palestiniens, indirectement concernés, en font les frais aujourd'hui.

En effet, si le statut des minorités religieuses est discriminatoire dans le *dâr al-islâm,* tout porte à croire que ce statut accordé aux *Gens du Livre,* c'est-à-dire aux Juifs et aux Chrétiens, a été pendant treize siècles moins dur que celui réservé aux minorités religieuses dans les pays chrétiens.

Ces précautions étant prises, il va de soi que la religion musulmane, se trouvant en divergence avec les autres croyances, a très rapidement inscrit la conversion, par le *jihâd* et la *daʿwa* (l'appel, l'apostolat), à son programme : la réalité introduit quelques nuances dans la recherche de la conquête territoriale et dans l'accroissement du nombre des Musulmans, comme le souligne ce Hadith répertorié par Muslim, qui fait dire à Ali par le Prophète :

« Va doucement car si Dieu guide par toi un seul homme, cela est mieux pour toi que la possession de tous les biens terrestres. »

Le but de la communauté musulmane étant de devenir *unique sur l'ensemble du monde,* historiquement les Musulmans ont dû imaginer des statuts pour les catégories de personnes qui ont accepté de vivre sous la protection de l'État islamique après la conquête ou à l'occasion d'affrontements militaires. Car le choix est donné aux Musulmans, avant leur défaite, entre trois possibilités : la conversion, la mort ou le contrat dit *pacte de dhimma.* En effet, le problème s'est posé très rapidement par-delà les démêlés que le Prophète lui-même eut avec les Juifs de l'Arabie de son époque (Mohammad avait espéré convertir les Juifs de Médine à la nouvelle religion et il arguait pour cela que l'héritage biblique était assumé par l'accomplissement de la prophétie).

Le Prophète lui-même proposa la constitution d'une communauté unifiée rassemblant les Musulmans, les Chrétiens et les Juifs, et le statut de Médine [17] n'excluait pas que chacun gardât sa religion. Mais, très rapidement, le Prophète fut amené à mettre l'accent sur la falsification des Écritures par les Juifs et par les Chrétiens, et l'alliance contractée entre les tribus juives de Médine et les ennemis arabes du Prophète exacerba le conflit, qui se poursuivit d'ailleurs si violemment que les Juifs furent chassés de l'Arabie heureuse sous la califat d'Omar (634-644). C'est d'ailleurs à celui-ci qu'est attribué le premier statut concernant les minorités monothéistes. En fait, il semble plus raisonnable de soutenir que le premier texte a été rédigé à l'époque du calife Mutawakkil (847-861). En contradiction avec le *pacte de Najran,* qui prévoyait qu'aucune humiliation ne devait peser sur les minoritaires, et même en contradiction avec les pratiques du calife Omar lui-même, ce statut prévoit un état d'infériorité du *dhimmî* qui fait de lui un citoyen de seconde zone dans tous les domaines. En effet, ce contrat est respecté par les Musulmans tant qu'il est respecté par les gens de la *dhimma* dans les conditions que seuls les Musulmans sont aptes à définir.

L'ensemble des juristes et des commentateurs musulmans ont dégagé sept conditions que je résume ainsi (en précisant qu'elles sont encore actuellement invoquées dans la presse islamiste... et même rappelées par des voix plus orthodoxes, que ce soit en Arabie Saoudite ou en Égypte).

L'acceptation de l'inégalité des droits et des devoirs entre Musulmans et « protégés ». Cette différenciation est une façon d'inciter les non-musulmans à se convertir : il paraît ainsi normal aux yeux des Musulmans d'exercer à l'encontre des non-musulmans un certain nombre de pressions qui les gênent dans leur vie et leur rappelle leur statut d'infériorité. Celle-ci implique l'acceptation de vivre d'une manière isolée : si les non-musulmans protégés (pas les athées, bien sûr) ont la liberté du commerce et peuvent avoir des relations économiques avec les Musulmans, ceux-ci ne peuvent entretenir des relations sociales avec eux. Il ne manque pas de *ḥadîth,* et même de versets du Coran, pour rappeler aux Musulmans qu'ils n'ont rien à gagner à fréquenter des non-musulmans et mon vieil ami théologien fassi m'a dit plus d'une fois de sa voix douce, en particulier lorsque je lui posais des questions trop précises sur l'ésotérisme ou sur la *sakîna* (la présence de Dieu) :

« Pourquoi veux-tu que je t'explique la moelle de la religion alors que ton intention n'est pas de t'engager dans la voie *(fî sabîli'llâh)* », ce à quoi je répondais invariablement, sur le même ton suscitant son amusement : « Mais je ne suis croyant que si Dieu le veut... »

La sourate généralement citée pour justifier la non-nécessité de fréquenter des Juifs ou des Chrétiens est XXXIII, 60, ou encore LVII, 8-9 : « N'as-tu pas vu ceux à qui le tête-à-tête a été interdit? »

Les minoritaires n'ont pas le droit de commander un croyant; ils ne peuvent donc occuper de poste relevant de l'État; il est aisé de signaler de nombreux cas où les califes, les sultans, les rois ont eu des conseillers juifs ou chrétiens, mais dans le cadre d'une politique de palais, comme au Maroc encore aujourd'hui. Par contre, le cas de Boutros-Ghali, ministre des Affaires étrangères égyptiennes depuis de longues années, est tout à fait exceptionnel.

Les minoritaires s'engagent par ailleurs à ne commettre aucun acte et à n'adopter aucune attitude qui soit une insulte à l'Islam et aux Musulmans : c'est dire à quel point les gens de la *dhimma* sont toujours suspects d'être des espions constitutifs de la cinquième colonne, soit des Croisés, soit de l'Occident, soit du sionisme, et généralement des trois à la fois.

L'application du droit musulman l'emporte dans les relations entre un Musulman et un non-musulman. Le droit musulman permet aux gens de la *dhimma* d'appliquer leur propre droit en ce qui concerne leur statut personnel. Mais ils ne doivent pas en faire étalage et bien sûr ils ne peuvent inciter les Musulmans à violer leurs propres lois, en consommant des aliments interdits, etc.

Les *dhimmî* doivent payer un tribut particulier *(jiziya)* qui est une obligation de remplacement (en particulier destinée à remplacer la *zakât,* l'aumône légale que paient les Musulmans). Cette somme est aussi destinée à avilir et à rapetisser les non-musulmans et à payer les frais de leur protection en cas de guerre. Il n'y a aucun doute sur cet aspect précis d'avilissement du non-musulman, comme l'atteste toute une série de *ḥadîth* que seuls ceux qui n'ont pas envie de le savoir ne lisent pas (*Hadith SAD,* tome III, n° 3082, p. 180).

Enfin, les *dhimmî* doivent respecter les Musulmans et ne pas chercher à leur ressembler, et pour cela doivent porter des vêtements et avoir des comportements qui les différencient. Ce type d'obligations correspond d'ailleurs à celles que la chrétienté imposait aux Juifs.

Les Mongols campent dans la Umma (Ibn Taymiyya) et les loups à la périphérie (Ibn Khaldun) [18]

Je voudrais terminer ce panorama en rappelant quelques conclusions qu'en tirent les Musulmans islamistes, en particulier à travers la lecture des ouvrages constamment réédités d'Ibn Taymiyya (1263-1328). Le jurisconsulte le plus contestataire de l'histoire musulmane, qui sert de référence aux radicaux, tant à cause de l'exemplarité de sa vie (résistance aux tyrans, emprisonnement) que par son enseignement théorique puissant. Il est l'auteur, entre des dizaines d'ouvrages, d'un traité de science politique fameux *(Al-siyâsa al-šariᶜa),* traduit par Henri Laoust. Syrien, il passa plus de temps dans les geôles du Caire et de Damas que libre, parce qu'il dénonçait partout et toujours l'impiété des princes, les ennemis de l'intérieur et pas seulement les ennemis extérieurs.

Les islamistes soutiennent que c'est en particulier *parce que ces conditions n'ont pas été respectées* que la corruption et la négligence ont permis aux gens de la *dhimma* de diriger les affaires des Musulmans, que la décadence s'est installée dans le *dâr al-islâm,* alors que bien au contraire si ces conditions avaient été respectées les minorités auraient dû disparaître soit par conversion, soit par départ; et les islamistes de rappeler que le Prophète lui-même fit chasser les Juifs de l'Arabie, tandis qu'Ibn Taymiyya dénonce le danger « mongol ».

Cette interprétation, qui est largement partagée par l'ensemble des Musulmans, pose de nombreux problèmes à la communauté musulmane dans ses franges extrêmes, surtout depuis que les Arabes ne sont plus en majorité parmi les Musulmans et que le Coran est traduit en malais ou en oulof... Et pourtant, l'unité de la Communauté est constamment réaffirmée, en particulier à l'occasion du pèlerinage et à l'occasion de chaque prière dans chaque mosquée à travers le monde, puisque l'orientation rituelle équivaut à une sorte de profession de foi : en effet, Dieu est *omniprésent.* C'est donc pour que la Communauté garde son unité que : « Nous n'avons fait l'orientation à quoi tu te tenais que pour savoir qui suit le messager et qui tourne les talons » (Coran, II, 138).

Selon la tradition, le Prophète s'orientait vers La Mecque avant l'Hégire, de sorte que la prière se faisait à la fois vers la Ka'ba et vers Jérusalem. Lors de son séjour à Médine, il s'orienta vers Jérusalem, puis après revint dans la direction de la « première maison de Dieu », puisque ce fut là qu'Abraham apporta la pierre noire. Celle-ci fut enlevée par les Qarmates au IXe siècle dans une action et par un groupe qui fera l'objet d'explications sur *l'actualité* de la contestation islamiste. La gestion des Lieux Saints ne peut être confiée à des pervertis...

Les islamistes constatent qu'aujourd'hui les pays islamiques dans leur état actuel de sous-développement économique, de dépendance politique et d'émiettement en nationalités souffrent d'un mal chronique qu'ils nomment *fitna,* désordre suprême, dû à deux causes principales : la première tient au fait que l'unité première de la *umma* n'est qu'un souvenir lointain ; bien plus, ils avancent comme second argument que cette unité est une chimère aux yeux des *élites sans racines.* Or, pensent-ils, cette unité implique un idéal de fraternité islamique et parcourt la conscience collective des Musulmans, de l'Indonésie jusqu'à l'Atlantique. Ils ajoutent également, alors que les Musulmans ont le nombre, l'espace et le pétrole pour affronter le monde moderne, que la conscience politique des masses est nivelée par le matraquage idéologique des États à travers un nationalisme étriqué.

Les islamistes pensent que l'importance géo-politique de la péninsule arabique jointe à la disponibilité d'une population qui, à 70 %, n'a pas connu le combat nationaliste, est un facteur rendant nécessaire la solidarité. Les richesses de la rente pétrolière ne profitent pas à la communauté musulmane, parce que le désordre, la barbarie et l'ignorance pré-islamique, autrement dit la *jâhîliyya,* se sont installés jusqu'aux sommets des États-Nations. Mais, prophétise Yassin :

« Le jour où les *gouvernants de la nécessité* auront atteint les limites de l'incurie et qu'ils auront épuisé leur réserve de crédibilité, la solidarité islamique ouvrira les horizons de l'unité [19]... »

L'application stricte du credo de l'unicité de Dieu se réalise dans le passage de la police des mœurs [20] à travers l'excommunication *(takfîr)* du Musulman déclaré apostat, jusqu'au projet politique de l'unité de la communauté musulmane. Celle-ci doit *in fine* permettre la confusion de l'unité et de l'unicité par une espèce de forclusion du politique devenu inutile : la société étant tout entière communalisée.

En effet, par un retour complet à lui-même, l'homme accède à l'universel ; le fondement de cette reconstruction est la personne individuelle qui reçoit de la communauté à la fois son complet développement et l'expression parfaite de celle-ci.

Certains ont cru qu'il suffisait de réformer la société pour que soient réconciliées la conscience universelle et la vie réelle de l'être social. Cette réconciliation, assurant la coïncidence de l'individu et de l'être social et abolissant l'aliénation, rendant inutile toute médiation politique.

C'est la réalisation de ce projet que les nationalistes progressistes ont manqué, faisant ainsi le lit d'un certain Islam que d'aucuns avaient cru balayé comme scorie de l'histoire dans les oubliettes de la modernité, alors que les Musulmans attendaient l'Heure, dissimulés-réfugiés dans leurs « *takiya/zâwiya* », matrices anciennes d'un monde circulaire sans cesse renouvelé.

III

LA NATIONALISATION DU PROGRÈS

Cette opération s'est faite en trois temps au XXᵉ siècle : l'Islam « modernisé » par la Nahda, sorte d'*Aufklärung* oriental, a structuré la résistance à l'impérialisme et à son avatar français et anglais, puis le Nationalisme a proposé des transitions plausibles et autonomes avant que l'Islam, discret et oublié, ne reprenne le dessus, parce que les concepts de Nation et de Progrès étaient trop étrangers, sans doute, à la culture commune des Arabes musulmans.

A force d'avoir fréquenté des intellectuels occidentalisés, nous ne nous sommes pas aperçus tout de suite à quel point les notions modernes que nous utilisions n'avaient pas de prises évidentes sur la société civile arabo-musulmane.

Comme me le disait cet honorable vieillard fassi :

« Tu es comme mes fils, un agité, tu cours, tu discutes, alors que ton Seigneur t'attend, et tu ne connais pas l'Heure. » Nous sommes dans la douce fraîcheur d'un patio dans la vieille ville de Fès, les bruits de l'extérieur nous parviennent feutrés. Le Saint homme savant vient de faire la lecture d'un *tafsîr*, commentaire de la sourate XLVIII sur la créature et l'incréé : « Tu sais, seule notre dernière heure importe ; ainsi, personnellement, je n'ai pas distrait mon esprit une seconde » (en fait, il fait un jeu de mots sur une mesure arabe) « même du temps des Français. Sais-tu que je ne me suis pas aperçu de leur présence ? J'avais seize ans lorsqu'ils sont venus ; mon père m'avait consacré aux études puisque nous étions les descendants légitimes de Cadis notables... Je suis rentré à la Quaraouyine, j'ai étudié ; je me suis marié, chaque jour, je descendais le petit Tala et remontais par le grand... J'ai été juge dans l'équité, puis, après être allé cinq fois à La

Mecque, je suis devenu enseignant à l'Université, et chaque jour entre la prière du Zohr et celle du Maghreb, j'enseignais dans mon coin... Un jour, l'un de mes fils, tout suant d'activisme, sans prendre la peine de se présenter à moi, interrompit ma méditation pour me dire, essoufflé : Père, ça y est, *ils sont partis*... C'est l'Istiqlal! Je n'étais pas agacé, bien sûr, mais tout de même, j'ai levé la tête pour dire à mon fils : ils sont partis? Qui ça? Tes démons? Mais ils sont en toi, mon fils! Et j'ai repris ma méditation. »

Qu'y a-t-il de commun entre ce type de personnage et les grands héros du nationalisme, que ce soit, en Algérie, Abane Ramdane, ou, en Égypte, Saad Zaghloul, les socialistes, les communistes, et les Ulama qui se sont, provisoirement, alliés dans des fronts de libération nationale? Et après les indépendances, pourquoi se sont-ils, au mieux séparés, et le plus souvent assassinés mutuellement? Depuis les communistes irakiens pendus en place publique au regretté Mehdi Ben Barka « disparu » en France, tandis que les leaders palestiniens continuent, eux, à être régulièrement assassinés partout en Europe et leurs combattants massacrés au Moyen-Orient?

De quel nationalisme s'agit-il? L'exemple du parti *Baᶜth* démontre que le terme recouvre des perceptions très différentes de l'État, de la Nation, de l'arabisme, de l'islamisme. Mais, partout dans les pays arabes, les autres partis nassériens, progressistes ou simplement nationalistes ont été confrontés à un triple mouvement : la nationalisation du progrès et la modernisation de l'Islam, puis l'islamisation de la modernité.

L'Etat comme signe du progrès

La colonisation, quelle que soit la forme particulière qu'elle ait pris ici et là (de peuplement comme en Algérie, ou simplement financière dans la plupart des cas), a permis l'introduction de l'économie de marché dans des sociétés qu'il est convenu d'appeler « pré-capitalistes ».
Certes, la plupart de ces sociétés connaissaient la monnaie

et les échanges commerciaux, mais elles étaient régies par des relations plus personnelles que contractuelles. Même dans le cas où l'occupation physique fut plus légère (Arabie Saoudite ou Yémen), les bouleversements qui suivirent furent considérables. Il est banal de donner à ceux-ci le nom commode de modernisation sans que ce terme soit toujours précis. En fait, dans tous les cas, la colonisation a introduit des rôles modernes dans des sociétés traditionnelles : la modernité présente une double dimension d'industrialisation avec ses conséquences apparentes, urbanisation et constitution de classes mais dimension de changement métaphysique. La modernité sonne le glas de la *dreaming innocence* et, de plus, elle fut allogène. En ce sens, elle était destructrice.

Le processus eut pour effet un certain nombre de bouleversements sociaux qui peuvent être caractérisés par le développement de l'autonomie des groupes, de leur mobilité géographique et sociale. Celle-ci a rendu plus facile l'accès aux centres de décision de la société par l'apparition d'une multiplicité d'élites fonctionnelles; cette évolution impliquait l'apparition de l'État, c'est-à-dire la séparation entre les structures sociales et l'exercice des fonctions administratives et politiques qui acquièrent une relative indépendance par rapport au système religieux. Peu à peu se mettent alors en place des mécanismes institutionnels permettant le transfert des loyautés primordiales, familiales ou religieuses, la régulation des relations autour d'une identité culturelle collective, l'articulation de buts communs. L'apparition de l'État moderne est par ailleurs le corollaire obligé de la répartition des tâches consécutives à la nouvelle division internationale du travail.

Mais il ne faut pas pour autant sombrer dans l'angélisme tiers-mondiste : les sociétés pré-capitalistes n'étaient pas des paradis; tout au plus fonctionnaient-elles dans des conditions de survie qui laissent penser à certains que la colonisation a perturbé les conditions de production du minimum vital, mais en même temps, l'irréparable étant accompli, la coercition a changé de forme; c'est peut-être cela que nous appelons le progrès. Les contradictions éclatèrent rapidement entre les impératifs économiques de la colonisation et l'idéologie des

Lumières diffusée en même temps : porteuse de valeurs univer-
selles, la colonisation a scolarisé des autochtones, apprenant
ainsi de leurs maîtres les valeurs mêmes qu'ils vont retourner
contre le colonisateur. Si l'on accepte une vision matérialiste de
l'histoire à l'échelle mondiale, ce processus était sans doute
nécessaire au renouvellement des alliances de classes qui produisit les indépendances nationales de chacun des États; mais
bien sûr, les nationalistes du tiers monde croient, eux, en
l'autonomie et en la spécificité de leur nationalisme.

Depuis l'avènement de la révolution bourgeoise (la seule
d'ailleurs), la rationalité économique implique un développement aussi implacable que logique, dans le monde entier. Il me
semble que l'essence même de la rationalité économique
capitaliste exige la mondialisation.

Ce qui peut advenir de mieux aux pays du tiers monde est
d'accéder à la modernité bourgeoise, car l'effondrement de la
révolution prolétarienne et le sous-développement des forces
productives rendent impensable la possibilité d'un renversement de la logique des sociétés capitalistes avancées par la
révolte des paysanneries de la périphérie. Celles-ci crèvent de
faim tandis que le petit prolétariat constitué dans les villes du
tiers monde n'aspire qu'au modèle occidental, même s'il lui faut
pour cela renverser quelques couches dominantes, alliées locales de l'impérialisme. En ce sens, force est de constater
aujourd'hui que le Fanonisme, le Benbellisme, le Nassérisme
ont été des fausses consciences : la paysannerie [1] n'a pas
débarrassé les sociétés nouvellement indépendantes des séquel-
les pré-capitalistes et colonialistes, mais au contraire a permis
leur livraison « clés en main » aux nouvelles couches urbaines
petites-bourgeoises et militaires.

Contre ceux qui pensèrent que le modèle soviétique était
non seulement utile, mais le seul pertinent pour le tiers monde,
surtout en Algérie et en Égypte, peu de voix s'élevèrent alors.
En général, elles étaient immédiatement délégitimées par
des appellations de noms d'oiseaux propres au langage stalinien.

Sans refaire l'histoire de cette période, sur laquelle existent de bons ouvrages, il faut tout de même essayer de comprendre comment un certain nombre d'intellectuels arabo-musulmans ont adhéré au nationalisme alors que leur société avait produit dans l'histoire une forte pensée politique qu'ils n'ont pas cru devoir utiliser; pendant ce temps, d'autres élites continuaient, par-delà l'*Aufklärung* et la Nahda, de réinterpréter ce legs.

C'est la tension entre ces deux problématiques que je voudrais expliquer dans ce chapitre car, à mon sens, *l'échec de la première explique le renouveau de la seconde.*

Il est donc opportun de réfléchir sur cet ultime avatar du colonialisme qu'est l'État-Nation, seule forme autorisée de société en fin du XXe siècle, et ce avec d'autant plus de lucidité que nous avons formé les élites nationalistes et progressistes : le savant produit en effet des théories, qui, à leur tour, produisent des effets sur les élites nationalistes par une sorte de transfert de technologie/transfert de techniques juridiques et transfert de discours idéologiques. Ainsi, les nouveaux États sont, au dire de leurs leaders, démocratiques, populaires, arabes, parfois socialistes et toujours musulmans, ce qui me paraît beaucoup étant donné l'héritage qui est le leur.

Effectivement, les concepts d'État et de Nation appartiennet aux villes, non au nomadisme [2]. Celui-ci a été pendant longtemps dans l'histoire de l'humanité un mode de vie, de production, c'est-à-dire un système de connaissances répondant aux défis de la nature, et, bien évidemment, tout à la fois, une métaphysique. Dans la civilisation capitaliste, universelle et planétaire, qui urbanise et stabilise, le nomadisme est une déchirure.

Au Maghreb, un cas d'espèce peut servir d'exemple précis pour tenter de percer à jour la complexité du processus : la guerre qui sévit est sans doute la conséquence ultime de la transculturation des élites locales, puisque le Sahara a été fort mal colonisé, en l'occurrence par les Espagnols; il est aussi arrivé plus tard sur la scène internationale.

Un des enjeux de la crise et de la guerre du Sahara tient à la difficulté de la création d'un nouvel État dans la région.

Actuellement reconnu par un certain nombre d'États africains, celui-ci est le type même de la pomme de discorde pour l'OUA et pour les États arabo-musulmans parce qu'il est issu, plus que tout autre, du partage colonial qui a établi des frontières arbitraires au XIXᵉ siècle. Mais il est aussi le signe de l'aberration du nationalisme au XXᵉ siècle : la RASD sera peut-être le dernier-né de l'Afrique ex-colonisée, dans la mesure où l'Erythrée ne semble pas un cas plus légitime aux défenseurs arabes des Sahraouis qui par ailleurs font l'impasse totale sur les Kurdes au cœur du Moyen-Orient [3].

L'industrialisation/urbanisation a vidé les campagnes et paradoxalement la guérilla-longue-marche établit un contre-État nomade qui va – comme en Algérie – reconstruire un État destructeur de sa propre base, la paysannerie, la terre et les paysans légitimant la Révolution qui s'arrête en ville. Il est en effet exceptionnel que les hommes du Djebel remportent la victoire : leurs représentants des villes veillent...

Le paradoxe tient au fait que l'État a fait son apparition par l'aile progressiste des nationalistes même dans ces régions vouées jusque-là aux mirages et aux sublimités de l'ascension physique *(miᶜrâj)* ou spirituelle (assomption).

Restons-en ici aux mirages de l'illusion idéologique : j'ai toujours été fasciné par la lecture contradictoire que faisait la gauche arabe des auteurs marxistes. Car il me paraît difficile de découvrir dans les écrits des fondateurs du socialisme utopique ou scientifique un argument quelconque qui permette d'applaudir à l'apparition d'un État-Nation, sauf en tant qu'étape; il est utile de rappeler que la mesure de la progression capitaliste permet à Marx de glorifier la société bourgeoise : essentiellement parce qu'elle a mis fin à l'aliénation de l'homme vis-à-vis de la religion; mais comme elle a produit une nouvelle aliénation, économique celle-là, par suite de la division du travail, elle n'est qu'à moitié chemin dans l'œuvre d'émancipation de l'homme. Contradictoirement, à côté de cette nouvelle aliénation, l'État-Nation produit *l'homogénéisation de l'espace* pour que le marché puisse fonctionner.

La naissance du marché intérieur constitue le changement et l'innovation cruciale : c'est lui qui homogénéise en destructurant les solidarités traditionnelles. Il est possible de mesurer par l'extension du marché intérieur (disparition des productions et importations de remplacement) la prégnance de l'État dans les pays arabo-musulmans, et celle-ci peut être abordée par le type spécifique d'individualité créé par la société de marché. Il y a là un bon indicateur qui signifie politiquement que seule la bourgeoisie en tant que classe a historiquement besoin de liberté. *A contrario*, la présence d'une bourgeoisie (au Caire, à Casa ou à Rabat) est-elle l'aune de la liberté?

L'État moderne a-t-il mis fin à l'aliénation religieuse?

L'échec (apparent, provisoire) sur ce plan ne saurait faire oublier que l'uniformisation territoriale et linguistique a été l'expression de la nécessité pour la bourgeoisie triomphante de se donner des structures politiques et administratives facilitant la concentration du capital et permettant la conquête d'un vaste marché y compris intérieur.

Mais un faisceau de questions se posent à partir de cette étape : en va-t-il de même (par exemple en comparant l'imposition de l'Italien toscan à l'ensemble de la péninsule) avec l'arabisation imposée, au nom de l'authenticité, à des peuples berbérophones, par la scolarisation massive en arabe après les indépendances, ou encore l'instauration d'une langue arabe classique face aux dialectes populaires? Le droit des peuples à disposer d'eux-mêmes ouvre-t-il la voie à la coïncidence de l'État et de la Nation?

En tout cas, les transformations radicales n'affectaient pas de la même façon toutes les catégories sociales : tandis que certains partaient faire leurs études dans les universités européennes ou américaines, des millions de ruraux venaient s'agglutiner dans des villes de plus en plus ingérables, constituant ainsi une clientèle potentielle des armées officielles, des chefs de guerre ou... des émeutiers.

La confrontation dans la réalité ne portait pas simplement sur des définitions; et en arabe l'ambiguïté est, si je peux m'exprimer ainsi, très claire, entre les mot de *patrie* et de *nation*, parce que les patriotismes locaux semblent incompatibles avec le nationalisme arabe, parce que l'État ne coïncide pas toujours avec la Nation, parce que enfin la Nation arabe aspire à un État qui soit l'unique État de la Nation arabe, tandis que la Communauté musulmane aspire à un État qui soit l'unique État de la *umma*. Comment dans ces conditions constituer des patries particulières qui puissent survivre à cette double aspiration vers l'arabisme et vers l'islamisme?

Les Arabes ont une *matrie* et se cherchent des patries. Historiquement, seuls les partis communistes arabes ont milité pour les États locaux : les partis ba'thistes ont milité pour des regroupements sur une base de la communauté de langue et d'histoire arabes, alors que les mouvements islamistes militent pour l'unité fondée sur l'unicité et sur le destin eschatologique de la *umma*. La tension est donc entre la *waṭan al-ᶜarabiyya* et la *umma al-islâmiyya* : donc entre les Nationalistes et les Ummistes.

L'exemple du *Baᶜth* est significatif. Le mouvement de la « *Résurgence* » propose à la fois un ensemble d'idées et d'organisations visant à la réalisation de la *résurrection arabe*. L'idéologie ba'thiste est relativement homogène mais elle a donné naissance à des organisations qui se sont diversifiées contradictoirement.

Les trois fondateurs, Zaki al-Arzuzi, Michel Aflaq et Bitar, font leurs études à la Sorbonne dans les années trente : Arzuzi est *alaouite* et professeur de philosophie, Aflaq est *chrétien orthodoxe* et professeur d'histoire, Bitar est professeur de sciences et *sunnite*.

Le premier numéro du Journal *Al-baᶜth* porte la devise du parti inspirée par Fichte : « Une nation arabe porteuse d'une mission éternelle. »

O. Carré, qui a interviewé Bitar, affirme [4] que les idéologues ba'thistes conçoivent la Nation, comme la philosophie allemande nationaliste, avant tout en tant que *réalité culturelle*. C'est en cela que le Ba'th est original et son étude, rapide, permet de comprendre l'enjeu dont l'Islam est l'objet, selon qu'il est appréhendé comme essentialisme, culture ou idéologie. La tension se manifeste toujours aujourd'hui encore entre la division du *dâr al-islâm* en États-Nations antagonistes et la métaphysique de la Nation arabe couronnée ou pas par la transcendance de la *umma*. Ma comparaison avec l'Italie n'est pas très audacieuse dans la mesure où arabisme et islamisme, pris ici au sens culturel, faisaient souhaiter à certains ba'thistes que l'Égypte réalisât l'unité arabe comme la Prusse le fit pour l'Allemagne et le Piémont pour l'unité italienne.

La ville comme signe de modernité

Or, plus que partout ailleurs, les contradictions de ce type de problématique apparaissent dans les villes sous la forme d'une boutade que je pourrais synthétiser dans la formule suivante : André Gunther Frank *versus* Hassan Fathy... Fallait-il construire avec le peuple, avec des matériaux traditionnels, ou faire « moderne »?

En effet, l'œuvre d'Ecochard au Maroc, ou celle de Pouillon en Algérie, est plus proche des sources vraies de l'irréductibilité et de l'identité que l'expérience progressiste de Médinat-Nasr au Caire. Ainsi Robert Ilbert qui, par ailleurs, a travaillé sur Héliopolis, écrit :

« Dans ce cadre, le Caire est un monstrueux bourgeon de l'Occident, concentrant en lui les défauts majeurs d'une civilisation conquérante. Là encore, ce discours n'est pas l'apanage des seuls idéologues égyptiens. J.-P. Péroncel-Hugoz, décrivant l'état actuel de Médinat-Nasr, fleur fanée de l'urbanisme nassérien, parle de revanche du génie oriental sur notre esprit de géométrie. Ce qui est dénoncé ici c'est l'inadaptation de nos modèles. Les termes-clés seront donc ceux d'identité, de formes vraies, ou de valeurs nationales [5]. »

Comme partout ailleurs dans le monde arabe, Casablanca et Le Caire portent le signe évident de l'emboîtement de deux cultures utilisées dans des registres différents selon les circonstances et l'occasion.

La pratique de l'anthropologie participative m'a plusieurs fois permis de débusquer la schizophrénie consécutive à l'utilisation des deux registres.

Nous sommes assis, fort mal d'ailleurs, sur les énormes coussins de cette pièce caractéristique : le salon ou, mieux, « byt al-dhif ».

Un collègue marocain m'a accompagné auprès de son oncle et son père a servi d'intermédiaire. Les deux nobles vieillards tout de blanc vêtus m'observent discrètement : un Roumi qui s'intéresse à la métaphysique, mieux au soufisme, curieux... peut-être que cela vaut de perdre quelques minutes... « Dieu est le plus savant... » Nous sommes dans une de ces villas cossues d'un quartier résidentiel de Casablanca, un jardin moderne mais qui sent l'Andalousie, un luxe un peu ostentatoire et toute une vie bruissante derrière d'autres portes que l'étranger ne franchit pas. La discussion est longue à démarrer... Nous buvons lentement un thé à la menthe brûlant en parlant de choses banales sur le Maroc.

Tout le monde est doucement courtois. Mon collègue est, d'ailleurs le premier surpris de la tournure des événements : il est moderne et la théologie n'est pas son fort. Plusieurs fois, je découvrirai, au cours des heures qui suivirent, son regard surpris par les propos de son oncle ou de son père, sur tel ou tel fait, plus encore sur telle ou telle affirmation politique... dans un pays ou tout le monde se range à l'évidence de la légitimité monarchique, avec des nuances...

Cette scène s'est, bien sûr, reproduite plusieurs fois, à Rabat, ailleurs avec d'autres interlocuteurs du même type, et chaque fois j'ai constaté le décalage entre les vieux savants et les jeunes universitaires... Une certaine ethnophobie même de la part des collègues de mon âge, et un agacement à l'égard de mes recherches comme si je m'occupais de ce qu'ils auraient bien aimé enfouir dans une mémoire gommeuse ou mieux encore dans les poubelles de l'Histoire, d'une histoire révolue à laquelle ils essayent de tourner le dos. Mais les belles-mères veillent...

Ce jour-là, le double discours est patent : il est question de démocratie, certes. Apparemment, en fait, les deux vieillards me parlent de *šûra*, de *bayᶜa* (de consultation, de ratification), et je dois traduire et interpréter le sens historique arabo-musulman de ces concepts.

Pour mes collègues, qui ont fait leurs études à Grenoble ou à Bordeaux, les écrits de Maurice Duverger sont plus familiers que les méandres de la pensée de Ghazali [6]...

Voilà pourquoi je soutiens constamment en filigrane dans cet ouvrage qu'il y a *retournement de la modernité,* qu'il y a actuellement partout *retraditionalisation par excès de modernité.* Le discours nouveau du renouveau sera donc historique et sa dimension culturaliste, au sens où, par-delà Fichte, et le *Kulturkampf,* il faut penser à Garibaldi qui, promouvant la nation italienne, souhaitait qu'elle s'ancrât sur le passé comme soubassement de l'avenir, alors que l'*Aufklärung* a produit un slogan inverse : « du passé faisons table rase ».

Le discours nationaliste s'est construit à la fois grâce à l'Europe et contre elle, tout au moins contre le colonialisme. Si les trois fondateurs du Ba'th viennent de la Sorbonne, parallèlement, malgré l'administration coloniale, les ouvrages d'al-Afghani, de R. Rida, de M. Abdou sont diffusés au Maghreb.

Ainsi, lorsque les Français auront à affronter le nationalisme algérien de Ben Badis, tunisien de Taalbi, ou mieux encore marocain d'Allal al-Fassi, ils ne verront pas tous clairement la chaîne constitutive de celui-ci qui remontait au Machreq, à travers des lettrés réformistes tels que Bellarbi al-Alawi et le sheikh Bouchai Doukali (1878-1937). Or, celui-ci diffuse la pensée d'*Ibn Taymiyya* (toujours lui), après un voyage en Orient de 1896 à 1906, alors que ses homologues algériens et tunisiens parcourent l'Orient et l'Europe. C'est donc bien la complexité culturelle de ce nationalisme qu'il faut comprendre. Pour ma part, je le vois dans une combinaison surprenante : « Fichte + Renan + Staline, mâtinés d'arabo-islamisme. »

Il ne s'agit point d'une boutade : seule cette combinaison permet de saisir comment après les indépendances des nationalistes se divisèrent autour du concept d'État-Nation et de Nation arabe, selon des *clivages propres à la société arabo-musulmane* entre modernistes *occidentalisés,* modernistes *arabes,* modernistes *arabo-musulmans* et modernistes *musulmans.*

Les partisans de la communauté musulmane que je propose d'appeller « Ummistes » sont le pivot de ces clivages [7], parce que les intellectuels traditionnels sont devenus organiques. Le Salafisme, en tant que doctrine du retour aux Ancêtres, et la Nahda-Aufklärung ont produit, à la fois, ceux qui voulaient se réformer eux-mêmes par l'*işlâḥ* et ceux qui croyaient à la normativité des réformes sociales (*tanẓîma*).

Le cas des communistes arabes éclaire particulièrement cette combinatoire aux multiples facettes. La cause principale de l'impuissance des partis communistes arabes à conquérir le pouvoir tient au double fait de leur étiquette nationaliste et de leur recrutement dans les milieux urbanisés; en fait, la lutte « classe contre classe » n'a jamais pu contre-balancer ni la bourgeoisie, ni les clientélismes, ni les différences ethniques ou religieuses, et même dans le cas de PC relativement puissants comme en Syrie et en Irak, la dialectique de l'unité arabe ne déboucha jamais sur un mouvement prolétaire international. Tantôt collaborateurs des pouvoirs en place, tantôt boucs émissaires dénoncés comme agents de l'étranger, les PC arabes ont, de plus, payé fort cher les erreurs stratégiques de l'Union soviétique, dans la mesure où ils contribuaient eux-mêmes à la possibilité de ces erreurs; les exemples du Yémen, de l'Irak et de l'Iran sont là pour démontrer que l'Union soviétique est toujours prête, pour des raisons stratégiques, à sacrifier ses alliés les plus inconditionnels. En effet, il faut bien constater que si l'État-Nation est un greffon qui a, sans doute, mal pris sur les sociétés arabo-musulmanes, paradoxalement les conflits armés qui divisent le monde arabe actuel démontrent à quel point le nationalisme renforce les régimes les plus différents. Les déclarations d'unité populaire, nationale ou religieuse ne manquent pas entre le Liban et la Syrie, ou les Chiites d'Irak et d'Iran, pour ne prendre que ces exemples; et pourtant, depuis une dizaine d'années, les guerres qui se déroulent dans cette région n'ont rien à envier à celle de 14-18!

Cette situation contradictoire – éventuel échec de l'État-Nation et prégnance du nationalisme – me permet de formuler une hypothèse clé pour la compréhension du succès des

SCHÉMA DE LA CONCURRENCE DRASTIQUE ET DES TRANSACTIONS PLAUSIBLES ENTRE LES DEUX TYPES DE CLERCS LÉGITIMES

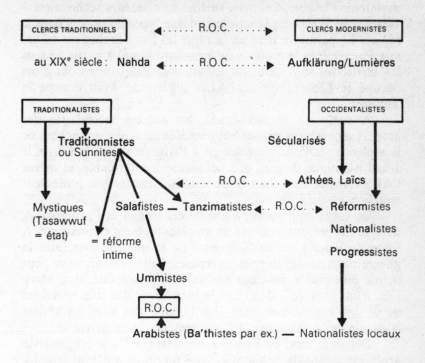

VALEURS :

Umma al-Islamiyya ◄ . . . . . R.O.C. . . . . . ► **Qawumiya** al-Arabiyya
(Communauté musulmane : Matrie versus Nation arabe : Patrie)

Chura (consultation des musulmans) ◄ . . . R.O.C. . . ► Démocratie parlementaire

Participation des Musulmans ◄ . . . R.O.C. . . . ► Participation des citoyens

Pas de choix, *a priori*, dans la forme du gouvernement ◄ . . . R.O.C. . . ► État-Nation

Chari'a (loi transcendante immuable) ◄ . . . R.O.C. . . ► **Loi normative**

Islamo-arabisme ◄ . . . . . . R.O.T. . . . . . . ► Arabo-islamique

Anti-sionisme ◄ . . . . . . R.O.T. . . . . . ► Anti-impérialisme

Modernité (sauf modernisme des mœurs) ◄ . . . R.O.T. . . ► Modernité : modernisation technique

R.O.C. : relations objectives de concurrence.
R.O.T. : relations objectives de transaction.

islamistes. Cette division permet, à la fois, à l'impérialisme de maintenir l'hégémonie, mais surtout aux acteurs secondaires – Israël et la Syrie – de fonctionner d'une façon autonome dans la région. Le paradoxe tient au fait que les États arabes ont refusé aux Palestiniens le droit de lutter contre Israël à partir de tous les territoires sauf celui du Liban. Les Palestiniens ont alors occupé le Liban (comme l'ALN algérienne avait occupé la Tunisie).

A partir de ce moment-là, les acteurs secondaires des acteurs secondaires se sont autonomisés dans une surenchère de la violence : le Polisario échappe à l'Algérie puis à la Libye, le Jihad islamique devient une nébuleuse incontrôlable, et même l'ALS (Armée du Liban Sud) réussit à mettre son protecteur israélien au pied du mur.

On est là en présence d'une de ces ironies de l'histoire qui, dans le cas présent, consiste en un retournement dramatique. A force de jouer avec les Seigneurs de la guerre, pour faire la guerre par sous-développés interposés, celle-ci s'enraye et peut même être portée au cœur des acteurs principaux, qui, horrifiés, n'ont plus qu'à dénoncer le *terrorisme* des irresponsables qu'ils ont eux-mêmes créés. La logique des camions chiites bouscule celle des Exocet! Comment en est-on arrivé là?

Depuis la mort de Kamal Joumblatt (1977), le progressiste arabe est incapable de s'unifier dans un projet moderne laïc. La division des partis ba'thistes irakien et syrien a eu des répercussions dans tous les pays arabes.

L'écroulement en miettes de l'image révolutionnaire que présentait le mouvement communiste international suit avec quarante ans de retard l'écroulement du mouvement révolutionnaire lui-même. La combinaison du mensonge bureaucratique et du mensonge bourgeois a produit un mélange surprenant dans le discours arabo-musulman : celui du jargon technocratique occidental, allié au pathos de l'ordre moral islamique, qui éloigne chaque jour un peu plus les peuples de la démocratie et, *a fortiori,* des révolutions!

Mais pourtant, le mouvement qui a entraîné les peuples arabes à lutter victorieusement contre le colonialisme classique les prédispose à l'unification et celle-ci ne peut se faire

qu'en deux directions : vers le socialisme ou vers l'islamisme.
Faute d'en finir avec l'Islam, il semblerait que la voie du socialisme soit bouchée et là, sans doute, le bât blesse : à quelques rarissimes exceptions, la gauche arabe ne considère pas l'Islam comme une force contre-révolutionnaire, à l'instar de toutes les autres idéologies religieuses. Elle estime qu'il a été purifié par sa participation à la lutte nationale; la plupart des intellectuels arabes refusent d'analyser l'Islam comme les anthropologues ou les sociologues, y compris chrétiens, analysent les autres religions. De cette attitude, compréhensible sur le plan historique, découlent un certain nombre de conséquences contradictoires : le problème kurde est évacué et le problème d'Israël est d'autant plus mal posé que la politique dominante des États arabes n'étant jamais analysée par les Arabes justifie à perpétuité l'existence de l'État d'Israël qu'elle prétend détruire : en effet, seul un modèle de société complètement différente, réalisé par les Arabes eux-mêmes, pourrait transformer, par la dissolution des *forces répressives dans les pays arabes,* l'affrontement Israël/pays arabes. Autrement dit, délivrer Jérusalem passe par le dialectique d'une nouvelle Jérusalem terrestre qui devrait plus à Engels [8] qu'au comité al-Qods présidé par Sa Majesté Hassan II et soutenue par le Roi d'Arabie Saoudite. Les forces répressives fonctionnent massivement dans l'ensemble des États arabo-musulmans contre la majorité des citoyens dans le cadre du sous-développement économique et politique qui produit du sur-pouvoir [9]. Mais la répression s'exerce essentiellement à l'égard des minorités. Minorités religieuses qui sont cantonnées au mieux dans le statut de *dhimma* exposé plus haut, minorités politiques qui n'ont droit qu'à la participation flagorneuse ou apologétique, le verbe arabe s'étant transformé en langue de bois; il n'y a pas de place dans ce système pour les athées, pour les sectes et pour les Baha'i, ni pour les homosexuels. Mais c'est à propos de la plus forte minorité opprimée, les femmes, qu'apparaît le plus clairement le drame arabe : après avoir été nationalisé, leur combat est apparu comme une occidentalisation sournoise, au même titre que la référence aux Droits de l'Homme. Et si quelques élites occidentalisées posent à Alger ou au Caire leur problème en terme de combat social,

moderne, partout l'obstacle religieux (l'affirmation coranique de l'inégalité des sexes) renforce les pratiques sociales les plus conservatrices.

Le point d'achoppement de la modernisation ne tient pas, en effet, simplement aux définitions de la modernité données par les différents acteurs, puisque aussi bien, en matière religieuse, elle peut s'exprimer sous la force d'un retour à la vraie tradition; par contre le modernisme des mœurs est condamné sous le nom *d'occidentalisation.*

Il me semble que l'Islam permet tous les bouleversements, y compris celui des structures sociales et de la propriété, c'est-à-dire en fait tout ce qui peut être conquis dans la sphère du politique. A l'inverse, il résiste objectivement à la séparation de la sphère religieuse sur un point essentiel, celui de la vie privée; puisque le processus de modernisation bouleverse essentiellement l'individu comme acteur, il est évident que le modèle de comportement le plus dangereux pour la sphère religieuse, même privatisée, surtout domestiquée, apparaît dans la situation de la femme. Il n'est pas dans mon propos ici de traiter de ce sujet – sur lequel Fatima Mernissi et Christiane Souriau ont tout dit [10] –, sauf à rappeler que le colonel Kadhafi a failli être renversé sur ce problème!

C'est en effet autour du *code de la famille* et de l'émancipation de la femme telle que la perçoivent les occidentaux qu'ont buté tous les efforts de tous les législateurs contemporains, y compris dans des pays aussi socialisés que l'Algérie ou à grandes traditions de libéralisme comme l'Égypte. Celle-ci vient d'abolir la loi dite « Jihane » (Sadate), qui accordait quelques facilités à la femme divorcée; en particulier, elle pouvait garder son appartement, avantage non négligeable au Caire aujourd'hui. Il semblerait donc que la tradition l'ait emporté sur la crise du logement...

Modernisation et occidentalisation

Ce point d'ancrage apparaît particulièrement dans le questionnaire [11] qui m'a permis de découvrir une catégorie pertinente caractéristique des Arabo-Musulmans, mais qui en même temps les divise profondément. La grande fracture dans les pays arabo-musulmans, actuellement, passe par les deux catégories d'acteurs sociaux suivants : le groupe des femmes 13-14 à 25 ans contre toutes les autres catégories : hommes, jeunes et vieux, progressistes ou réactionnaires, et femmes plus âgées.

En effet, aux questions précises sur la mixité, sur les relations sexuelles et sur les mariages entre Musulmanes et non-musulmans, les femmes de 15 à 25 ans répondent massivement « oui », là où toutes les autres catégories répondent « non ».

A titre d'exemple, je donne un tout petit échantillon de ce type de questions :

— Êtes-vous pour la mixité des hommes et des femmes dans les lieux publics?

— Êtes-vous pour les relations sexuelles en dehors du mariage?

— Êtes-vous pour le mariage entre Musulmans et non-musulmanes?

— Êtes-vous pour le mariage entre Musulmanes et non-musulmans?

— La Tunisie a rendu le jeûne du Ramadan facultatif : pensez-vous que votre gouvernement (au Maroc, en Algérie, en France, selon le cas) devrait suivre la même voie pour améliorer la productivité?

— La société moderne : pensez-vous que le fait de pratiquer une religion soit un obstacle à l'épanouissement de l'individu dans le cadre d'une société moderne?

— Porter *al-ḥijâb* (pour les femmes) est-il un obstacle au travail de la femme dans le secteur moderne?

— Les Musulmans doivent-ils rejeter la culture occidentale parce qu'elle n'est pas compatible avec leurs valeurs culturelles authentiques?

Sur cet ensemble de réponses négatives, il est toujours aisé de dénoncer les déficiences du discours de la gauche arabe ou son irréalisme démagogique.

Cette attitude n'est pas plus accablante que la servilité

des Ulama officiels et que la démission intellectuelle de
toutes les élites qui se décrètent au service du peuple comme
si le peuple ne comprenait pas les femmes; toutefois, l'on
comprendra que j'aie quelques hésitations à donner des leçons
sur ce chapitre-là; d'une part, parce que, dans l'enquête, un
certain nombre de jeunes femmes, qui ont adhéré à l'Islam
radical et que la gauche arabe désigne par dérision sous le
nom de sœurs musulmanes [12], m'ont répondu vertement que
le modèle de la femme occidentale libérée par le travail
capitaliste ne leur paraissait pas probant au point de les
inciter à renoncer à leur réalisation spirituelle dans le cadre
de l'Islam. Par ailleurs, même si j'ai une idée sur ce problème, il me dépasse, puisque après tout je ne suis ni femme, ni
Musulman.

Toutefois, la démission totale étant injustifiable, il est
toujours possible au chercheur d'avancer des propositions
personnelles. Par-delà le débat concret sur le statut de la
femme, deux points me paraissent régulièrement oubliés par les
détracteurs ou les thuriféraires de l'un et l'autre bord.

Le premier est double et tient au fait que si le monde
judéo-chrétien tait le sexe et dissocie l'esprit du corps, l'Islam
sépare l'homme et la femme, mais pas l'esprit et le corps.

Le deuxième point tient au fait qu'à mon sens seule la
bourgeoisie en tant que classe a besoin, historiquement, de la
liberté, et que partout où la bourgeoisie est avancée, la liberté
des femmes de la bourgeoisie est en avance.

Mais ce dernier point vient renforcer la culpabilité des uns
et des autres comme des unes et des autres, car une femme
« libérée » dans le monde arabe est nécessairement, *a priori*,
traître, traîtresse à l'Islam et à sa classe d'origine. Je crois qu'il
y a là, au-delà du voile, la cause réelle de tous les conflits dont
les dépressions nerveuses et les suicides ne sont que l'expression
épiphénoménale. Par contre, le monde judéo-chrétien et le
monde musulman ont en commun le mythe fondamental de la
malignité lunaire de la femme. Pour moi, la grande constatation
de la fin de ce siècle tient bien au fait que les modes de
production ne transforment ni les mœurs ni les désordres du
sexe; sans doute parce que les mythes fondateurs du désir et du

plaisir ne doivent rien à la position de classe. Or, dans ces mythes-là, la femme est désordre, puisqu'elle est désir et plaisir [13].

Sur ce point, le « concert des Nations » international, prolétarien, bourgeois ou prolétaire, est unanime : tout plutôt que le désordre, surtout lorsque... le désordre de la démographie ne peut être maîtrisé, lorsque l'État lui-même est producteur de discriminations et de nouveaux clivages.

L'occidentalisation posait en effet le problème de la sécularisation de l'État. Pour ce faire, il fallait réserver l'Islam au secteur métapolitique, celui de l'eschatologie et des fins dernières, ainsi qu'au secteur infrapolitique (la vie privée), tout en laissant l'État et l'idéologie nationale et progressiste occuper les autres secteurs. Les intellectuels européens et arabes qui ont parié sur cette évolution ont oublié parallèlement la difficulté d'apparition d'une Église nationale et progressiste. Dans la culture arabo-musulmane, l'alternative à la souveraineté politique (quelle que soit la forme du pouvoir) restait le retour à la tradition du Prophète.

Or les clercs officiels, les Ulama, ont démontré dans la réalité qu'ils *ont toujours légitimé n'importe quel pouvoir*, suscitant par là l'apparition de clercs concurrentiels qui eux n'acceptaient pas de justifier n'importe quel pouvoir mais faisaient référence à la tradition contestataire qu'ils trouvaient dans les mêmes références; autrement dit, nous sommes en présence d'une difficulté de classement qui contredit quelque peu le statut d'intellectuel proposé par Gramsci : *à l'intérieur de la catégorie des intellectuels traditionnels, ce sont les moins savants qui sont plus organiques*; mais en même temps, la renaissance de l'Islam scripturaliste, due aux traditionnistes, a fait beaucoup pour l'émergence d'une conscience collective nationale au sein des masses musulmanes, dans un sens, cependant, qui peut être *relu* en fonction de l'héritage arabo-musulman. Ce que font les islamistes en dénonçant l'allogénéité de l'État.

L'État moderne allogène

Il reste encore à poser une ultime question impertinente : l'État existait-il dans l'aire géographique qui nous concerne ici ? Peut-on postuler qu'il n'existe pas d'État au sens moderne avant Hegel ?

Dans l'affirmative, cela me renvoie quelques années en arrière, aux débats outranciers sur la nature de l'État algérien pré-colonial. Et pourtant, il est nécessaire aujourd'hui de relire le legs – *turâth* – et de se poser la question du rapport entre l'Islam et l'État.

Déjà Ibn Khaldun (pour légitimer mon audace) pensait que c'est la religion qui empêche qu'il y ait une Histoire, et Masqueray [14] notait que c'est à leur usage de la religion que les sociétés africaines doivent d'avoir évité l'État (le bonheur!).

Si l'on relit, en les interrogeant autrement, les penseurs arabo-musulmans anciens (Mawardi, Ibn Taymiyya, Ghazali, al-Maqrizi, Ibn Qutaïba, etc.), il paraît assez difficile de trouver des justifications à la création d'un ou de plusieurs États-Nations séparés de la Communauté musulmane. Il faut en fait attendre 1925 et le livre révolutionnaire d'Ali Abd al-Razaq pour qu'un auteur arabe aborde le principe de la séparation entre la religion et le pouvoir politique *(Al-islâm wa uṣûl al-ḥukm)*.

Il faut rappeler qu'aucun de ces trois mouvements qui bouleversent le monde arabe dans la période contemporaine ne revendique la création d'un État-Nation, bien au contraire : le fondateur du Wahhabisme, Mohammed ibn Abd al-Wahhab (1703-1792), ne prône que le retour à la pureté de l'Islam; Djemal al-Din al-Afghani (1839-1897) peut être considéré comme un des fondateurs du *panislamisme* plutôt que d'un nationalisme étroit, et ses successeurs, même s'ils sont situés en Égypte ou dans tel pays maghrébin (Abdou, Rida, ibn Badis, etc.) sont plus des *islah-istes* réformateurs que des nationalistes – y compris lorsque leur action déboucha sur la revendication anticoloniale. Enfin Abd al-Rahman al-Kawakibi (1849-1902) exalta le nationalisme arabe, il est vrai, mais pour lui la renaissance passait par la restauration du califat, dont il serait osé de soutenir qu'il ait jamais correspondu à l'État-Nation [15].

Il semble, au contraire, que l'une des originalités de la pensée arabo-musulmane est (a été et soit) bien de nier toute division entre société civile et société politique : la communauté musulmane est principielle, et en ce sens l'Un et l'Universel paraissent, aux yeux des théoriciens arabo-musulmans, plus prometteurs que la « parochiale », le local et le particulier. Aussi n'est-il pas étonnant de trouver tout au long de l'histoire du pouvoir, dans la pensée arabo-musulmane, le droit imprescriptible à la violence contre l'État lorsque celui-ci, oublieux de ses origines théologiques, est devenu inadéquat à la Umma. Chaque fois que l'État musulman ne correspond pas à ce que souhaite celle-ci, il y a rupture *(fisq)* sans rédemption possible, sauf par le retour au modèle des premiers temps de l'Islam et à la Chari'a [16]. Là se situe l'articulation entre la Communauté et la politique, au sens de gestion de la Cité. La notion d'État, traduite aujourd'hui par le mot *dawla*, est tirée d'un sens premier qui est plutôt *dynastie* que forme précise de l'État. Mais il s'agit ici de la recherche de l'État-Nation, pas du politique, car sur ce plan précisément l'Islam arabe a développé des thèses bien connues, qui peuvent [17] se résumer ainsi : la mission du Prophète a consisté essentiellement en la transmission du message de Dieu, d'où la valeur de l'appel *(daᶜwa)* lancé en faveur de ce message pour rallier le plus grand nombre de fidèles. Le pouvoir politique *(mulk)* n'est alors que le devoir de doter la *umma* d'une organisation temporelle autour de cet appel, pour la conduire au salut *(najât)*.

Le guide de la Communauté reçoit le mandat impératif de réaliser les buts mêmes de cette vie temporelle pour tous les hommes, et pas uniquement pour les Arabes, les rois et les humbles (« même les anges », dit un *ḥadîth*).

C'est pourquoi, à mon avis, le problème du califat est résolu depuis longtemps, à la fois parce que les Turcs, étant des non-Arabes, ne pouvaient pas le transmettre, et qu'ils ont sans doute eu raison de l'abolir, et aussi parce que, aujourd'hui, aucun chef d'État arabo-musulman ne peut prétendre à l'imamat de la communauté musulmane. En effet, le *quṯb*, le pôle de celle-ci, est inconnu, à travers la version ésotérique de la véritable hiérarchie du monde qui n'est, elle, connue que des seuls vrais initiés. Mais en attendant la fin des temps, cette vision implique que les autorités politiques n'ont qu'un seul devoir : celui de doter la Umma d'une organisation temporelle autour de *l'appel* lancé en faveur du message de Dieu transmis par le Prophète pour la conduire au Salut. C'est ce que les islamistes rappellent avec vigueur : ils invoquent, comme les orthodoxes, le transcendantal.

Si les clercs des trois religions monothéistes ont toujours manipulé la légitimité avec les mêmes mots, l'originalité des clercs islamistes est *d'avoir puisé dans le même stock que les orthodoxes en réinterprétant l'héritage à leur profit*. Le conflit entre l'ordre et le système ne peut être résolu que par la modification de ce dernier, puisque l'ordre est transcendantal; le discours islamiste, même dévalorisé, oblige à des reclassements car il élabore un ordre auquel se réfère la société.

Ce discours est, en effet, tenu par un intellectuel collectif qui traduit à la fois la réactivation du *jihâd* et les revendications populaires en employant du matériau ancien avec un sens nouveau. Ce porteur de discours est constitué par des « petits entrepreneurs indépendants » qui présentent un certain nombre de caractéristiques communes, de l'Atlantique jusqu'au Golfe; militants d'une trentaine d'années, ils sont les produits de la scolarisation massive en arabe, frustrés de l'absence d'ascension sociale due à la concurrence avec les enfants de la bourgeoisie, privée ou d'État, scolarisés à l'étranger ou dans les établissements liés à l'étranger. De plus, la quasi-totalité d'entre eux a été urbanisée après les indépendances. Les clercs officiels peuvent les accuser facilement d'abuser du raccourci historique, parce qu'ils sont à la fois semi-savants et trop concurrencés par les partis politiques pour pratiquer de la mobilisation sociale moderne; bien plus, ils utilisent les anachronismes pour désigner l'ennemi actuel; ainsi, il est facile aux Ulamas ou à la gauche de rappeler qu'ils font une lecture erronée d'Ibn Taymiyya ou de Maqrizi. Par-delà la querelle des savants, qui savent eux qu'Ibn Taymiyya parlait des Mongols, il ne fait pas de doute pour les islamistes que la classe politique dominante, les Mongols, les Mamelouks de la superstructure ou Israël, « c'est blanc bonnet et bonnet blanc ».

Les raccourcis historiques font d'autant plus sens pour eux que la trahison des clercs les empêche de concevoir et de récupérer leur propre histoire : et les mots utilisés pour bricoler des stratégies tiennent peut-être de l'idéologie de bas étage ou de bazar, mais portent plus sur l'essence du religieux confisquée par les mouvements islamistes que sur l'authenticité ou la vérité du contenu historique de leur propos. Les clercs religieux ou laïques qui les attaquent sur ce terrain ont une mémoire très sélective des pratiques de leurs prédécesseurs; il y a en effet rupture entre les islamistes et les références classiques, mais il y a certainement continuité dans la manipulation du vocabulaire religieux. C'est probablement parce que nous n'avons pas étudié sérieusement la littérature radicale dans la pensée arabo-musulmane que nous pouvons prétendre aujourd'hui qu'il y a une différence entre les mouvements actuels et leur production et les références des mouvements religieux qui ont toujours parcouru la société arabo-musulmane depuis les années 620-632, c'est-à-dire les débuts de l'Islam.

IV

L'ISLAMISATION DE LA MODERNITÉ

L'émergence des mouvements islamistes me paraît être une réponse à la modernisation proposée par les États-Nations. Face à l'insupportabilité de la modernité perçue comme allogène, les islamistes vont, en une dizaine d'années (en gros, de 1970 à 1980), refuser de moderniser l'Islam et proposer au contraire d'islamiser la modernité. Contrairement à ce que soutiennent les mass media occidentaux, la date clé dans l'imaginaire arabo-musulman qui marque le retournement des esprits, du nationalisme progressiste vers l'islamisme, n'est pas celle de la révolution iranienne, mais la défaite de 1967, dont l'Occident, incorrigible, n'a pas saisi toute l'importance symbolique. Les masses arabes ont compris définitivement que l'Occident serait toujours du côté d'Israël *et* des despotes arabes, tandis que le soutien de l'Union soviétique n'était pas inconditionnel.

Cette idée a été confortée en 1982 par l'écrasement du Liban et des Palestiniens avec la complicité tacite, silencieuse, et parfois active de la quasi-totalité des gouvernements arabes et de l'Occident. Plus aucun discours crédible ne peut être tenu qui ne soit perverti par ces deux événements; c'est donc bien à partir d'eux qu'il est possible aujourd'hui de comprendre l'impact, relatif d'ailleurs, à mon sens, de la révolution iranienne. Relatif parce que tout de même, pour beaucoup de Musulmans, les Chiites ne sont pas très orthodoxes et que, très astucieusement, l'Arabie Saoudite et le Maroc se sont chargés de rappeler constamment ce fait [1].

Il s'est produit, depuis une trentaine d'années, une redistribution totale des données nationales et internationales qui ne

pose pas seulement problème aux pouvoirs libéraux ou étatiques mais à tous les gouvernements du tiers monde en
général : la poussée incontrôlable de la démographie et des
migrations rurales, les méfaits de l'émigration dans le Golfe ou
en Europe produisent une multiplication des dysfonctionnements sociaux qui ne seront pas guéris par des déclarations
humanistes et anti-impérialistes. Sans reprendre ici le débat
violent sur les causes du sous-développement et la responsabilité de l'Occident, il faut rappeler, toutefois, que nous sommes à
un point de non-retour et au bord de la catastrophe, même pour
ces pays « officiellement miraculés » – selon l'expression de
Sophie Bessis [2], qui ont failli amorcer leur décollage.
Aujourd'hui, force est de constater que partout le progressisme
messianique est mis en échec; le libéralisme aussi, tandis que la
démocratie régresse.

Le taux d'analphabétisme est encore trop élevé dans
certaines assemblées populaires élues plus ou moins démocra-
tiquement (bien qu'il ne faille pas sous-estimer le fait que par
exemple en Algérie, au Maroc, en Tunisie, en Égypte, et même
en Libye, les élections aux assemblées locales et nationales
soient relativement conformes au minimum exigible pour que la
démocratie naisse). Mais l'analphabétisme favorise le système
social et culturel qui permet des votes automatiques par la
pression des « patrons ». Le patronage et le clientélisme prennent en effet des formes de plus en plus traditionnelles à travers
la modernisation [3].

Pour avoir travaillé sur des villes aussi comparables que
sont Le Caire, Casablanca, Alger et Marseille, je peux tirer
quelques conclusions de cette cohabitation remarquablement
utilisée par les acteurs sociaux usant de l'ensemble des éléments de la palette : là, dans ces méga-métropoles, les constructions illégales l'emportent sur les programmes officiels;
sans le marché noir et les secteurs informels inclassables dans
les statistiques officielles, il est difficile d'imaginer comment
les gens survivraient. Les campagnards citadinisés (car il n'y a
pas urbanisation des villes) utilisent toutes les ressources de
leur imagination culturelle au service de l'appréhension de la
modernité.

L'État est tatillon? Il sur-encadre? En fait, il sous-encadre, car la pléthore engendre l'incompétence et favorise le clienté- lisme. L'argent de l'émigration rapportait lorsqu'il était envoyé par les émigrés, ce qui n'était pas toujours le cas. Aujourd'hui, il est utilisé pour la consommation et non pas pour l'investisse- ment, sauf dans le bâtiment illégal, qui donne cet aspect si particulier d'inachevé perpétuel aux villes modernes.

De plus, les ingénieurs, les techniciens, les intellectuels partent dans les Émirats ou vers les USA, tandis que le lumpen-prolétariat est en Europe. Il ne reste bien souvent que les gens incompétents, qui sont alors, étant donné les salaires, obligés de cumuler des emplois. La situation est donc aujourd'hui la suivante : paradoxalement, l'un des problèmes cruciaux de la plupart des pays arabes tient au manque de main-d'œuvre (surtout spécialisée), alors que les émigrés partis de chez eux se chiffrent par millions... Force est de constater que l'État n'est pas un véritable acteur social; aussi les analyses qui l'accusent de ne pas vouloir agir ou de vouloir contrôler un pays ne tiennent pas compte de sa vraie nature: il est à la fois prébendaire et distributeur d'allocations de toutes sortes (con- crètes ou symboliques); il a été gangrené par les réseaux d'alliés traditionnels et grignoté de l'intérieur par les cousins, tandis que les belles-mères restaient les véritables maîtresses du jeu social le plus important : la stratégie matrimoniale.

La consommation de l'État allogène

En effet, ce qui permet à l'État de fonctionner (ou pas), d'être utilisé, détourné, pillé selon la logique arabo-musulmane déjà décrite par Ibn Khaldun, tient plutôt à la dynamique des groupes ou des classes qui l'utilisent [4], selon des techniques segmentaires, classiques. Or nous butons précisément sur la définition de celle-ci dans les pays ou dans les formations sociales de la périphérie : qui peut dire si les Alaouites au pouvoir en Syrie constituent un clan ou un groupe entrant dans une catégorie « wébérienne » ou « marxienne »... plus clairement que les « chorfa » marocains ou les tributaires yéménites?

Ceci ne rend pas illégitime du tout ceux, islamistes ou gauchistes, qui pensent que plus rien ne peut être changé sans une action globale appliquée au système politique : il ne suffit plus en effet de dénoncer l'incompétence, la corruption, et la main de l'étranger car ces maux, bien réels, ne sont pas, à eux seuls, des causes. Depuis une dizaine d'années, plusieurs phénomènes peuvent être observés de l'Atlantique au Nil et à l'Euphrate, avec évidemment quelques nuances par pays – dont l'apparition d'une bourgeoisie affairiste, privée ou d'État, qui n'est pas simplement « comprador », bien qu'elle soit largement liée au capital étranger. Elle me paraît être beaucoup plus caractérisable par un autre trait : elle est plus qoraychite [5] que schumpétérienne.

J'entends par là que sa culture autochtone lui impose des devoirs de solidarité familiale et clientéliste qui nécessitent des investissements ostentatoires contraires à la logique capitaliste; ce trait est particulièrement net à Casablanca ou au Caire, dans l'ostentation architecturale qui dissimule mal le besoin de recevoir sa clientèle, elle-même constitutive du système qui est dyadique (don et contre-don) modernisé. Un autre trait me paraît caractéristique de cette zone géographique. *Bien plus important que la corruption,* qui certes s'étend et donne lieu à quelques procès plus spectaculaires qu'efficaces en Algérie, en Irak, et en Égypte, et qui est aggravée par l'émigration des cadres compétents, est le phénomène du développement des dysfonctionnements qui pénalisent tout travail légal : inflation, impôt, bas salaires, autant de facteurs qui favorisent l'économie souterraine.

Ainsi, les salaires (mais tout le monde n'en a pas) sont restés à peu près fixes dans les États arabes de la Méditerranée (pour les États du Golfe, il faut distinguer entre les nationaux et les étrangers, et entre les étrangers eux-mêmes...) [6].

Si l'on veut faire une comparaison simpliste, l'équivalent du SMIC oscille aux alentours de 500 francs dans des pays où la moindre voiture coûte plusieurs millions. Or, toutes les villes sont totalement embouteillées et *quelqu'un qui n'a jamais pris un bus à Casablanca, à Alger ou au Caire ne peut pas saisir l'intensité de ma comparaison;* véhicules aussi poussifs qu'essoufflés aux couleurs passées, surchargés de passagers, des fenêtres aux marchepieds, parfois jusqu'aux pare-chocs et au toit.

Monter et descendre tient de l'exploit physique et faire un parcours complet laisse des ecchymoses, sans oublier les troubles sexuels sous-jacents, mais aussi les jeux. Or, pour aller à la Faculté de Droit de Casablanca ou à l'Université Aïn Shams au Caire, certains étudiants doivent changer deux ou trois fois sur un circuit d'une dizaine de kilomètres, dans une circulation où les odeurs et la chaleur ne sont guère moins épouvantables que le bruit des klaxons. Mais la position haute permet de jeter un coup d'œil méprisant sur les passagers des voitures ou taxis collectifs guère mieux lotis, si l'on excepte les BMW ou Mercedes climatisées qui ne contribuent pas pour rien aux embarras de la circulation : à Alger, la ville, étalée sur les collines, est impropre à la circulation; au Caire, il n'y a pas assez de ponts pour traverser le Nil et la circulation animalière n'a pas été endiguée totalement. Heureusement que les cassettes déversent des flots de musique orientale!... On comprend alors la pertinence et l'efficacité de certaines propositions faites par les islamistes : ainsi le refus de la mixité profite, dans ce cas précis, aux femmes, qui sont les principales victimes (parfois avec quelque humour) des transports en commun. Le tiers de la population égyptienne vit au Caire et dans ses environs (80 %, si l'on ajoute Fayoun et trois villes du Delta). Le rectangle Kenitra-Rabat-Casablanca draine plus du quart de la population marocaine tandis que personne ne peut donner un chiffre sérieux du nombre des habitants de l'agglomération algéroise. Je ne peux pas ne pas faire de relation entre ces chiffres et le type d'émeutes auxquelles j'ai assisté pendant cette période et surtout en 1981, que ce soit à Casablanca ou au Caire.

Ces émeutes, appelées « émeutes de la faim » ou « du pain », se sont produites dans des conditions identiques en Tunisie. Même cause : la Banque mondiale exige du pays endetté qu'il mette de l'ordre dans ses finances, ce qui implique la réduction des subventions pour les produits alimentaires de base; mêmes techniques de combats de rue, mêmes types de déprédations (sont visés principalement les automobiles Merce-

des et les établissements modernes...) ; et mêmes types d'explications de la part des gouvernements : la main de l'étranger –
avec une nouveauté : il ne s'agit plus du seul colonialisme ou du
sionisme, mais aussi, selon les cas, de Kadhafi et de Khomeyni.

Face à ce type de problèmes, il n'y a que trois stratégies
qui correspondent aux quatre discours structurant le champ du
possible [7] : les discours colonial, nationaliste, progressiste et
islamiste. La stratégie technicienne, fondée sur le discours
scientifique. La politique qui en découle est chaque fois
abandonnée sous la pression de la rue, c'est-à-dire que les
gouvernements reviennent sur les mesures de hausses alimentaires.

Les stratégies nationales et tiers-mondistes, auxquelles
plus personne ne croit sérieusement, encore que j'aie entendu,
cette année, un collègue égyptien raconter à peu près les mêmes
fadaises économicistes qu'il soutenait à Alger il y a vingt ans.
Il semblerait qu'aucun gouvernement n'ait actuellement de
politique économique, pour toutes les raisons invoquées ci-
dessus.

Il reste alors une stratégie fondée sur l'irréductibilité de
l'identité, mais celle-ci est pour le moment à la fois imprécise et
appropriée par les groupes islamistes qui se contentent de
soutenir qu'il suffit d'appliquer les vertus coraniques de justice
et d'équité.

Si la légèreté des conceptions économistes des islamistes
pose problème, il reste quelques belles contradictions, qui
paraissent pouvoir se résumer par une proposition simple et
tragique : quels que soient les budgets étatiques, il est impossible
d'absorber les nouvelles générations. Et sans faire profession de
matérialisme outrancier, je pense que là est la clé du succès
possible, éventuel, et peut-être même nécessaire, des islamistes
en général. Le grand problème de la fin du siècle sera donc,
après l'effondrement de l'Internationale prolétarienne, celui du
choc de la démographie et des crises croissantes du système
économique mondial face aux prises de conscience religieuses,
contradictoires, puisque le nationalisme progressiste est désor-

mais englouti dans les oubliettes de l'histoire. Une lecture démonstrative peut être faite à travers les chiffres et les stratégies de l'OPEP.

J'avais écrit d'ailleurs [8] que la sommet des non-alignés à Alger en 1973 marquait un tournant dans l'histoire du monde, sous-estimant la capacité du système capitaliste à manipuler et à récupérer le marché. Or, si jusqu'en 1980 l'OPEP fournit près de 50 % de la *consommation* mondiale de pétrole, en 1985, elle ne produit plus que 30 % du brut commercialisé sur le marché international.

La production en millions de tonnes s'établit ainsi en 1984 :

URSS	616
États-Unis	487
Arabie saoudite	**235**
Mexique	150
Grande-Bretagne	125
Chine	110
Iran	**105**
Venezuela	95
Canada	82
Indonésie	71
Nigeria	68
Irak	**59**
Koweit	58
Émirats arabes unis	56
Libye	**53**
Égypte	**43**
Norvège	45
Algérie	**30**
Inde	28

Il faut comparer cette production en fonction de la seule loi universelle qui existe réellement, celle de l'offre et de la demande. Or, en raison de la crise économique et de la découverte d'énergies de substitution, il y a aujourd'hui surabondance de l'offre.

Ainsi, le prix du baril s'établit-il comme suit :

1973	2 à 3 $
1978	12/13 $
1979	17 $
1980	28/29 $
1981	32 $
1982	34 $
1983 et 1984	29 $
1985	28 $
1986	10/15 $

OÙ ET COMMENT L'OPEP PLACE-T-ELLE SON ARGENT *?

Type du placement	1979	1984
Dépôts bancaires	131,3	164,6
En livres au Royaume-Uni	4,2	4,7
En eurodevises au Royaume-Uni	46,2	41,3
Dépôts aux États-Unis	15,5	21,2
Autres dépôts en pays industrialisés	65,4	55
Dépôts off-shore	–	42,4
Titres du secteur public	18	38,9
Royaume-Uni	2,1	2,2
États-Unis	14,1	31,2
RFA	1,5	5,5
FMI et Banque mondiale (or et DTS)	26	32,3
Investissements industriels et immobiliers	52	99
Royaume-Uni	5	5
États-Unis	18,2	31,1
Autres pays industrialisés	18,6	63
RFA	10,2	
Crédits non bancaires	6	8,5
Placements dans le tiers monde	39,7	59,3
Dont aide publique au développement	10	4,5
TOTAL (en milliards de dollars)	273	402

* Source : Banque d'Angleterre et Paribas, *Science et vie économique*, fév. 1985.

Le chiffre de 402 milliards de dollars représente les excédents de « pétrodollars » par rapport aux recettes, évaluées à 2 040 milliards de dollars pour la période 1973-1984. Le chiffre de 4,5 milliards d'aide publique au développement représente le 1 % de ces 402 milliards. Il faut donc noter que les pays arabes pétroliers ont fait, sur ce plan, un peu mieux que les pays industrialisés. Depuis, la baisse de la rente pétrolière rend ces chiffres plus éloquents encore.

Il faut introduire deux nuances dans ces chiffres globaux. La première tient aux variations du prix du brut suivant la qualité, mais elle est négligeable, alors que la deuxième est de taille : les pays « en voie de développement » payent fort cher les « transferts de technologie », qui ont produit un endettement irréversible. L'augmentation de leurs recettes, due au renchérissement du prix du brut, ne compense pas les augmentations de prix des produits manufacturés en Occident. Ceci signifie que la rente pétrolière a diminué. Face à cette situation, deux discours et deux stratégies ont été proposés par certains intellectuels occidentaux et par certains gouvernements arabes :. le discours « tiers-mondiste » et nationaliste-progressiste, héritage des marxistes et des nassériens, s'articulant parfois avec le discours techniciste des équipes internationales, qui proposaient des contrats et de la coopération univoque à base de transfert de technique. Cette « coopération » était légitimée par le discours sur la technique, et le tout improprement désigné sous le vocable douteux de « transfert de technologie », comme si l'on transférait autre chose que de l'idéologie. Le type même d'explications fournies par ces deux discours combinés consistait à affirmer que la domination (colonialiste, capitaliste) avait produit des effets pervers à la périphérie et que l'État national moderne devait « normativer » des relations banalisées, permettant ainsi de déboucher sur une véritable coopération pour le développement.

Pour ma part, je constate que ce modèle n'est pas plus adapté que le modèle colonial et que l'illusion – avec effets spéciaux – réside encore dans le prurit national : les élites maghrébines et arabes ont *nationalisé* le problème tout en confiant la planification à des experts étrangers ou à des nationaux formés aux normes étrangères.

Une série de questions s'emboîtent en effet les unes dans les autres, et ne peuvent être évitées sans que pour autant il soit possible de leur apporter des réponses exhaustives et définitives. Il me paraît tout de même possible, à partir de bonnes questions, de proposer quelques éléments de réponse pertinents.

La question centrale me paraît être la suivante :

– Qu'est-ce qui relève du système mondial dans les économies des pays arabes?

Ce qui entraîne ensuite qu'elle soit décomposée de la façon suivante :

– Qu'est-ce qui relève du sous-développement?
– Qu'est-ce qui relève de la stratégie de tel ou tel pays?
– Qu'est-ce qui relève du monde arabe?
– Qu'est-ce qui relève de l'Islam?

Il est évident que le point de départ de la réponse que chacun apporte à ce faisceau de questions dépend de la théorie qui sous-tend l'analyse du développement en termes, soit de centre et de périphérie, soit de mode de production et de lutte des classes, soit de segmentarité. En effet, selon que l'on privilégie le capitalisme mondial ou la culture locale, les résultats et les réponses aux questions sont totalement différents.

Or, les islamistes proposent une lecture de l'économie qui se situe en amont, parce qu'il ne fait pas de doute pour eux que l'impérialisme et l'occidentalisation sont des maux, mais ils font aussi une analyse *interne* des sociétés dominées à partir de leurs caractéristiques propres, essentiellement historiques et culturelles.

C'est dire combien il est difficile de classer la pensée islamiste qui, d'ailleurs, n'est pas *une,* sur ce plan comme sur d'autres. Il existe même des mouvements et des revues, en Tunisie par exemple, que l'on peut considérer sur ce point comme « progressiste ». Il ne faut pas oublier en effet que si le mouvement islamiste est une des réponses au défi posé par les échecs successifs des modèles de développement, il a en partie intégré la modernité à travers les réminiscences de certains de ses membres qui sont issus des mouvements marxistes, voire maoïstes, ba'thistes, nassériens, etc., ou des « enclaves modernistes » qu'ont constituées les facultés dans les années 1970 – ceux que nous appelons « PHD plus Barbe [9] ».

La logique de l'islamisation

La difficulté principale à laquelle se heurte toute pensée cartésienne, wébérienne et, *a fortiori,* marxiste, face au projet islamiste tient à la difficulté d'analyser la logique interne du projet de société induit par celle-ci; la difficulté se divise elle-même en un certain nombre d'impossibilités de lecture, la première tenant au fait que la quasi-totalité des auteurs auxquels se réfèrent actuellement les islamistes n'utilisent pas le raisonnement déductif : il faut donc pénétrer dans la logique interne de leurs propositions pour en faire une lecture cohérente. Je citerai à titre d'exemple les quatre auteurs qui me paraissent influencer le plus la pensée islamiste contemporaine : Mawdudi, mort en 1979; Baqir Sadr, mort en 1980; Saïd Qutb, pendu en 1966, et Awda, pendu en 1954.

Ils ont laissé une œuvre considérable, y compris dans le domaine économique; par exemple, Baqir Sadr est l'auteur d'un ouvrage sur la banque dans le système islamique [10]. Mais ce sont Mawdudi et Qutb qui ont le plus influencé les milieux islamistes : le premier est pakistanais; le second, égyptien, est le véritable maître à penser de l'ensemble des mouvements islamistes [11].

La lecture de ces ouvrages, et surtout l'analyse des conséquences qu'en tirent les militants islamistes, révèlent selon moi l'absence flagrante d'un imaginaire *mixte* (euro-arabe) qui aurait intégré l'allogénéité de la modernisation par les transferts de technologie. C'est pourquoi il faut revenir à l'étude des « structures structurantes », selon la formule de Bourdieu, c'est-à-dire aux bases constitutives de l'imaginaire autochtone :

la langue, l'art, la religion, autrement dit les systèmes symboliques.

En partant de ce point de vue, ma lecture se fait donc dans une perspective totalement différente de celle des économistes qui se contentent de dire : « mais l'intégrisme n'a aucun programme économique »; ce qui est une ineptie, parce que le programme économique des islamistes est inclus dans la logique interne du système symbolique arabo-islamique.

Les principes économiques qui dirigent le programme ou l'absence de programme des islamistes me paraissent être les suivants : la signification islamique des biens comme objets est l'effet du pacte fondamental passé entre Dieu et l'Humanité. Il y a prédétermination – et non pas prédestination, ce qui serait plutôt wébérien –, laquelle prédétermination implique une non-valeur absolue des biens matériels en tant que tels.

Nous sommes donc en présence d'une thèse qui est à l'opposé de celle de Max Weber sur l'éthique protestante et l'esprit du capitalisme, et fort loin de la « réification » marxienne.

Trois principes servent de guide à l'action : la solidarité, le secours et l'interdiction de l'usure. Ceci implique que le système économique islamique EST là solution supérieure pour toute la question sociale, mais il ne faut pas oublier que le travail sur la nature (c'est la définition que Marx donnait de la production) ne prend de valeur que par l'inspiration de la foi, et ainsi la propriété et l'esclavage de la richesse sont purifiés par l'aumône légale *(zakât)*.

Or les islamistes soutiennent, à bon droit semble-t-il, que la rente pétrolière est mal utilisée, et que le système bancaire mis au point par les États rentiers est anti-islamique [12].

Le problème ne porte pas simplement sur les banalités d'usage à propos du prêt à intérêts ou sur les intérêts bancaires assimilés à de l'usure. En effet, les marchands arabes ont toujours su utiliser le fameux verset (« Dieu permet le commerce et interdit l'usure ») au mieux de leurs intérêts. Le débat ne porte donc pas sur des points théologiques, puisque après tout de nombreux mécanismes ont été mis au point depuis fort longtemps pour contourner la *šarī̄°a,* et le système actuel n'a fait que réadapter des vieilles pratiques : par exemple, le leasing remplace le vieux système du crédit-bail *(ta'jîr/ijâra)* comme le *cash and carry* est greffé sur le *murâbaḥa.* Toutes les astuces du répertoire arabe, toutes les *ruses juridiques* de contournement *(ḥiyâl)* sont utilisées [13].

Il semble évident en tout cas que ce système fonctionne selon les normes du capitalisme et ne profite guère aux déshérités *(mustaḍ °afûn),* sauf pour leur construire des mosquées et pour légitimer quelques opérations de solidarité : un système d'assurance élaboré à partir de la vieille *muḍâraba,* ou bien la gestion de la *zakât* conçue comme impôt sur le capital. Quelques efforts avaient cependant été accomplis sous Nasser, puisqu'il existe une « Caisse d'épargne populaire » en Égypte depuis 1963. Mais les banques « populaires », depuis le Maroc jusqu'au Golfe, pompent le surplus produit par l'émigration avec des techniques qui sont strictement capitalistes, c'est-à-dire ni populaires, ni islamiques. Même dans les États les plus islamisés, comme le Pakistan et le Soudan, le régime appliqué est plus près de la logique capitaliste que des souhaits des islamistes.

Une des causes principales du ressentiment à l'égard des gouvernements arabes, et surtout à l'égard de ceux qui bénéficient de la rente pétrolière, tient dans une contradiction paradoxale : la croissance grandissante des classes moyennes due à l'éducation. En effet, la quasi-totalité des sociétés arabo-musulmanes ont fait un effort considérable sur le plan de la scolarisation après les indépendances. Le résultat de cette politique est qu'aujourd'hui, à cause de l'égalitarisme national, il y a « trop » d'étudiants. Que l'on comprenne bien ici mon propos : il ne s'agit pas pour moi, ayant été enseignant en Algérie, au Maroc, en Égypte, de proposer un malthusianisme intellectuel. Mais je constate l'échec terrible et les frustrations que cela produit : depuis quelques années, aucun gouvernement ne maîtrise plus son système éducatif, et celui-ci est fortement perturbé par la concurrence des universités étrangères, qui attirent des milliers d'étudiants. Il faudrait d'ailleurs sérieusement étudier les conditions dans lesquelles ceux-ci peuvent s'expatrier : Qui s'expatrie? Quels privilèges cela produit-il? etc.

Mais assez curieusement, et c'est un autre paradoxe, pour la première fois dans l'histoire de la civilisation arabo-islamique, la masse (et j'utilise ici volontairement un double concept classique de la pensée arabo-musulmane : *khâṣṣa* et *ᶜâmma*), la masse aborde la culture, même par bribes, et se rapproche ainsi de l'élite. Jusqu'au xxᵉ siècle, les cultivés et les analphabètes menaient des vies très différentes, et d'ailleurs les masses se moquaient éperdument des activités intellectuelles de l'élite, d'autant que chacune avait des registres et des répertoires, en particulier dans la musique et dans la chanson.

Aujourd'hui, tout le monde a la télévision (dois-je faire preuve d'une méchanceté « touristique » en affirmant que j'ai vu des télévisions dans les endroits les plus saugrenus, depuis les bidonvilles de Casablanca, jusqu'à l'habitat en carton de gens couchant dehors sur les bord du Nil, en passant par les *khaymât* du Sahara et du Sinaï). Ce qui signifie que tout le monde est en prise directe avec le discours médiatisé dont la forme la plus sophistiquée est la chanson patriotique de type « algéro-soviétique » : *bilâdî salâm!*, ou [14] *waṭanî'lᶜarabiyya!* – autrement dit, pour la première fois, l'élite doit parler dans le langage des masses, qui sont scolarisées, arabisées comme jamais elles ne l'ont été; il y a là quelque chose de millénariste qui se produit précisément en ce début du xvᵉ siècle de l'Hégire; et le paradoxe tient au fait qu'ainsi les masses obligent les leaders à tenir un discours millénariste, dont ceux-ci se passeraient sans doute, jusqu'au moment où les élites recommenceront à manipuler le discours; or elles ne pourront désormais le faire qu'en tenant compte des progrès de la scolarisation et de l'arabisation, qui se traduisent indirectement par l'islamisation de la société civile, car l'arabe en tant que langue est indissociablement lié à l'Islam.

L'exemple le plus net que je peux proposer se situe dans l'Algérie de la grande période progressiste : le discours officiel des retrouvailles de l'Algérie avec elle-même impliquait l'arabisation. Celle-ci, pour être massive, a nécessité que le gouvernement algérien formât des cadres à partir des coopérants moyen-orientaux, et ceux-ci furent bien souvent le cheval de Troie des Frères musulmans; mais, parallèlement, l'Algérie mettait au point un enseignement « originel » qui permet aux Musulmans de quadriller l'Algérie de milliers d'enseignants tenant un discours parfaitement contradictoire avec le projet socialiste; si bien qu'aujourd'hui plus personne ne contrôle les effets récurrents de ce phénomène... sauf les Musulmans qui sont dans la mouvance islamique, dont certains sont membres du Conseil de la Révolution. Et pour qui a connu, comme moi, l'Université algérienne, haut-lieu du tiers-mondisme progressiste, il est fascinant de constater qu'à l'heure actuelle des milliers d'étudiants font la prière à l'Université même, tandis que des anciens *mujâhidûn* « islamisés » reprennent le chemin du maquis.

Ainsi se trouve justifié le reproche que font beaucoup d'opposants de gauche aux régimes les plus progressistes, que ce soit en Irak, en Syrie ou en Algérie : la démocratie ne profite jamais aux Arabes laïcs et l'absence de démocratie profite aux islamistes parce que ces régimes, en réduisant l'extrême gauche au silence, laissent dans la pratique le champ libre aux militants musulmans qui disposent d'un lieu de rassemblement, la mosquée, et d'une tribune, la chaire à prêcher. C'est donc bien à cause de l'absence de démocratie qu'ils ont pu s'emparer du discours politique. Ainsi en Tunisie et en Algérie, le monopartisme officiel a défavorisé les partis de gauche et a permis l'émergence de prêcheurs solidement ancrés dans la société civile (certains d'ailleurs étaient issus de l'extrême gauche).

Il faut en effet combiner la frustration des échecs et l'influence du libéralisme pour comprendre l'interpénétration des différents courants de pensée. Car, par-delà les divergences apparentes entre les différents mouvements qui luttent pour le pouvoir dans les pays arabes, il ne faut à aucun moment oublier *l'oppression politique* et le *ressentiment*.

Les islamistes rejettent les théories « développementalistes » importées par l'Occident, intériorisées et diffusées par les élites nationalistes, y compris de gauche, parce que, comme ils peuvent le constater tous les jours, elles n'ont produit que l'enrichissement de minorités oppressives et le développement du sous-développement.

Le refus de la démocratie occidentale n'est pas un *a priori*, mais plutôt le refus de ce qui serait un *modèle unique*, refus conforté dans la mesure où ce modèle a été, sur place, un échec. Les islamistes ajoutent qu'il existe dans la pensée arabo-musulmane un patrimoine culturel utilisable, et ce legs leur permet en général de revendiquer plutôt un pouvoir fort, contrebalancé par la consultation classique de type *šûra* qui peut, si cela fait plaisir aux occidentaux, être comparée au parlementarisme... La consultation (*šûra*) est nécessaire, mais *ensuite* le Prince juste décide seul et est seul responsable dans la tradition arabo-musulmane : Kadhafi en est une illustration banale.

Ce pouvoir fort utilise les divers canaux de communication en plongeant dans le patrimoine élargi à travers ce néo-concept de legs (*turâth*). Déjà, Mohammad Abdou réclamait un despote juste [15] : ce qui démontre à quel point les islamistes sont bien dans le droit fil de la Nahda, du réformisme et de l'orthodoxie. Ils soutiennent en effet que les critères de sélection islamiques garantissent *l'équité*, qui est une vertu essentiellement musulmane.

L'Islam fondamental apparaît ainsi aux yeux de la plupart des islamistes, et de beaucoup de Musulmans, comme hostile à tout despotisme et, pour beaucoup, il s'agit donc de créer entre la *šûra* et la *turâth*, une idéologie théologique islamique de gauche en s'appuyant sur les échecs des deux dernières décennies. Pour ce faire, ils avancent un argument péremptoire : il y a eu décadence dans le monde arabo-musulman parce que les Musulmans se sont coupés de leurs racines politiques justes. Ainsi, certains de mes interlocuteurs m'ont dit clairement que leurs propositions à l'égard de l'Occident étaient précisément l'inverse de celles que nous souhaitions : « Laissez-nous réformer le politique et nous ferons quelques concessions sur l'économique », affirment-ils.

Or le chassé-croisé est subtil, car l'Europe n'est pas

seulement perçue comme chrétienne, c'est-à-dire dans l'errement théologique, mais aussi comme impérialiste, alors qu'elle-
même juge le monde arabe sur sa propre conception de la
démocratie et essentiellement à partir de la modernisation des
mœurs, du problème de la femme et des minorités : en effet,
pour beaucoup d'Européens, la maturité d'une société se
mesure à la coexistence pacifique entre les groupes sociaux et
celle-ci est particulièrement significative, pour certains, dans le
statut de la femme et dans celui des minorités.

Pour les Musulmans, la maturité de la société idéale se
mesure au contraire à son *unité* et à l'unicité de sa foi, et
l'échec quasi généralisé des tentatives des minoritaires de
survivre dans des pays arabo-musulmans confirme cette idée
exposée dans ma thèse [16] : il existe deux mondes parfaitement
exclusifs l'un de l'autre, avec quelques passerelles qui ont pu
faire illusion.

Les islamistes tiennent un discours, varié, certes, en tant
qu'intellectuel collectif se référant aux valeurs centrales de la
société arabo-musulmane et, comme je le démontrerai plus loin,
même s'ils sont en concurrence avec les clercs orthodoxes, ils
élaborent un ordre auquel se réfère la société. De plus, puisque
l'ordre est transcendantal dans la pensée arabo-musulmane, *le
conflit entre l'ordre et le système ne peut être résolu que par la
modification du système.* Il faut comprendre qu'il s'agit là du
même argument utilisé pour justifier l'assassinat politique : à
partir du moment où le calife Othman s'adosse à la légitimité
mohamédienne, il ne peut qu'être assassiné, s'il faillit. Ce qui
fut le cas.

Ainsi, le discours islamiste, même dévalorisé, oblige le
système politique moderne à des reclassements, y compris dans
le cas où les arguments islamistes sont fallacieux ou négligeables.

Sur ce point, l'exemple du Maroc est fascinant. Le Roi, en
tant que *Amîr al-mu'minîm,* est constamment obligé de répondre à des attentes produites par le discours islamiste [17]. Mais,
même dans l'Algérie (socialiste), le gouvernement a cédé aux
demandes islamistes sur l'alcool, le jeu, le porc, etc., et si
aujourd'hui l'Égypte, échaudée par le cas soudanais, ne revient

pas *stricto sensu* à la *šarīᶜa,* c'est peut-être tout simplement
parce que celle-ci s'applique *de facto.* Autrement dit, les
islamistes ont semé partout des graines qui germent maintenant, et la vague islamiste est étale parce qu'elle recouvre tout
le champ du possible actuel.

Or, tout a commencé il y a dix ans environ par des coups
de bâton (voire des chaînes de vélo) sur les campus universitaires, dans la concurrence entre les « Frères » et les marxistes,
maoïstes, ba'thistes, frontistes, et autres. Ces premières manifestations, qualifiées à l'époque d'intégristes, posent plusieurs
problèmes : à partir de quelle date observe-t-on des manifestations islamiques spécifiques?

S'agit-il de nouvelles observations, ou les observateurs
découvrent-ils de nouvelles manifestations? Quelle est la cause
de ces manifestations par-delà la révolution iranienne?

En effet, contrairement à ce que soutiennent les mass
media européens, et je l'ai déjà souligné, le déclenchement de la
révolution iranienne n'est ni la cause ni le signal de la poussée
islamiste. Certes, l'exemple iranien a servi de révélateur et va
impulser – comme un coup de fouet – un mouvement dont nous
sommes nombreux à avoir relevé les signes bien avant 1978,
encore que les différences soient patentes entre les États
arabes.

Les manifestations apparentes furent plus violentes au
Maghreb, sans doute parce que les *habitus* religieux y étaient
plus perturbés par la colonisation qu'au Machreq. Un point
particulier doit être signalé ici qui confirme, en partie *a
contrario,* ma thèse générale : la Libye semble échapper pour
l'instant au phénomène islamiste. Il n'y a, à mon sens, qu'une
réponse possible à cette surprenante question : l'État libyen
(quelle que soit sa forme originale) répond partout, sur tous les
fronts, aux questions de la société civile en termes conformes à
l'islamité; toutes les demandes des islamistes sont en quelque
sorte présatisfaites; de plus, comme il s'agit en l'occurrence
de ce que Myrdal avait nommé un « État mou », le colonel
Kadhafi remplit ce discours tout entier. Ceci sous réserve
de mouvements plus souterrains qui sont apparus ces dernières

années, preuve qu'aucune société n'est en fait entièrement contrôlée.

Le renouveau de la dévotion religieuse, l'intériorisation des valeurs islamiques d'identité, l'attention apportée par les États aux pratiques religieuses allant parfois jusqu'à des changements radicaux (en Tunisie et en Algérie) peuvent être situés aux alentours de 1970 : c'est à partir de cette date qu'est formulée partout une demande qui aboutit à une réponse administrative en la forme sociale d'aménagement des horaires pour l'exercice de la prière et du Ramadan. Cette première mesure s'est accentuée de plus en plus, au point que nombre d'observateurs seront surpris du changement perceptible, visible, tangible d'Est en Ouest (au Machreq, l'alcool est interdit pratiquement partout toute l'année; au Maghreb, pendant le Ramadan, les bistrots ne servent plus d'alcool en Tunisie, ils sont « fermés pour travaux » en Algérie, et les consommateurs sont conduits directement en prison au Maroc); elle a été suivie d'autres, comparables : développement des transports officiels pour le pèlerinage, construction de mosquées, aides financières pour le mouton de l'Aïd, notamment, puis de mesures juridiques marquant le début de l'application du droit musulman sous la pression sociale : même en Algérie, le repos hebdomadaire est décrété (16 août 1974) le vendredi, les paris sont interdits (12 mars 1976), comme la vente d'alcool aux Musulmans; enfin l'élevage du porc est interdit par décret le 27 février 1979 [18].

Comme, parallèlement, se développent les activités des islamistes (prônes, journaux, réunions et surtout l'exemple prosélyte), des changements visibles apparaissent partout : des barbes et des habits nouveaux (dont le plus célèbre est le ḥijâb) bouleversent le « paysage » universitaire en particulier. Avec eux sont nées les premières échauffourées et je me souviens de notre stupéfaction – à nous tous, porteurs du discours rationaliste et socialiste – lorsque, il y a quinze ans, les chaînes de vélo furent brandies pour la première fois à Constantine lors d'un colloque mémorable sur le code de la famille (là se situe le conflit le plus grave entre l'État, qui d'en haut veut normaliser, et la société qui refuse de changer). Incident déclenché sous le prétexte qu'un intervenant algérien s'exprimait en français. En ce sens, il est vraisemblable que l'arabisation a fait le lit des « intégristes » grâce à l'appui vigilant des coopérants du Machreq, parmi lesquels se trouvaient de nombreux Frères musulmans. Ce qui explique, en partie, que la gauche maghrébine ait longtemps joint dans la même condamnation, sous le vocable de « Frères musulmans », des gens qui appartenaient à des groupes ou à des problématiques fort différents, surtout lorsqu'ils concurrençaient directement leur propre clientèle.

Autrement dit, la cible des islamistes c'est l'individu, au niveau du quotidien, et les lieux privilégiés sont ceux du blocage sociétal : les petites villes et l'université, là où tout est interdit ; l'introduction de la TV ou du loto fait problème, il ne faut pas fréquenter les lieux mixtes, il faut manger de la main droite... Comment comprendre alors cette ferveur sinon parce que tout le reste est interdit (sauf le football) *de facto*. Tous les militants que nous avons interviewés racontent la même aventure, sorte de chemin de Damas (si je peux oser cette comparaison à l'usage des lecteurs chrétiens) : ces jeunes gens s'ennuyaient dans un espace sans espoir, buvaient de la mauvaise bière locale, se laissaient aller à tous les vices, le regard tourné vers les valeurs étrangères, lorsqu'ils reçoivent brutalement la Lumière, la révélation, généralement par l'écoute d'une cassette, car, ironie de la modernité, la cassette a été aux islamistes ce que l'imprimerie fut aux calvinistes, le vecteur matériel de la diffusion idéologique.

Essayer de comprendre pourquoi ils sont efficaces n'est possible qu'en comprenant comment un geste banal peut devenir politique. Je prendrai un exemple simple : le gouvernement tunisien interdit le port du foulard féminin qui ressemble au « tchador », exaspéré qu'il est de voir la Tunisie, sous le regard violeur des touristes et des bourgeois transculturés, se peupler de jeunes femmes en *ḥijâb*.

Autre exemple, le port de la barbe, qui « faisait guévariste » il y a deux décennies dans le tiers monde, devient le signe extérieur de l'islamisme. Alors les policiers rasent tous les barbus. Mais une contradiction économique de l'échec du développement national sur-détermine le débat : il n'y a plus de lames de rasoir efficaces à cette époque en Algérie. Les voies du Seigneur sont vraiment impénétrables !

Il y a redistribution de valeurs, car tout système symbolique est un écosystème intégré qui a des effets malgré ses rapports avec le milieu extérieur. Toutefois, le système religieux n'est explicable que par les rapports entre les religieux. Mais il ne faut pas négliger que le politique, c'est du religieux, et si les islamistes s'activent ainsi au niveau de la quotidienneté, ils produisent aussi de la théorie : ils veulent créer une société, une société autre, car, comme me l'écrit un de mes anciens étudiants :

« On est en train de se situer devant une double aliénation, une visible qui est l'occidentalisation et tous ses aléas avancés par les penseurs de la Nahda, et une moins visible qui est le pseudo-retour aux Ancêtres, la spécificité, l'authenticité – aṣala – et l'essentialité. Ce dédoublement de nostalgie débouche dans tous les cas sur la perte de soi. »

Il faut donc essayer de comprendre comment ce type de revendications religieuses s'est traduit sur le plan politique. Ce n'est pas pour rien que partout l'un des premiers chevaux de bataille du mouvement [19] dans les années 1970 a été de réclamer des lieux de prière sur les lieux de travail, dans les lycées et à l'université. L'ambiguïté fondamentale de cette revendication provient de ce qu'elle n'a aucun des signes extérieurs d'une opposition au régime en place, puisqu'elle n'a qu'un caractère religieux dans le cadre de la loi fondamentale qui reconnaît l'Islam comme religion de l'État. Comment, en effet, interdire des réunions après la prière, dans un lieu ḥorm et comment contrôler le contenu des discussions « théologiques » ?

Mais en réalité, et dans son essence, cette revendication émane d'un mouvement foncièrement hostile au laïcisme du régime en Irak, en Syrie, en Algérie et en Tunisie, et au type de

société que ces régimes sécrètent. La constitution d'un *masjid*,
sur un lieu de travail quelconque, à l'université ou dans une
administration, contient les germes d'une cellule politique. Seul
le cas du Maroc pose problème puisque la dynastie chérifienne
a des prétentions légitimes à la maîtrise hégémonique du
champ politique et religieux. Mais partout le mouvement
islamiste se présente comme un front disparate de contestation
de la manipulation du symbolique. A partir de là, les manifestations islamistes peuvent conserver les caractéristiques d'une
action sociale : activités culturelles, diffusion de journaux,
d'ouvrages, de cassettes, d'enseignement; elles n'en sont pas
moins d'essence politique, d'autant plus que le mouvement se
distingue par l'adoption d'attitudes et de conduites sociales,
conformes aux impératifs de la loi religieuse, négligées par
l'ensemble de la société, ou même parfois oubliées. Or, ces
attitudes marquent une volonté ferme de rupture avec les
classes politiques, avec les pratiques et les mœurs d'une société
considérée comme dépravée par la sexualité, l'alcool, les jeux
de hasard. Si la rupture se produit apparemment sur la question
des mœurs, elle renvoie cependant plus haut : lorsque le
pêcheur est confondu avec le percepteur, l'État (et les classes
qui le composent) est en danger; il y a rupture entre l'État et la
Communauté lorsque l'État hégémonique est oublieux de la
légitimité religieuse de ses origines :

« Cet athéisme répandu dans notre jeunesse, avec ses principes
destructeurs de notre raison et de notre conscience qui leur ont permis
de pénétrer dans notre société, n'est pas le système démocratique qui
protège la liberté du culte...
    La dépravation sexuelle a fait du Maroc un nid de prostitution
internationale. Où se trouvent les manifestations de cette religion
reconnue par la constitution et qui ont fait de l'Islam la religion
officielle de l'État?
    On a osé d'une manière éhontée, sans crainte de Dieu, séparer la
religion de l'État, on a réduit l'Islam à un cérémonial de prière et au
statut personnel! Ceux qui respectent les obligations religieuses
encourent des pressions et sont gênés dans leurs pratiques; dans notre
pays, les citoyens qui respectent l'heure de la prière pendant le temps
de travail sont menacés d'expulsion. Maintenant, ce sont les renégats,

les pêcheurs et les ivrognes qui gouvernent le pays, tandis que les vrais croyants sont empêchés de pratiquer leur religion.

La politique, l'économie et leur gestion sont l'apanage d'une classe d'exploiteurs; les préceptes de Dieu sont écartés. Est-ce que nous devons nous taire sur ce droit positif injuste [20]? »

Il n'y a rien de nouveau dans ce mouvement, ni sa lecture politique de l'Islam et encore moins une nouvelle théologie. La revendication positive essentielle du mouvement est d'instaurer une société et un État gouvernés par la Chari'a, c'est-à-dire par les prescriptions coraniques, les normes établies et sûres de la Sunna, et leurs interprétations autorisées. Or, cette revendication est à la fois banale et orthodoxe, dans le droit fil du Réformisme et de la Nahda. La gauche et les clercs orthodoxes ont bien tort de les juger à leur propre aune puisque, précisément – aveugles qu'ils sont –, c'est à partir de celle-ci que les islamistes les jugent! Ainsi, à propos de la Tunisie, Yadh Ben Achour, fils d'un grand savant, écrit-il à juste titre :

« Les adeptes d'*al-ittijâḥ al-islâmî* ne font pas grand cas de la pensée politique ou juridique classique séculaire, c'est-à-dire du savoir religieux : *ᶜilm.* Le Zaytounien se piquera d'ailleurs de montrer leur ignorance parfaite des vérités consacrées à la *šarîᶜa,* et les erreurs grossières commises publiquement par leurs propagandistes. C'est dire que la lecture de l'Islam qui nous est ainsi offerte est une lecture nouvelle, en rupture avec la culture traditionnelle [21]. »

Le mouvement islamiste, en effet, a très rapidement développé une action de type proprement politique : critique de l'action gouvernementale, prises de position sur les événements internationaux à partir de données « religieuses » (al-Qods, Iran/Irak, Sadate), et surtout conquête de l'université monopolisée par les groupements de gauche. Puis, le mouvement, à des degrés divers, par exemple en Algérie, est passé, d'une part, de la condamnation du régime politique en place sur la plan du pouvoir personnel (au Maroc et en Tunisie) à son attaque par la violence (en Syrie), jusqu'au tyrannicide (Égypte); mais, d'autre part, le mouvement a mis en cause l'idéologie aliénante parce que allogène, et placé en exergue la liaison des pouvoirs en place avec l'impérialisme. Le cas de la Libye me paraît tout à fait différent puisque c'est le pouvoir lui-même qui proposait le radicalisme.

Quant à l'Égypte, elle ne sert que de point de référence, car c'est d'elle que partent les deux messages : l'orthodoxe depuis El-Azhar, et l'autre par les prêcheurs exemplaires.

Dans la première décennie des indépendances, le pouvoir, dans les États, avait eu à faire face à plusieurs mouvements d'opposition (ce n'est pas mon sujet ici; disons, pour simplifier, communistes, ba'thistes, nassériens, yousséfistes, socialistes, libéraux, selon chacun des cas), non à lutter contre l'influence d'un développement islamiste offensif. Or, nous avons constaté qu'aux alentours de 1970 un mouvement se référant à un Islam qui relève le défi occidental s'est manifesté et étendu dans les pays arabes [22] spontanément en réaction aux frustrations de la modernité allogène et capitaliste, qu'elle soit d'État, nationale ou « compradore ». Réaction qui s'est appuyée sur des mouvements machréquiens, par opposition aux politiques nationales révoquées en doute sur le plan religieux, à cause de la redondance des clercs officiels, ou politique, face à l'incapacité de la classe politique à réaliser les aspirations de la nation arabe.

L'An mil

Les données du problème ont changé depuis 1979/1980 [23], un véritable mouvement politique s'est constitué autour de l'idéologie d'un Islam renouvelé et contestataire, rassemblant (mais non regroupant) des partisans ayant peu de rapports avec les structures sociales du régime islamique, mais ayant surtout, sinon une organisation ou un appareil de direction, du moins une infrastructure complexe, décentralisée, pérégrine, de propagande et d'action. Ce mouvement est difficile à analyser, non pas à cause de la semi-clandestinité dont il s'entoure, mais parce qu'il est un mouvement et pas encore une véritable organisation ou un parti. Marx serait sans doute plus sensible que Weber... et Lénine à ce phénomène!

Les islamistes utilisent le mot *JZR* (marée) pour désigner le sens de l'Histoire. En effet, la force de ce mouvement islamiste ne réside pas dans la pensée islamique mais dans les dispositions, et la disponibilité de ses adeptes, vis-à-vis de la quotidienneté, dans l'islamisation des mœurs.

Il s'agit donc plutôt d'un réveil politique qui s'effectue à travers une lecture politique de l'Islam. Plusieurs causes, emboîtées, expliquent l'émergence du phénomène, la principale étant qu'il faut répondre aux défis du siècle. C'est pourquoi le mouvement tente en priorité d'aborder les valeurs consacrées de la civilisation moderne (égalité, démocratie, droits de la femme, libertés), car il ne peut en tout état de cause les rejeter, sous peine de devenir marginal.

Autrement dit, il récupère la modernité à partir de l'Islam retrouvé [24], bien que ce ne soit pas spécifiquement nécessaire : *la réponse à la modernisation allogène consiste donc finalement à retourner la nationalisation du progrès en islamisant la modernité.*

Mais cette opération, réussie, ne va pas sans poser de nombreux problèmes, à une époque où la socialisation des individus est avancée, alors que leur communautarisation est largement cassée par la modernité, que la politisation partisane et la syndicalisation recouvrent presque tout le champ du possible (politique, symbolique, national, etc.).

Comment se fait-il que des hommes se tournent vers l'extatisme, vers le militantisme « intégriste » ou « fondamentaliste », et adhèrent encore à des confréries? Est-ce que cela a le même sens qu'au IXe ou au XIXe siècle? Comment leur position ou leur situation de classe s'y concilient-elles avec l'égalité fraternelle? En un mot, comment fonctionne le pouvoir – et quelle est sa nature – dans les petits groupes à subculture?

Sans réduire le phénomène islamiste à une simple idéologie secondaire, porte-t-il cependant une idéologie qui permet une accumulation de capital politique et lequel? Je n'ai pas la prétention de répondre à toutes ces questions, mais elles sont inéluctables.

Toutefois, reprenant la problématique de Bourdieu en terme de champ religieux, je voudrais étudier l'idéologie religieuse musulmane autour de l'affirmation suivante : le message religieux le plus capable de satisfaire la demande religieuse d'un groupe – donc d'exercer sur lui son action proprement symbolique de mobilisation – est celui qui lui apporte un (quasi-) système de justification d'exister en tant qu'occupant ou/et en postulant une position sociale déterminée. Comme le souligne Jean Leca [25], on est fondé à distinguer les différentes formes de conscience religieuse, en tant que consciences sociales, selon le type de demandes articulées par les différents groupes sociaux, demandes de légitimation émanant des privilégiés contre demandes de compensation venant des défavorisés (Bourdieu, après Weber, dit plutôt « demande de salut »); mais rien n'est simple lorsqu'il s'agit de l'articulation salut individuel (la voie « soufie » par exemple)/salut collectif (sauver l'humanité par la réalisation de la Parousie contenue dans l'enseignement de la secte/confrérie, voire du Parti). Il existe partout des membres des classes dominantes qui demandent aussi du salut et qui, ainsi, font le lit des islamistes. Pour ceux-ci, changer l'individu c'est à terme changer la société, et en cela encore ils sont orthodoxes.

Il faut donc distinguer les religions en tant qu'utopies et/ou idéologies comme le propose Mannheim, mais également différencier à l'intérieur de chaque religion ce qui est support des classes ascendantes et refuge des classes vaincues, comme le suppose Gramsci pour le catholicisme italien, et enfin opposer, comme Ernst Gellner pour l'Islam, la religion urbaine, centralisée, scripturaire et égalitaire (tout au moins n'admettant de hiérarchie que dans la Science de Dieu et la piété), à l'Islam des campagnes, fractionné, hiérarchique – et sans doute faire quelques autres distinctions encore.

L'univers musulman a, lui, une grande pratique historique de la double attitude possible du Musulman face à l'Islam : le *bâṭin* et le *zâhir*. L'attitude exotérique a produit une nuée d'associations religieuses et l'attitude ésotérique une profusion de « confréries » à formes très différentes, depuis la petite zaouïa de quartier jusqu'au grand ordre religieux, en passant par la société secrète. Ceci m'a personnellement éclairé sur les causes d'apparition de ces mouvements [26].

Suivant en cela Weber, je pense que la cause première tient dans les *désillusions du progrès* : le désenchantement consécutif aux vingt premières années de l'indépendance semble être le véritable détonateur. Pour *être islamiste*, il faut non seulement avoir acquis une conscience très *aiguë des inégalités*, mais encore croire que les politiques de croissance proposées actuellement n'arriveront pas à les éliminer; il faut être persuadé surtout de ne pas pouvoir bénéficier des fruits du développement, et avoir pris conscience de la rareté relative des biens de consommation pour la majorité dans des pays où la classe politique *s'enrichit d'une façon éhontée*.

Dans ce cas, les frustrations sont d'autant plus grandes que l'espoir avait été plus intense au moment de l'indépendance; *l'islamiste opère alors un transfert d'enthousiasme*.

Il y a là un phénomène compensatoire permettant d'éviter le désespoir, mais aussi plus radicalement l'éclosion de l'image très particulière que l'islamiste a de l'Islam.

L'État procède à la fois à la liquidation des idéologies « parochiales », tribales, segmentaires, et des idéologies profanes concurrentes qualifiées de « gauchistes ». Il ose en même temps, comme en Égypte, poursuivre ouvertement les islamistes, mettant ainsi en péril sa légitimité : la police a rarement violé l'enceinte *(ḥorm)* des mosquées pour arrêter un *imâm* ou un *khâṭib*; or depuis la répression de Hama (Syrie) où les Frères ont été massacrés, cela s'est produit dans chacun des États en Égypte mais aussi à Nador, à Fès, à Laghouat, à Tunis, et même à La Mecque.

Mais globalement, la police n'agresse pas les lieux de réunion à caractère sacré et ne gêne pas les petits agents de propagande bénévole dans leur action. Elle se contente le plus souvent, comme certains témoins me l'ont rapporté, d'infiltrer les groupes et ainsi de les contrôler/manipuler... Encore que, interrogés sur ce point, certains de mes interlocuteurs ont formulé une réponse qui ne manque pas d'intérêt :

« Ce que nous, islamistes, proposons aux petits flics qu'on nous envoie est tellement plus solide, crédible et plus cohérent que ce que disent et font leurs supérieurs, qu'en général ils " passent " de notre côté, et c'est nous qui infiltrons les services! »

L'apparition de l'islamisme est alors une réaction à la modernité anarchique, ou plutôt une tentative de retrouver en soi et dans le groupe, chez le « siyyid », maître mort (marabout) ou vivant (cheikh, d'une association), les moyens de supporter le coût énorme de la modernité dont l'une des caractéristiques est d'avoir détruit les anciennes structures sans en avoir mis d'autres en place. Le passage du douar au quartier, du lignage à l'anonymat, ne se fait pas sans à-coups. L'État-Nation détruit les structures communautaires, accélère l'exode rural, sans proposer une prise en charge crédible de l'individu devenu citoyen anonyme. Les structures d'accueil des associations pieuses, en tant que communautés spirituelles, permettent de transcender ce déracinement et de sublimer cette frustration. Aussi n'est-il guère étonnant qu'une part très importante de la clientèle des *jamâ°ât*, associations/communautés, soit constituée par de petits boutiquiers, des instituteurs et des employés de bureau, ceux qui savent que les classes dominantes ne partagent pas les fruits de l'indépendance.

Contre une interprétation triviale de la critique marxiste de la religion, la prédication à l'époque de la guerre des paysans est autre chose qu'un simple voile religieux jeté sur les choses : la superstructure est souvent en avance, écrit Bloch[27], qui qualifie Müntzer de communiste révolutionnaire et messianique. Le monde de la foi n'annonce que les premières lueurs de l'Apocalypse et c'est dans l'Apocalypse même qu'il trouve son ultime mesure, le principe méta-politique, voire méta-religieux, de toute révolution, l'irruption de cette liberté qui appartient aux enfants de Dieu. Ainsi, une analyse purement économique risquerait de déréaliser, par réduction à l'idéologie, l'exaltation religieuse qui, lorsqu'elle se réclame du christianisme primitif pour attaquer la religion des exploiteurs, traduit chez l'homme la conscience d'une réconciliation possible avec lui-même et avec la nature. La misère consciente de ses causes devient levier révolutionnaire : la mystique de Thomas Müntzer est l'exigence impérative du Royaume, et le Royaume, qui est de ce monde, est un monde autre, la tâche à accomplir par l'homme.

Tout se passe aujourd'hui comme si la contestation politique prenait nettement la forme d'une critique du Ciel se muant en critique de la terre, d'une critique de la religion en critique de droit, et d'une critique de la théologie en critique de la politique.

Les groupes humains ont besoin de produire de la *Weltanschaung* pour persister dans leur être. Toute idéologie organique donne un sens au monde – c'est le cas de l'islamisme. Aussi, les classes politiques arabes feraient bien de se rappeler, si elles ne veulent pas être surprises par les événements, que c'est parce qu'il faut de la cohésion dans les groupes, afin qu'ils survivent, qu'il y a du sens dans le monde, et non pas l'inverse !

Ce n'est pas en tout cas l'idée sacralisée, légitime, d'État-Nation insufflée par le haut à la société civile qui permettra de lutter contre la *daᶜwa*, l'Appel. A moins bien sûr que les bûchers ne soient prêts et que se lèvent de nouveaux Luther pour écraser les Müntzer arabes. Dans ce cas, l'Islam serait sans doute amené à s'institutionnaliser en Église, encore que l'histoire bégaye si souvent... ; chaque fois que les Révoltés ont espéré le Royaume, ce fut l'Église qui advint.

L'utilisation idéologique de l'Islam par les pouvoirs politiques s'est retournée contre eux, la nationalisation de l'Islam n'a pas toujours conféré aux pouvoirs locaux une légitimité irrécusable, tant du point de vue de la théologie que du point de vue de la conscience collective.

En effet, les responsables orthodoxes (ulama, mufti, imam, etc.), stipendiés par les pouvoirs politiques, ne constituaient plus, après les indépendances des États-Nations, une classe de clercs autonomes, car lorsqu'une société se paye quelque chose d'aussi compliqué que l'État (aveu qu'elle est empêtrée dans ses contradictions), elle doit le légitimer en constituant, en prime, une classe de clercs-idéologues.

Contrairement au passé arabo-musulman, les *ulama-scribes-types* ne sont plus considérés, même dans la formulation de la doctrine, comme indépendants du pouvoir et de ses directives, ce qui implique qu'ils sont délégitimés par rapport à l'Islam idéal. Ils laissent donc la place à des clercs concurrents qui ont pourtant un statut plus bas que le leur.

Mais l'argument de la religion s'est aussi retourné contre le pouvoir lorsque celui-ci faisait appel à l'Islam comme facteur de stratégie d'intégration : l'éducation civique nationale se trouvait parfois en contradiction avec l'internationalisme islamique, et la sacralisation des instances dirigeantes modernes et nationales se heurtait parfois (sauf dans le cas du Maroc) aux appels transnationaux de la Communauté musulmane après ceux de l'arabisme : comment, en effet, défendre à la fois la révolution algérienne ou irakienne, militer pour la libération de la Palestine et la libération des Lieux Saints sans donner une dimension supra-nationale à la communauté musulmane, sans cesse confortée par le nombre croissant de pèlerins se rendant à La Mecque, en dépit des difficultés de tous ordres – dont la plus scandaleuse est la nécessité d'obtenir un visa pour accomplir un devoir qui est un pilier de l'Islam?

L'idéologie islamiste porte sur l'exaltation des valeurs spécifiques arabo-musulmanes tout autant que, corollairement, sur la critique systématique des valeurs allogènes particulièrement occidentales. Ainsi l'occidentalisation prise au sens de perdition apparaît comme un thème quasi obsessionnel, le plus souvent associé au néo-colonialisme ou au sionisme et à la nouvelle croisade anti-islamiste : l'Occident est à nouveau en croisade [28] : il suffit de lire les publications de la Ligue Musulmane mondiale qui ne désigne jamais autrement l'Occident que sous les termes de *al-gharb al-ṣalîbî* (« l'Ouest croisé »).

Les islamistes ont ainsi beau jeu de faire tout un tas de jeux de mots en dialectal à propos du *taghrîb*, qui fait de l'occidentalisé quelqu'un de perdu pour lui-même et pour l'Islam (*ghraïb/ghorba*, « occidentalisé, perdu »), tout en utilisant avec verve les concepts orthodoxes de *takfîr* (excommunication) ou de mal suprême *(tâghût)* [29], en les retournant contre ceux-là mêmes qui les produisent et ce au nom de l'obligation perpétuelle de la *da°wa*.

V

L'APPEL OU LA DAʿWA
COMME DISCOURS POLITIQUE

Nous sommes, Gilles et moi [1], sur le plateau d'une camionnette Toyota au milieu d'une petite place complètement occupée par des Musulmans assis sur des nattes. Les haut-parleurs amplifient la voix du cheikh Kischk, qui prêche dans sa mosquée d'un quartier populaire du Caire. Un barbu nous surveille discrètement du coin de l'œil, mais personne ne nous dit rien; le cheikh nous avait proposé d'être à ses côtés dans la mosquée. Nous avons préféré la rue. A Marseille ou à Aix, où je suis plus en intimité avec mes interlocuteurs, je reste dans la mosquée.

Depuis quelques années, au Maroc, en Algérie, en Tunisie, en Égypte, un peu moins dans les autres pays arabes, les croyants envahissent les rues attenantes de certaines mosquées lors de la prière du vendredi. Il y a deux explications possibles : soit il n'y a pas assez de mosquées, soit il y a renouveau de la piété. Or, la première explication ne tient pas : les mosquées sont plutôt désertées habituellement. Elles ne se remplissent que certains jours, surtout le vendredi à midi/une heure, et certaines d'entre elles seulement. C'était un indice car, d'après mon enquête, il n'y a pas de renouveau pieux. Alors, restait l'explication que nous avons proposée Gilles Kepel, Mohamed Tosy et moi-même [2] : certains prêcheurs « rameutent des foules » et pas d'autres.

Il faut essayer de comprendre comment, et peut-être pourquoi. Comme toujours les explications, complexes, tiennent en partie à l'histoire, en partie à l'actualité.

Après que quelques bons esprits eurent applaudi à la révolution iranienne, l'Occident en découvrait avec horreur les errements. Aujourd'hui, il dénonce pêle-mêle le terrorisme « international », le colonel Kadhafi, craint le « renouveau intégriste » jusque dans ses usines alors que, frustré des mésaventures coloniales, il se passionnait, il y a peu encore, pour les guérillas des autres.

Nous avons été quelques-uns à expliquer qu'il ne s'agissait en rien de renouveau, ni d'intégrisme. Mais les occidentaux, y compris les intellectuels, avaient un peu oublié que l'essence du politique pouvait se trouver dans le religieux et que bien souvent les grandes révoltes occidentales, en tout cas paysannes, avaient surgi dans le champ religieux.

Dans l'Islam, *n'importe quel croyant peut, et dans certains cas, doit*, s'ériger en rectificateur de la religion oubliée par ses concitoyens et ses coreligionnaires; cette mission est justifiée par une série de références fort classiques tant au Coran qu'aux Hadith. Le plus cité de ces « dits du Prophète » est le suivant :

« D'après Abou al-Khoudri qui dit : j'ai entendu l'Envoyé d'Allah dire – que Dieu le bénisse et le sauve – celui d'entre vous qui voit une chose répréhensible, qu'il la redresse de sa main, s'il ne le peut de sa langue, et de son cœur s'il ne le peut; c'est en dernier lieu le moins que puisse exiger de lui sa foi. »

Par ailleurs, les islamistes peuvent s'appuyer également sur un certain nombre de textes et de traditions décrivant les désordres précédant la Parousie. Ainsi, pour n'en citer qu'un parmi tant d'autres, le Hadith attribué à Anas Ibn Malik rapporte :

« D'après l'Envoyé d'Allah – que le salut soit sur lui – qui dit : les signes qui annoncent la fin de ce monde consistent en ce que la science disparaît pour laisser place à l'ignorance, le vin est bu ostensiblement, de même que le péché de l'adultère. »

Les textes et les prônes qui circulent en cassettes insistent tous sur la dissolution actuelle des mœurs. Mais la classe dominante n'écoute pas les prêcheurs, elle les méprise et les réprime, ce qui confirme un autre Hadith :

« Hasan Ibn Attya rapporte d'après l'Envoyé d'Allah – que Dieu le bénisse et le sauve – qui dit : les plus méchants d'entre ma communauté prendront le dessus sur les meilleurs d'entre elle à tel point que le croyant se tiendra caché par humilité comme se cache actuellement, parmi vous, l'hypocrite. »

C'est donc à bon droit que les islamistes peuvent produire une théologie de l'expropriation du pêcheur, du propriétaire indigne et du titulaire du pouvoir devenu illégitime par ses actes.

Ils doivent dénoncer la corruption du monde contemporain qui produit de la pathologie, pour réunir les conditions du retour à une situation où la *šarîᶜa* sera Loi de la Cité. Pour ce faire, Dieu donne une mission particulière à des clercs non savants, à des individus isolés, à des petits entrepreneurs indépendants qui vont diffuser la *daᶜwa* [3] en se servant des mosquées.

La *daᶜwa* ne s'entend pas simplement comme prédication cristallisée autour d'un missionnaire *(dâᶜî)* : elle est une réforme religieuse qui englobe tous les aspects profanes susceptibles de renforcer la cohésion du groupe. Celui-ci se sent alors investi d'une mission de réforme qui débouche nécessairement sur une mission de conversion à partir de la nécessité d'ordonner le convenable et d'interdire le blâmable *(al-amr bi'l-maᶜrûf wa'l-nahy ᶜan al-munkar* [4]*)* dont la traduction exacte pourrait être : le commandement du bien et la prévention contre le mal ; mot à mot, « le commandement de ce qui est connu et l'interdiction de ce qui est blâmable ».

Cette mission implique le *jihâd* et l'exercice du pouvoir politique est au bout de cette logique.

Mais la prise du pouvoir n'est pas un objectif explicite, car le devoir premier consiste en la censure des mœurs *(ḥisba)*, et de nombreux auteurs musulmans ainsi que de nombreux Musulmans traitent ceux qui n'observent pas les bonnes mœurs comme des mécréants qu'il faut combattre par les armes. Il ne manque pas de témoignages dans l'histoire signalant que :

« Le vrai croyant qui soupçonne dans une maison la présence d'instruments de musique, de pièces de vin ou d'autres choses blâmables par la loi, doit y pénétrer et briser ces objets scandaleux. Quiconque a la force de supprimer le mal et manque à ce devoir est coupable devant Dieu. Le remplir est, au contraire, un mérite en comparaison duquel le Djihad est comme un léger souffle de vent sur la mer agitée [5]. »

Il est donc légitime pour tout Musulman conscient de prêcher sur la place publique en vue de réformer les mœurs.

Si le mot *siyâsa* (« politique ») ne figure pas dans le Coran, l'Islam arabe a développé une théorie du politique qui peut se résumer ainsi : la mission du Prophète a consisté essentiellement en la transmission du message de Dieu et, par conséquent, en l'appel *(daʿwa)* lancé en faveur de ce message pour rallier le plus grand nombre de fidèles. Le pouvoir politique *(mulk)* n'est alors que le devoir de doter la Umma d'une organisation temporelle autour de cet appel pour la conduire au salut. Le guide de la Communauté reçoit le mandat impératif de réaliser les buts mêmes de cette vie temporelle pour tous les hommes.

Le Prophète, corrigé par Dieu et par le Coran avant de réformer les hommes, est transfiguré par la Révélation : il doit alors irradier cette lumière à tous les hommes. Le legs spirituel de ce Héros type idéal doit être transmis par ses héritiers-successeurs jusqu'à la Résurrection, sur le double plan de la Religion et de la société.

Or, l'*iṣlâḥ* ne peut se réduire aux *tanẓîmât* : l'*iṣlâḥ* est la réforme de la société par elle-même, tandis que les *tanẓîmât* sont des réformes imposées d'en haut par un État dont la modernité allogène est étrangère à la société.

Dans ce monde, où tout est hiérarchie (dans la Création, dans le normatif, dans le donné, etc.), la plus haute forme d'activité politique est alors bien la politique prophétique *(siyâsa nubuwiyya)*, parce que le message prophétique *(nubuwwa)* est un avertissement eschatologique.

Or, l'herméneutique des textes prophétiques *(ta'wîl)* incombe aux Imams dans le Chiisme et aux Ulama dans le Sunnisme. Mais ce ministère dépend du choix contrasté entre le concept sunnite du *khalîfa* et le concept chiite de l'*imâma* (direction spirituelle). Les Sunnites ont toujours géré le pouvoir alors que les Chiites l'ont revendiqué (il faut mettre à part le cas des Fatimides, 909-1171). Or l'alternative islamiste se produit précisément sur ce croisement entre l'arc ascendant de l'*imâma* et l'arc de descente du *khilâfat* : le débat étant bien que rien ne peut être sacrifié aux conditions d'exercice de la *walâyat* (arc ascendant vers l'Unité) que doit fournir le Pouvoir quel qu'il soit.

Ce que nous constatons, dans l'histoire comme dans l'actualité, c'est que la *praxis* islamique occupe sans cesse tous les créneaux disponibles, et a produit constamment des comportements contestataires, soit dans le *bâṭin* soit dans le *ẓâhir*, c'est-à-dire aussi bien dans l'exotérique institutionnel que dans la clandestinité et l'ésotérique.

Il n'est pas possible, si l'on étudie les révolutions religieuses, et plus particulièrement celles qui se produisent dans le *dâr al-islâm*, d'ignorer l'originalité paradoxale de la *daᶜwa* : elle naît, elle s'enfle, elle convainc, elle renverse, ou elle est martyrisée, puis elle disparaît dans une émigration intérieure *(kitmân)* pour ressurgir ailleurs où tout recommence à une autre époque.

Car la *daᶜwa* est au principe de l'Islam, puisqu'elle est, *stricto sensu*, l'invitation adressée aux hommes de Dieu et aux prophètes de croire en la vraie religion, et la mission de Mohammad a consisté à réitérer cet appel (*Coran*, xiv, 46). Si, par la suite, la *daᶜwa* a pris d'autres sens, et en particulier celui de mission de propagande fondatrice d'Empire (comme ce fut le cas des Abbassides ou encore chez les Qarmates-ismaéliens) [6], elle est entendue aujourd'hui, et plus particulièrement par les prêcheurs islamistes, en son sens le plus originel : amener et ramener le plus grand nombre d'hommes possible à la vraie religion, l'Islam. En ce sens, toutes les formes actuelles d'associations religieuses (d'églises de volontaires) que nous rencontrons aujourd'hui sont fort classiques, mais bien souvent réinterprétées par des acteurs traditionnels modernisés par leur environnement.

L'élément le plus évident de la modernisation étant l'introduction de haut-parleurs et de l'enregistrement pour les leçons et le prône, donc la diffusion des khotba par cassettes, à partir des lieux religieux de l'expression politique, les *masjid* et les mosquées « libres » – ou récupérées par des prêcheurs renouvelant la tradition orale et la mobilisation par le verbe.

Derrière le développement des cassettes des prêcheurs, « le type kischkiste [7] », se profile une tentative de réinvestissement – réactivation – par les clercs semi-savants déchus officiellement de « leur capacité politique », d'une double tradition qui leur permet d'agir sur la place publique : la tradition orale, enracinée dans la civilisation arabo-musulmane, et le devoir qu'a chaque Musulman détenteur du savoir religieux de diffuser la parole divine et de lutter contre *al-munkar* (le Mal), c'est-à-dire contre ceux des Musulmans qui n'appliquent pas la *šarîᶜa* ou, *a fortiori*, ceux qui la violent.

Parler « d'écritures » et traduire le Coran comme la Bible avec des majuscules, *al-Kitâb*, le Livre, ne va pas sans créer une confusion entre le texte et son archétype. C'est, en effet, oublier que le Message s'est essentiellement transmis sous la forme orale, encore qu'il ait pu, dès l'origine, être enregistré par fragments. La collecte qui vint ensuite privilégia la mémoire pour diverses raisons. L'une d'elles est évidente : l'écriture, à l'époque, en Arabie, était encore très fruste : mnémotechnie plutôt qu'expression.

Il est difficile d'admettre qu'une notation aussi imparfaite ait pu rendre un langage aussi plein, de façon adéquate, sans le soutien de la psalmodie collective, c'est-à-dire sans l'implication de la collectivité.

« Le Coran est donc, dès cette époque, et n'a cessé d'être, jusqu'à nous, courant phonique, concert vocal, ménagement des souffles et des voix de groupe autant que document consigné [8]. »

L'Islam n'a fait qu'institutionnaliser une tradition où la fonction communicative du discours était secondaire par rapport à une interpellation de l'émotivité de l'auditoire. Beaucoup plus qu'une tradition des tribus de l'Arabie, la *khoṭba* (le prône) était et reste le lieu privilégié de la confrontation politique.

Dans son ouvrage *La voie prophétique* [9], Yassin consacre un chapitre à la khotba. Il note :

« Le Prophète était un khatib (prêcheur) et il initiait ses compagnons aux méthodes de la khotba islamique, il corrigeait aussi leurs erreurs...

Le Prophète avait toujours à ses côtés un khatib qui répondait aux délégations. Souvent, des controverses opposaient les khatib des tribus arabes et celui du Prophète... Ibn Ass'ad et al-Bahiti... rapportent que, quand le Prophète faisait un discours, ses yeux étaient injectés de sang, et sa voix était alarmante à tel point qu'on le croyait au combat. »

Les règles du discours sont restées presque immuables jusqu'à nos jours : le khatib type du modèle kischkiste est donc un fidèle disciple des prêcheurs qui ont fait école dans la tradition arabe et dont les méthodes sont enseignées depuis le IVe siècle au moins.

Dans cette tradition, le discours existe moins en tant que texte signifiant qu'en tant que support, flux sonore, invitation à la transe en quête de l'hypnose; d'où l'importance de la manière de discourir et du charisme que doit dégager le khatib. C'est un art complexe où doivent se combiner harmonieusement le choix des paroles, la musicalité, le rythme, les phrases. Outre cette obligation ou ces obligations stylistiques qui doivent susciter *al-ṭarab* [10], le khatib doit intéresser son auditoire par le choix d'une thématique appropriée. Tirant la conclusion de la stérilité du discours religieux et son incapacité à mobiliser les croyants, la plupart des prêcheurs esquissent une nouvelle conception de la khotba, qui, sans renoncer aux acquis de la tradition, pose les problèmes de l'heure : les prônes étudiés sont pleins d'exemples plus concrets, parfois même triviaux :

« D'aucuns disent que le prône du Vendredi doit se limiter aux choses du culte (prière et jeûne), croyant à tort que l'Islam peut être assimilé au christianisme qui ne dépasse pas l'église; ils ne savent pas que l'Islam intervient dans les affaires de la société de A à Z *(sic)*... Le prêcheur... doit en conséquence parler de tout ce qui touche les Musulmans, sans cela, il serait traître... Les ignorants de ce temps haïssent le prêcheur honnête... » (celui-ci a été recueilli par Tosy, mais Kepel en cite de plus salaces...)

La prévention du Mal par les Musulmans militants est fondée sur les Hadith cités plus haut, mais la récupération des mosquées (vidées par l'incapacité des clercs stipendiés à y retenir les fidèles), et leur réutilisation selon les « modes populaires d'action politique», est, elle, justifiée par une référence au Livre Saint; *Coran,* sourate de la Vache, verset 112 :

« Qui est plus injuste que ceux qui empêchent que le nom de Dieu retentisse dans les mosquées et qui travaillent à leur ruine? Ils ne devraient y entrer qu'en tremblant. L'ignominie pour eux ici-bas et un châtiment terrible dans l'au-delà. »

Cette récupération a permis, depuis une dizaine d'années, aux islamistes et à certains prêcheurs de transformer les lieux de prière (y compris créés sur les lieux de travail sous leur pression) en *ḥorm* (enceinte sacrée) politique. Et les États officiellement musulmans, constitutionnellement musulmans, ont quelque scrupule à faire intervenir les forces armées pour déloger les fidèles qui écoutent les prêcheurs dénoncer la prévarication; cela s'est pourtant produit à Fez, à Laghouat, à La Mecque, et les arrestations, les exécutions d'islamistes, sans oublier les massacres comme ceux de Hamma en Syrie, ont renforcé partout la liste des martyrs de l'Islam.

De plus, certains prêcheurs se déplacent de mosquée en lieu de prière, ce que ne font pas les clercs stipendiés; et enfin, si nous savons peu de chose sur les grandes pérégrinations clandestines à travers le *dâr al-islâm,* elles existent : alors que la plupart des touristes visitent le Maroc ou l'Égypte d'îlot en île [11], j'ai toujours utilisé les moyens de transport locaux dans les pays arabes.

On y apprend mille choses et l'accueil est surprenant, le

peuple gai, ironique et généreux. Ainsi, prendre systématiquement les gens en stop conduit le plus souvent à... une invitation
chez le transporté [12]...

Ainsi, en 1974, je circulais ce jour-là sur la piste d'Aoulef
al-Arab pour aller rejoindre ma famille, qui campait avec des
amis dans une petite oasis au sud de Timimoun (Sahara
algérien) à l'occasion des congés scolaires de Pâques. Je venais
de prendre un pauvre hère, qui marchait sa besace sur le dos et
j'essayais de parler avec lui. Mais il était méfiant, presque gêné
de mes questions après les salutations d'usage.

A cette époque, j'étais plutôt préoccupé par la révolution
agraire et peu concerné par la religion.

« D'où viens-tu ?
— De là-derrière (*foq,* en dialectal, est plutôt vague...)
— Où vas-tu ?
— Là-bas »... encore plus vague, vers l'Est...

Pris d'une inspiration, non pas spontanée mais anthropologique..., je lui dis « Alors tu es soufi ? » (j'utilisai en fait le mot
mutaṣawwif).

Il me regarde un peu interloqué et me dit : « Tu sais ça,
toi ? » Puis, après un silence et de grands soupirs, il m'explique
qu'effectivement il allait visiter un Wali Salah, un Saint
homme « avec qui j'étudie les textes »... Je l'accompagne en
sortant un peu de la piste, à l'orée d'une toute petite oasis, sur
une colline entourée d'un cimetière : nous montons quelques
mètres à pied jusqu'au sommet, où se dresse une petite
construction de plusieurs pièces autour d'une cour agencée à
partir d'une grotte qui ressemble à un « golgotha » donnant à
l'ensemble une forme de crâne avec deux yeux et une ouverture
béante. Nous nous installons dans la pièce principale qui,
manifestement, reçoit de nombreux passagers. Nous buvons le
thé à la menthe et, entre deux lampées bruyantes, mon
« stoppeur » dit à notre hôte de se méfier car je comprends « un
peu »... Le Saint m'interroge longuement sur mes activités en
Algérie et semble rassuré par mon innocence et surtout par les
limites de ma capacité à comprendre. Comme la nuit est

tombée, nous mangeons et je dors là sur un bas côté. Les deux
hommes parlent à voix basse : il est question de Zbiri (un
colonel opposant à Boumediene), de révolution agraire, de
religion, de politique, à moins que ce ne soit de religion puis
encore de religion et surtout des changements qui se produisent
en Algérie. Épuisé par l'effort que nécessite l'attention, l'écoute
d'une langue étrangère, je m'endors en entendant les deux
hommes parler, parler...

Quelques années plus tard au Maroc, je prends en stop un
homme relativement jeune encore, barbu, avec une tresse de
côté et portant l'habit d'Arlequin *muraqqaᶜ* des pérégrins.

Entre-temps, en effet, j'avais beaucoup travaillé sur la
religion et la mystique. Après les salutations d'usage, comme je
suis à cette époque assez à l'aise avec le vocabulaire religieux,
j'attaque tout de suite : « Tu es un voyageur sur le chemin
d'Allah? » et, en vrac, je jette au hasard : « Qui t'a donné le
premier tapis? Qui t'a donné la première ceinture? Quelle rose
portes-tu [13]? »

L'homme sourit et, en se tournant vers moi, me demande si
je suis musulman; malgré ma réponse négative, il me dit :
« Oui, je porte la rose de Sidi Abd al-Qadir. Mais comment
sais-tu cela, toi, un *kâfir*? »

Je lui explique alors que j'enseigne l'histoire des idées
politiques arabo-musulmanes à Casablanca et, après m'avoir
longuement interrogé, il me raconte sa vie.

C'est la sixième fois qu'il va à La Mecque, mais il est allé
aussi à Damas et à Bagdad, sur la tombe d'Ibn Arabi et de Sidi
Abdelqadir al-Gilani. Il est même allé à Jérusalem. Il n'a pas
de papiers... et devant ma stupéfaction interrogative : « Il y a
des frères partout, et des lieux, et des signes... Viens avec moi,
ce soir, tu verras, ô incroyant... »

Pendant que nous roulons, il m'explique que le seul ennui
sérieux qu'il a eu en quinze ans (il met à peu près trois ans pour
boucler un pèlerinage Maroc-Machreq aller-retour), ce fut en
Libye, à la frontière égyptienne. Je n'arrive pas à comprendre à
quelle époque, parce que sa comptabilité est indécodable pour
moi mais c'était à l'occasion d'un des conflits qui opposèrent les
deux États.

Il m'entraîne alors dans un tout petit hameau et nous sommes accueillis par des gens qui, bien que ne l'attendant pas, le connaissent manifestement. Salutations, thé à la menthe. Tout le monde est assis et mon homme parle. Cette fois-ci, je comprends mieux. Il parlera jusqu'à une heure avancée de la nuit et grands et petits, hommes et femmes, jeunes et vieux (nous sommes bientôt une quinzaine dans la pièce) ponctuent son récit d'approbations, de formules rituelles, voire de courtes prières.

En moins de quatre heures, il raconte TOUT : le Prophète, le monde, la guerre, l'émigration, le geste des Arabes, les splendeurs de la civilisation musulmane et l'impiété des nantis, des dominants, l'hypocrisie des faux Musulmans – tout.

Il dirige la prière du « maghreb » puis nous mangeons tous ensemble (de la main droite); après le repas silencieux et les ablutions, les gens lui posent des questions. Lorsque je m'endors, il répond encore sur tout, à tout. J'entends même parler de « pilule » contraceptive...

Le lendemain matin quand je me lève..., il est déjà parti et il m'a laissé un talisman. Sur un tout petit bout de papier, il m'a écrit, en double volute entrelacée, le mot arabe qui correspond à « LUI », ce qui donne, de droite à gauche, HW-WH هوهو L'ineffable, l'innombrable aux 99 noms...

Je reprends la route monotone de Casa seul, perdu dans mes pensées. Peut-être ai-je rêvé à *al-khiḍr,* l'initiateur vert qui rencontra Moïse au carrefour des deux mers : *majmaᶜu'l-baḥrayn.* « Dieu est le plus savant... »

La prédication politique

Un exemple fourni par Tosy lorsque nous travaillons sur le champ religieux au Maroc : le prêcheur Z. a passé trois ans à commenter la sourate de la Vache (à la manière kischkiste), alors qu'un ᶜâlim classique l'aurait fait en deux mois; il se déplaçait dans trois mosquées différentes très éloignées l'une de l'autre et, à chaque fois, il était suivi par le même public. Le prône ou la leçon du ᶜâlim libre donne lieu à un véritable rituel de consécration : la mosquée de Derb (un quartier de Casablanca), par exemple, d'une capacité de 600 personnes, en abritait, le jour de la leçon, le triple.

De même qu'autour de la mosquée se crée *ex nihilo* un environnement mystico-économique où se bousculent marchands d'encens, de cassettes de Kischk et d'autres prêcheurs libres, des librairies improvisées offrent sur le trottoir à un public enthousiaste les livres de Sayyid Qutb ou de Hassan al-Banna, voire d'Ibn Taymiyya.

Nous avons vite compris que si la sainteté rapporte, il n'est pas possible de la réduire à un phénomène strictement commercial. Nous avons analysé le même phénomène au Caire autour de Kischk, et à Tunis autour de Mourou (qui avait été condamné à quinze ans de prison).

Toutefois, l'image, dans la tradition islamique, d'une mosquée librement accessible et d'une gestion libérale n'est pas totalement exacte. Elle n'était le lieu privilégié de la prédiction que chaque fois que le discours des Ulama coïncidait avec le projet politique de la Cité; la chasse donnée par les Fatimides aux Ulama sunnites, l'anarchie qui régnait dans les mosquées marocaines à l'époque où les Ommayades d'Andalousie, les Fatimides d'Égypte et les Abbassides de Bagdad se disputaient la direction religieuse et politique de la Communauté musulmane ne sont que des exemples historiques d'une pratique contemporaine!

Mais, au Maroc et en Égypte, il existe effectivement des mosquées « libres », c'est-à-dire financées par des particuliers; en Tunisie et en Algérie, en Syrie, à plus forte raison en Irak, l'État s'en charge. Partout, les islamistes approuveraient cette formule de Yassin (*al-Jamâ°a,* 10, p. 48) :

« ... Nous concentrerons notre bataille sur la revendication de notre droit aux Maisons de Dieu; personne n'a le droit de nous en interdire l'accès, ni de nous empêcher d'y parler de Dieu » (traduction de M. Tosy).

La cohabitation, dans un même espace, des enregistrements de Kischk, importés, et de ceux produits par les prêcheurs locaux, la référence explicite dans la pratique de la prédiction à la tradition des Ulama martyrs d'Égypte nous [14] ont amenés, dans une perspective analytique, à assimiler les prêcheurs libres au palier contestataire du mouvement islamiste. Cette assimilation reste cependant nuancée. La tradition des prêcheurs-critiques est davantage rattachable à la fonction de *redresseurs de tort* assumée individuellement jusqu'à maintenant par des Ulama isolés qu'à un mouvement de *daᶜwa* qui cherche à restructurer la société. Certes, actuellement, il y a coïncidence entre ces deux paliers de la *daᶜwa*; plusieurs exemples de savants encadrant un mouvement de propagande religieuse, qui annonce un projet politique nouveau sur la base de réformes structurelles, peuvent être repérés dans l'histoire immédiate du monde arabo-musulman.

Or, les Frères musulmans, en Égypte, se faisaient une idée assez piteuse du rôle du ᶜâlim dans le processus de prise du pouvoir. Qutb, dans son manifeste-programme, en faisait une préoccupation majeure qui sépare le moment du Ba'th (renaissance ou résurrection) de celui de la prise du pouvoir effectif. Au Maroc, Yassin, dont les lieux de ressourcement théoriques prolongent la chaîne d'autorité symbolique d'Ibn Taymiyya, en passant par Hasan Al-Bana et Sayyid Qutb, traduit cette préoccupation d'une nécessaire osmose entre le ᶜâlim-prêcheur-critique et un mouvement organisé, dans un texte intitulé : *L'État, c'est l'autorité, et la daᶜwa, c'est le Coran.*

« Le temps est révolu où la *daᶜwa* était un jouet aux mains de l'autorité; le moment est venu où l'État doit devenir une épée entre les mains des prêcheurs, qui s'en serviront pour repousser la haine de l'ennemi et la servilité de l'exploiteur...

La *daᶜwa* n'est pas une prédication... Ce n'est pas non plus, après le réveil béni (de l'Islam), une spéculation sur le meilleur (gouvernement), ni une opposition fataliste qui accepte la loi du fait accompli, (mais) les Chevaliers de Dieu qui descendent dans l'arène pour préparer les compétences nécessaires avant d'arriver au pouvoir, guérir les maux de la Communauté et prendre en charge la gestion de ses affaires. »

Tosy, qui m'a traduit ce texte que je n'ai pas lu, ajoute à mon intention :

« Le sens de lire disparaît pour laisser la place aux autres qualificatifs du Coran/vérité et *furqân,* c'est-à-dire ligne de partage entre le juste et l'impie; son opposition à l'autorité et à l'État dans le titre laisse supposer la mise en évidence de la filiation divine de la *da^cwa* par opposition aux limites humaines de l'État. »

Là est bien le nœud du problème : l'*iṣlâḥ* peut être transcendé, pas les *tanẓîmât*/réformes.

Or, il est probable qu'actuellement il y a coïncidence entre la *da^cwa,* projet politique, et la *da^cwa,* devoir de tout ^c*âlim* (savant).

La *da^cwa* islamiste, qui est l'avant-propos d'un projet embryonnaire de restructuration de la société, favorise le développement chez les croyants d'une demande de ^c*âlim engagé,* de même que les cercles animés par les prêcheurs libres alimentent à leur tour le mouvement islamiste de nouveaux adeptes, sans qu'il y ait pour autant de liens organiques entre les deux acteurs dans la constitution d'un contrechamp politico-religieux. Il faut noter que les prêcheurs libres se situent, malgré le caractère contestataire de leurs interventions, au sein de l'orthodoxie; les liens de leurs engagements sont rigoureusement délimités thématiquement et spatialement.

Les prêcheurs libres développent la même sensibilité aux problèmes que les islamistes, mais ces derniers se gardent de les compromettre en les intégrant dans leur personnel dirigeant. En effet, l'engagement individuel du ^c*âlim* peut être toléré dans la mesure où il exerce sa fonction normale; en revanche, son engagement au sein d'un groupe serait interprété par le Pouvoir comme une trahison du devoir religieux et serait assimilé, par conséquent, à de l'activisme politique... et tous les prêcheurs savent comment ont fini al-Banna, Qutb et tant d'autres, d'autant plus que d'autres porteurs de discours ont occupé tout l'espace politique depuis vingt à trente ans.

Le livre vert utilisé comme le petit livre rouge

Le Coran peut être appréhendé comme une œuvre politique [15] à condition d'en faire une lecture plurielle [16]. Cette lecture politique, bien qu'elle prétende à bon droit rester strictement religieuse, a un impact précis sur l'idéologie et sur les pratiques religieuses et politiques d'un certain nombre de militants et de groupes islamistes qui s'activent au Maghreb et en Égypte plus particulièrement, à un degré moindre dans les autres pays arabes où ils sont beaucoup plus combattus par les pouvoirs en place.

A. Gramsci avait pressenti, dans un pays aussi religieux que l'Italie, que la lutte réelle se situait sur le terrain idéologique et pas seulement au niveau économique.

Effectivement, dans la concurrence pour le monopole de la production des biens symboliques, les clercs des trois religions monothéistes ont mis au point des techniques originales et aussi nombreuses que diversifiées, mais qui toutes utilisent le même vecteur et un support identique : le prône et le prêcheur [17].

Les formes que peut prendre le prêche *(al-khoṭba),* ainsi que les différents statuts du locuteur, varient selon l'état de développement des stratégies des clercs en vue de l'hégémonie dans la gestion des biens du salut, et plus particulièrement dans la production de textes apocalyptiques.

Si l'on se place dans cette perspective d'analyse [18], il est alors possible d'étudier et de comparer des « porteurs de discours », religieux et politiques, aussi différents que le type idéal kischkiste, que les *Illuminés de Bavière* ou les pérégrins calvinistes des Camisards languedociens [19], sans doute parce qu'ils ne sont différents que pour l'observateur positiviste...

Le cheikh A. Kischk est un prêcheur aveugle d'un quartier du Caire dont les cassettes (prônes enregistrés ou leçons) circulent par centaines jusqu'au bout du Maghreb. C'est à notre avis [20] un *khâṭib* type de la catégorie wébérienne, « petit entrepreneur indépendant ». Il existe dans chaque pays arabe, actuellement, des dizaines de cas analogues (y compris en France).

A un moment donné, un discours de l'expropriation du prêcheur ou du prince indigne peut faire sens politiquement dans une société donnée, en l'occurrence dans la société musulmane contemporaine, dans laquelle l'hégémonie des clercs-sachant-les-Écritures est aujourd'hui contestée par des laïcs nationalistes modernistes, par des intellectuels traditionnels non stipendiés, mais aussi et surtout par des clercs, illégitimes, qui puisent leur propre légitimité dans le même capital culturel et symbolique que les clercs légitimes : l'Islam.

Il s'agit bien d'enjeux concurrentiels, dans le champ et le contrechamp politico-religieux tel que nous l'avons défini [21] : l'existence d'un champ de production spécialisé est la condition de l'apparition d'une lutte entre l'orthodoxie et l'hétérodoxie, qui ont en commun de se distinguer de la *doxa,* c'est-à-dire de l'indiscuté.

Or, dans la situation actuelle, les producteurs de biens symboliques concurrentiels en lutte pour le monopole de cette production puisent dans le même stock, font appel au même capital culturel, l'Islam.

C'est son interprétation et donc son utilisation qui diffèrent. Au cours de ce siècle, il me semble que quatre étapes peuvent être repérées.

Dans un premier temps, le dépècement du *dâr al-islâm* par l'impérialisme, sous sa forme d'avatar colonial au Maghreb, et de mandats-protectorats au Machreq, a produit l'effondrement des élites musulmanes urbaines et scripturaires, tandis que la résistance était le fait des campagnes et des confréries (ce n'est qu'après la défaite que certaines collaborèrent avec le pouvoir colonial).

Puis souffla le vent d'Orient et la Nahda, qui permit la renaissance d'un Islam scripturaire et d'abord urbain. Le nationalisme allait se greffer sur ce socle et couvrir le second tiers du XXᵉ siècle d'une façon quasi hégémonique. Aujourd'hui, le nationalisme ne produit plus à lui tout seul suffisamment d'allocations positives, et la place est libre pour le retour de l'Islam en tant que source de légitimité.

Mais quel Islam ?

Nous avons constaté des opérations de réappropriation par des groupes subordonnés ou subalternes, et de réinterprétation du stock, selon une série de techniques que J.-F. Bayart nomme « modes populaires d'actions politiques [22] » c'est-à-dire « les manières de faire qui se situent à l'intérieur du champ de vision de l'ennemi ».

Quatre discours s'entrecroisent depuis le début du siècle, s'entremêlent et se font concurrence. *Le discours colonial*, qui est à l'origine des autres dans la mesure où ils répondent à l'allogénéité de l'agression et de la modernité. *Le discours occidental avancé*, qui est celui de la rationalité scientifique, souvent tenu à l'intérieur du troisième discours, *le discours nationaliste*. Enfin, *le discours traditionnel*.

Celui-ci est plus complexe parce que ses porteurs peuvent être à certains moments exclus du champ de la compétition, comme ce fut le cas des traditionnistes en Irak, et des berbérisants au Maghreb [23]. Réduits à quelques cercles repliés sur eux-mêmes, les porteurs du discours traditionnel religieux se sont tus pendant la période d'euphorie des premières années d'indépendance au Maghreb et pendant la période nassérienne en Égypte, sans que cela signifie qu'ils soient restés inactifs. Ils se légitimaient en affirmant l'antériorité de leur discours par rapport au discours colonial. Ils ont ensuite puisé leur force dans le fait qu'ils ont épuré leur discours de ses archaïsmes et de ses compromissions par la traversée du désert – parfois terriblement éprouvante, comme en Égypte – que leur ont imposée les classes politiques modernes. Et, aujourd'hui, ils peuvent poser le discours « traditionnel » comme message révolutionnaire dans la mesure où l'Islam leur permet de refuser et de réfuter tout occidentalisme [24].

Le discours colonial est en effet au principe des autres, en ce sens qu'il est producteur d'une partie de leur problématique et de leur logique, dans la mesure où le discours est, selon l'heureuse formule de Foucault, pas simplement ce qui traduit les luttes ou les systèmes de domination mais ce pourquoi et ce par quoi on lutte : le pouvoir dont on cherche à s'emparer [25].

C'est pour cela qu'il m'a paru possible de représenter ces quatre discours par le carré sémiotique que propose Greimas [26].

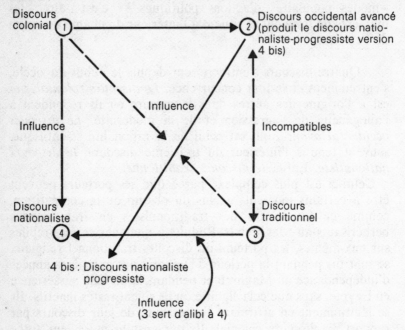

La seule véritable opposition est entre 2 et 3, puisque 2 a une logique matérialiste qui produit une rationalité réifiante aux yeux des islamistes, alors que 3 propose une spiritualité fondée sur une authenticité originelle.

Il s'agit bien en effet de récupérer ce pouvoir, en particulier de la parole, dont le colonisé, l'Arabe, l'Autre, avait été dépossédé par la colonisation [27].

Jacques Berque a le mieux compris et expliqué à quel point la colonisation fut une entreprise d'uniformisation niant l'indigène comme sujet et, ce faisant, ré-écrivant son histoire, dissociant l'autochtone de sa nature, accaparant ses produits et par-dessus tout dévalorisant sa culture – parfois même la dévalisant : l'orientalisme de pacotille a certainement été beaucoup plus dramatique que celui des savants, fussent-ils officiers des affaires indigènes.

Mais la colonisation n'a pas réussi à détruire totalement les rapports sociaux des Arabes et des Musulmans, et, parallèlement, le capitalisme, porteur de la rationalité universelle, n'a pas pu (ou voulu?) transformer les sociétés pré-capitalistes en sociétés totalement modernes. Le résultat est complexe; il peut être décrit, comme le fait Paul Pascon, sous l'appellation générale de *société composite*.

Pour ma part, je préfère, quitte à être accusé de racisme, reprendre l'idée de Franz Fanon en la dramatisant encore plus : la société coloniale a rendu fou le colonisé, mais j'ajoute que la décolonisation a fait de lui un schizophrène parce que le problème et le risque de la décolonisation résidaient dans la difficulté à transformer une société déjà bouleversée par les outils coloniaux. Les jeunes [28] États-Nations devaient se réunifier ou disparaître, parce que l'enjeu était de recoller ce que le capitalisme avait partialisé : le signe et la chose, l'homme et la nature.

Or, la contradiction tenait au fait que, pour ce faire, le discours nationaliste-progressiste puisait ses références dans le stock fourni par l'Europe dominatrice. Il est aisé de comprendre alors que le discours islamiste est irréductiblement antagoniste, en lui opposant le stock musulman.

La trahison des clercs

Lorsque l'écrivain égyptien Tawfiq al-Hakim [29] publie dans le plus important journal d'Égypte, *al-Ahram,* un feuilleton hebdomadaire qui, par-delà ses conversations avec son « âme », est une adresse à Dieu, il se pose en « petit entrepreneur indépendant » dans la gestion des biens du Salut, et soulève – outre un débat sur la modernité de l'Islam en Égypte – un tollé parmi les clercs officiels, eux-mêmes contestés par les clercs concurrents, organisés ou indépendants : le grand cheikh d'al-Azhar, représentant les Ulama, crie au scandale; le chef des « néo-Frères musulmans » réclame l'interdiction et le cheikh

Kischk continue a prétendre que l'Université d'al-Azhar dort « d'un sommeil profond dans un déshonneur sans pareil ».

Les intellectuels sont athées et occidentalisés, et les clercs officiels stipendiés.

Ce décor est à peu près le même en Algérie, au Maroc, en Tunisie, mais différent en Libye, en Syrie ou en Irak. Tout au moins, les clercs concurrentiels et les prêcheurs y tiennent le même discours contre les Ulama officiels et les intellectuels pervertis par l'Occident, d'autant plus que, souvent, comme en Syrie, ces derniers s'allient pour écraser les « Frères »...

En Arabie Saoudite, ils ne peuvent guère s'exprimer qu'en comités discrets. Il faut distinguer les systèmes symboliques [30] selon qu'ils sont produits et du même coup appropriés par l'ensemble du groupe ou, au contraire, produits par un corps de spécialistes, et plus précisément dans un champ de production et de circulation relativement autonome, parce que :

« L'histoire de la transformation du mythe en religion (idéologie) n'est pas séparable de l'histoire de la constitution d'un corps de producteurs de discours et de rites religieux, c'est-à-dire du progrès de la division du travail religieux, qui est lui-même une dimension du progrès de la division du travail social, qui conduit entre autres conséquences à déposséder les laïcs des instruments de production symboliques. »

L'étude de la *da͑wa* (l'appel) permet de relever l'apparition de « petits entrepreneurs indépendants » et d'associations (dont la forme varie) enracinés dans l'Islam en tant que source de légitimité, et entrant en compétition avec les clercs et les structures orthodoxes pour briser leur monopole de la production des biens symboliques légitimes.

Il faudra à ceux-ci beaucoup d'imagination et/ou de répression pour contrecarrer ce projet, car la fin n'est rien moins qu'une société alternative. Beaucoup de ceux qui se réfèrent au marxisme ont oublié que « la société civile est le véritable foyer, la véritable scène de toute l'Histoire [31] ».

Aussi, sans sous-estimer ni la crise, ni le capitalisme, ni la périphérie, ni les bourgeoisies arabes, il faut prendre essentiellement en considération le travail que l'Islam effectue dans la société civile, puisque par ce biais les islamistes s'essayent à s'ériger en communauté active face à l'État moderne oublieux de la légitimité (religieuse) de ses origines.

Les islamistes et tous les prêcheurs démentent ainsi cette prévision de F. Fanon qui prétendait que la fonction historique des intellectuels organiques du tiers monde était de trahir leurs origines de classe... Le paradoxe est que ce sont sans doute les intellectuels modernistes occidentalisés auxquels Fanon faisait allusion, ceux-là mêmes qui révoquaient en doute les intellectuels traditionnels sans percevoir que l'allogénéité de l'État-Nation était une greffe insupportable pour des sociétés civiles vivant dans un univers culturel différent.

A l'époque moderne et surtout post-coloniale, le passage à l'État-Nation, limité par des frontières à l'intérieur d'un *dâr al-islâm* découpé par le colonisateur, transformait l'expérience socioculturelle privilégiée du groupe communautaire; le champ était libre pour une réactivation de la *daᶜwa* sur un mode moderne.

Si les clercs stipendiés ont un temps hurlé à la régression, et d'autres à la réaction passéiste, ils n'avaient plus d'alternative crédible à proposer aux masses arabes défaites et affamées. La prise des mosquées par des moyens violents ou par la *daᶜwa* devenait possible. Fondée sur une lecture classique et pas seulement passéiste de l'Islam politique et des pratiques prophétiques elles-mêmes, cette nouvelle stratégie politique à forme religieuse des groupes subalternes ou à statut quasi illégitime produisit des effets sociaux dont l'aboutissement symbolique est l'assassinat de Pharaon par le groupe Jihad... Le 6 octobre 1981, Khalid al-Istambuli et son commando tuent Sadate en criant : « J'ai tué Pharaon! »

Qui, parmi les pleureuses occidentales, se rend compte qu'il s'agit là d'un thème banal commenté par les islamistes d'aujourd'hui, les mystiques d'hier et de nombreux orthodoxes de tout temps... puisque même le thème du Salut du Pharaon – celui de l'épisode de Yusuf/Joseph – fait l'objet de débats [32]...

Joseph est vendu par ses frères. L'ennemi n'est pas

seulement l'ennemi extérieur, il est celui qui campe *dans* le *dâr al-islâm*, le Musulman oublieux, tiède, ou *a fortiori* impie. Or, c'est dans l'impiété et l'apostasie que se trouvent, selon les islamistes, les causes réelles de la décadence et les défaites arabes, en particulier celle de 1967...

L'impuissance des États arabes devant l'invasion israélienne au Liban n'a d'équivalent, dans l'intensité surprenante, que la mobilisation des masses, au même moment, pour le Mundial... (le football, nouvel opium des peuples).

Par-delà la trahison des clercs, il y a désormais rupture entre l'État-Nation et la Communauté musulmane : c'est bien ce que les islamistes annoncent depuis une décennie.

Et lorsqu'il y a *fisq*, rupture entre la Umma et l'État oublieux de la légitimité de ses origines, la Communauté, d'une façon ou d'une autre, doit rétablir l'ordre. C'est une banalité dans l'histoire événementielle des sociétés arabo-musulmanes. C'est cette « obligation absente [33] » dont parlent les théoriciens islamistes, la guerre civile obligatoire. « Absente » parce que si le Coran parle de *jihâd*, ce n'est jamais au sens de guerre civile ; les autorités orthodoxes peuvent ainsi accuser les islamistes de produire des « innovations blâmables ». Or, le constat de faillite est là, général : faillite du capitalisme importé ; du marxisme importé ; mais faillite également d'un certain Islam et du nationalisme qui l'a, un temps, remplacé.

Les États-Nations hégémoniques sont oublieux de la légitimité du pouvoir dans le *dâr al-islâm*, même lorsque leur propre légitimité était le nationalisme. Or, la pré-existence d'un capital symbolique (qui peut lui-même produire du capital matériel) est une donnée constante de la société arabo-musulmane.

L'archétype de l'accumulation symbolique se trouve dans la *da°wa*, dans le prône du Prophète ou du mystique, dans *l'appel*, dans le prosélytisme militant. Généralement, l'action de *da°wa* tend ou aboutit à la création d'une nouvelle confrérie, d'un nouvel ordre religieux, quand cela ne finit pas dans le martyre du prêcheur ou dans la fuite au désert. Il ne s'agit pas de comparer l'incomparable, mais le fait est que Hallaj et S. Qutb ont été exécutés comme tant d'autres de leur catégorie [34].

Phénomènes banals, connus, répertoriés, occultés et oubliés. Lorsqu'il y a banalisation du phénomène par institutionnalisation confrérique, par exemple, le nouveau groupe survit grâce à son capital symbolique, par la production de services qui le transforme en capital matériel. Toute l'histoire confrérique l'atteste.

Rupture entre l'État et la Umma

Mais en cas de crise, de rupture – *fisq* –, les nouveaux prêcheurs proposent une alternative crédible : restaurer l'ordre, rétablir le règne de la *sărîʿa*. Pour cela, ils parlent, bien sûr, du règne de la *jâhîliyya*; mais, comme ils parlent la langue des pécheurs là où ils sont, ils proposent une alternative bien terrible et dangereuse pour les pouvoirs hégémoniques en place, puisqu'il s'agit de chasser la *jâhîliyya* de leur tête. Il s'agit donc bien de révolution.

L'Occident et la gauche arabe ont tendance à traiter ce phénomène par le mépris ou l'amalgame du type : « Frères musulmans », DONC réaction manipulée par la CIA.

La gêne de la gauche arabe éclate dans la production analysant l'islamisme [35]. Or, l'alternative que proposent les islamistes est à la fois crédible et drastique : psychologiquement, l'aller-retour de la prise en charge de soi par la Communauté (et celle-ci peut être constituée par un tout petit groupe) est une réponse à toutes les pathologies de la modernité, et ce d'autant plus que tout est interdit (à part le football)...

En changeant l'individu, l'islamiste accomplit sa propre *métanoïa*; il veut changer le monde en commençant par lui-même dans sa propre société, avant de changer sa société...

L'alternative drastique que propose l'islamiste est alors, face à la parcellisation du *dâr al-islâm* en États-Nations concurrents, de revenir à une Communauté plus vaste qui seule permettra de réaliser les conditions d'application de la *šarîʿa*. Pour l'islamiste, l'État et la Nation, tels qu'ils sont « pratiqués » par les classes politiques arabes, sont des concepts occidentaux, ultime avatar de l'impérialisme, cadeau empoisonné du colonialisme. Alors pourquoi ne pas utiliser, puisqu'ils existent dans la culture arabo-musulmane, les concepts spécifiques qui permettraient d'affronter la modernité?

Si le Maghreb est simplement divisé en États qui se font la guerre (ce qui est scandaleux pour tout Musulman), le Machreq, lui, est de plus divisé confessionnellement. Sans même aborder le problème libanais, il faut rappeler que le Liban est partagé entre une vingtaine de confessions et la Syrie dominée par une minorité religieuse (les frères Assad appartiennent à la secte alaouite du Djebel Noussayri); l'Irak a une majorité de citoyens chiites (55 %), et partout dans le Golfe les ouvriers, quand ils ne sont pas palestiniens, sont chiites (ou asiatiques)...

Les mouvements politiques, y compris les partis « uniques », sont divisés, selon les lieux et les époques, en tendances pro-irakiennes/pro-syriennes/pro-égyptiennes, civiles/militaires, gauchistes/modérées, et chacun d'eux possède sa propre filiale palestinienne...

Le nationalisme arabe, qui se présente comme un, unitariste et unanimiste, n'est pas né dans les mêmes circonstances que le nationalisme européen : celui-ci servit à émanciper des classes (et surtout la bourgeoisie) de la tutelle réactionnaire de groupes sociaux condamnés par l'histoire; celui-là devait libérer des peuples du joug colonial, mais peut-être, au fond, n'a-t-on pas assez réfléchi sur l'homothétie des deux fins. Il faut nuancer encore plus pour décrire les différences entre le Maghreb et le Machreq [36].

Le nationalisme arabe naît au Machreq vers 1905-1908 en réaction à la domination turque. Il diffère alors sur un point central de l'Islam politique par son adhésion au sécularisme. Ainsi le Ba'th a-t-il pu avoir des velléités de laïcisation qu'il ne faut ni négliger ni sous-estimer. Alors que le nationalisme maghrébin anticolonial (même s'il est né aussi dans les milieux de travailleurs émigrés) ne s'est pas coupé de ses racines arabo-musulmanes, bien au contraire. La différence pertinente n'est donc pas entre *nationalisme arabe* et Islam mais entre Islam et *sécularisation.*

Le libéralisme et le marxisme (en tant que doctrines) ne touchent que l'élite de la société, « élite » pris au double sens arabe de *khâṣṣa* et au sens européen de ceux qui ont du capital culturel occidental. Les masses visent à l'égalité et à la justice qu'elles ont cru trouver dans le nationalisme arabe surtout à l'époque de Nasser. Aujourd'hui, l'Islam leur paraît la meilleure façon de défendre leurs intérêts de classe et leur existence même...

Deux instances sont dont concurrentielles dans la fabrication de capital symbolique, et il ne fait pas de doute que l'un des deux est de trop; à mon avis, les islamistes (actuellement) l'emportent sur les nationalistes. Ceux-ci ne produisent plus assez de légitimité après vingt-cinq ou trente ans d'expérience d'une indépendance nationale, socialiste ou *šaᶜabiyya* (populaire/populiste), face aux échecs répétés de la constitution de l'Unité arabe sur la base d'une *umma al-ᶜarabiyya.* Par ailleurs, le sunnisme s'est déconsidéré par ses compromissions avec *tous* les pouvoirs.

La crise et la rupture entre les États et la Communauté sont, bien entendu, encore plus apparentes depuis quelques années chez les hommes politiques.

Le président Anouar al-Sadate allant à Jérusalem a, sans doute, accompli un geste dont la symbolique transgressive est – de toute façon – irréversible. Le roi du Maroc recevant le shah d'Iran déchu rompait également avec cet unanimisme communautaire qui semble bien caractériser les sociétés musulmanes. Hassan II, étant aussi *Amîr al-mu'minîn* (commandeur des croyants), a très habilement pris une charge supplémentaire de légitimité avec la responsabilité du Comité al-Qods; mais Sadate est mort, ses exécuteurs « martyrisés » et « l'intégrisme » progresse allégrement dans le vide politique. Assiout est devenu un modèle, pour certains, pour beaucoup même au Maghreb, et Hama, un symbole.

Boumediene est mort, et après celle de La Mecque, la mosquée de Laghouat doit être prise d'assaut. Bourguiba embastille ses « intégristes »... tandis que le cheikh A. Kischk

rejoint en prison les fidayin du groupe Takfir ou Hijra, alors
que ses « cassettes » (leçons ou prônes enregistrés) circulent par
centaines dans tout le Maghreb; car si Kischk comme le cheikh
Moro de Tunis sont sortis de prison et s'ils « rentrent » dans le
rang, leurs « leçons » sous forme de cassettes restent [37].

Partout dans le monde arabe, mais encore plus au
Maghreb, l'observateur constate, empiriquement, depuis une
dizaine d'années, ce « renouveau » dont personne ne sait s'il est
véritablement un *tajdîd*, une nouvelle Nahda, dont les petits-
fils perdus [38] auraient fait, enfin, le tour de cet Occident
anxiogène pour re-venir au passé glorieux, non point des
dynasties, mais des Qarmates, des groupes révolutionnaires des
IXe et Xe siècles.

Dans ce chemin sinueux, il faut d'abord évacuer l'amalgame occidental Iran/intégrisme. Il me paraît nécessaire de
poser la question autrement : par-delà le jugement que l'on peut
porter sur elle, quel est l'impact de la révolution iranienne sur
les masses arabo-musulmanes?

Plus précisément, qu'est-ce que l'exemple iranien a perturbé dans les rapports classes politiques/élites/masses arabes,
et qu'a-t-il mis en branle comme mécanismes sociaux mal
connus ou mal maîtrisés? Il est clair que la réponse à ce
faisceau de questions est complexe. Le rapport à l'Iran reste
très ambigu : les États ne sont pas sur ce point très en harmonie
avec les masses arabes, mais curieusement les islamistes sont
aussi très divisés. S'il paraît cohérent que le Roi du Maroc [39]
fasse condamner les Ayatollahs par ses Ulama, la réticence des
islamistes à l'égard du chiisme justifie-t-elle leurs réserves
concernant la Révolution elle-même?

Beaucoup sont contre la pratique iranienne mais ils se
réfèrent aux bienfaits de la religion comme potentialité révolutionnaire. En fait, nous sommes en présence d'un effet d'entraînement, non organique, du phénomène iranien à travers la
double lecture Orient/Occident par les médias; le rapport
Iran/Occident n'est pas un phénomène immédiat et la média-
tisation (double lecture Iran/Occident/monde arabe) a permis
de découper le banal; elle a donc permis aux Arabes une

relecture politique de l'Islam. La référence indirecte de l'isla-misme à l'Iran est plutôt due à l'amalgame que font les médias occidentaux annulant la spécificité du chiisme, *alors qu'il fait la différence pour les Arabo-Musulmans.* Autrement dit, pour l'Occident, « tout cela c'est du fanatisme musulman », sans détail, et tout cela, « c'est l'Islam ». Le cas le plus typique de cet amalgame porte sur le groupe « Jihad islamique », et le montage des titres de la presse française (toutes tendances confondues) est éloquent à ce sujet : terrorisme, terreur, tueurs (d'Allah), délire, fous d'Allah.., fanatisme, etc.

Il me semble que cette agressivité contre l'Islam justifie l'identification des autres groupes musulmans quelles que soient leurs différences. Ce phénomène d'amalgame et de double lecture joue également pour les « Frères musulmans ».

Il faut donc, avant toute chose, passer par la clarification des questions, et plus particulièrement du vocabulaire : les mass media français confondent souvent sous des appellations géné-rales identiques des groupes fort différents. Le premier terme générique est « Frères musulmans » en français, et Ikh-wan/Khaouangi en arabe, d'un bout à l'autre du monde arabe avec quelques variantes.

Or, la société des Frères musulmans *(al-jamᶜiyya al-ikhwân al-muslimîn* [40]*), qui existe depuis... cinquante ans, contrairement à ce qu'écrit toute la presse française, n'est pas une confrérie (ṭarîqa) mais une association.* De plus, elle ne recouvre pas, loin de là, l'ensemble des islamistes, et inverse-ment tous les islamistes ne sont pas des Frères musulmans, tant s'en faut.

Il est désormais possible de présenter une typologie de la vingtaine de groupes qui se retrouvent un peu partout (sauf en Libye) et qui prennent la forme soit de ligues *(râbiṭa)* et d'associations pour l'apostolat de l'Islam *(jamᶜiyya al-daᶜwa),* soit la forme d'associations charismatiques, voire de nouvelles confréries que Tosy appelle « néo-turquisme », bien que ce phénomène n'ait rien à voir avec la mystique...

Entre autres, parmi tous ces groupes, certains sont plus ou moins dépendants de la société des Frères musulmans qui, en tant que telle, et même à travers ses réseaux clandestins, n'est plus massivement présente puisqu'elle a été décimée, parfois férocement comme en Syrie, et réprimée partout. Il faut par ailleurs ajouter des formes plus particulières à tel ou tel pays, par exemple des groupes plus « ba'thistes » en Algérie, ou marxistes-léninistes, maoïstes, frontistes au Maroc, et partout, des prêcheurs pérégrins, aboyeurs, hurleurs qui « marchent vers l'Orient » (l'acte a toujours sa vigueur : *tašrîq*), qui reviennent chargés de symboles et de messages et qui parlent dans les lieux où l'on ne rencontre guère des élites transculturées... Ils sont alors des porte-parole, des porteurs de discours.

En Égypte, toujours en avance sur le monde arabe, le même type de phénomène et de groupes, étudié par Kepel, présente une grande complexité : certains – comme *Jihâd,* responsable des nombreux troubles à Assiout, ou comme *Takfîr-u-hijra,* qui s'appelle en réalité *Jamâ°a al-muslimîn,* et *Jamâ°a al-fanniyya al-°askariyya* – ne dépendent en rien des Frères musulmans, même si des Frères musulmans appartiennent à ces mouvements (ils feront l'objet d'un chapitre séparé).

Je voudrais insister sur un point précis, mal perçu par les Européens : le cas des prêcheurs qui, d'Égypte à la Tunisie et au Maroc, et avec quelques imams « libres » en Algérie, réunissent autour d'eux des milliers de fidèles qui viennent écouter les *khoṭba* (prônes du vendredi), débordant les mosquées, emplissant les rues avoisinantes, et suscitent aussi de véritables petites communautés qui n'ont *aucun rapport* avec les FM, même si elles ont souvent des affinités idéologiques. Par contre, ces communautés fonctionnent comme de véritables toiles d'araignée dans chaque pays et avec des techniques qui ressemblent à celles des « taupes » trotskystes, ou plus simplement à celles des groupes du Xe siècle comme les *Ḥaššašiyyûn*...

Il faut donc bien insister sur cette réapparition du prosélytisme et du militantisme après une période de baisse des confréries classiques, pourtant toujours puissantes par le nombre des adeptes en Égypte, mais illégitimées au Maghreb, ou tombées en quenouille, avec comme corollaire, difficilement vérifiable, la quasi-disparition du grand mysticisme (de type Ibn Ajiba au Maroc ou Alawi en Algérie), et par contre une prolifération de « sectes », sociétés secrètes, associations, communautés, groupes informels...

Intégristes ou fondamentalistes?

Plusieurs problèmes se posent dans la qualification des islamistes comme intégristes ou fondamentalistes.

Le premier, en amont, à partir de la définition objective de ces deux mots/doctrines. Le second, en aval, dans leur qualification subjective utilisée par les Occidentaux.

Sur le premier point, il faut signaler que le problème de l'interprétation des Écritures n'est pas comparable dans l'Islam et dans le Christianisme. Le Vatican, en tant que seule instance légitime d'interprétation orthodoxe de l'Église catholique, a constamment condamné le modernisme en cette matière : l'interprétation se saurait négliger la tradition de l'Église, l'analogie de la foi, et les règles du Siège apostolique, ce qui correspond en fait au rejet de la critique rationaliste des textes.

Le fondamentalisme doit alors être pris au sens précis d'un retour absolu à l'Écriture comme seul fondement de toute critique et de toute rénovation, alors que l'intégrisme n'est pas d'ordre herméneutique : il est le refus des adaptations de l'action de l'Église et des croyants en matière liturgique, pastorale, sociale et politique. En ce sens, serait fondamentaliste tout Musulman qui veut revenir au seul Coran, et serait intégriste celui qui refuserait, par exemple, l'introduction de haut-parleur et de bande magnétique automatique avec une horloge électronique pour remplacer le *mu'adhdhin* (muezzin) à l'heure de l'appel de la prière.

Or, à mon avis, les islamistes ne sont ni fondamentalistes, ni intégristes au sens que je viens d'indiquer. Il faut donc, ne serait-ce que parce qu'ils admettent la Sunna, les Hadith, etc., et la quasi-totalité des innovations « non blâmables » en matière de culte, chercher la cause de cette appellation dans les faits subjectifs.

Le deuxième qualificatif qui est le plus souvent utilisé est

celui d' « intégriste ». Là encore, il faut rappeler que le mot
« intégrisme » a été inventé au début du XXᵉ siècle pour
qualifier un certain type de catholicisme; appliquer ce mot à
l'Islam, c'est faire preuve d'européocentrisme, alors que, au
mieux, l'objet n'est pas comparable.

Le terme « intégriste » est faux lorsqu'il est appliqué aux
Frères musulmans. Ceux-ci ne sont, à mon sens, que des
réformistes dans la ligne de la Nahda et leur programme n'est
pas très différent de celui que proposait Alal al-Fassi dans son
ouvrage *Défense de l'Islam*. Que ceux qui en doutent compa-
rent les textes [41]. Par contre, d'autres groupes sont fondamentalistes, certains plus radicaux et Kadhafi lui-même pense et
soutient que la Sunna doit être négligée au profit du seul
Coran. On ne le traite pourtant pas d'intégriste! C'est pour cela
qu'en accord avec la plupart des chercheurs attentifs à ce
problème nous avons proposé d'appeler « islamistes » cet ensemble de militants de l'Islam; puisque c'est ainsi qu'eux-mêmes se
nomment : *al-islâmiyyûn* [42].

Maxime Rodinson, dans une série d'articles [43], est le seul à
avoir donné une définition simple et claire de l'intégrisme pris
en ce sens d'*islamisme* : « aspiration à résoudre au moyen de la
religion tous les problèmes sociaux et politiques, et simultanément de restaurer l'intégralité des dogmes ».

Mais il s'empresse – et je crois qu'il faut le suivre en cela –
de poser des questions précises par-delà la définition : ces faits,
depuis la révolution iranienne jusqu'à ceux que je vais décrire
plus loin, se rattachent-ils à une vague conjoncturelle ou
durable? Seraient-ils liés à l'essence de l'Islam et par conséquent appelés à se renouveler indéfiniment? Ou bien, au
contraire, cette vague ne serait-elle qu'apparente? Maxime
Rodinson lance alors une piste, que pour ma part j'ai largement
utilisée dans mes recherches sur le terrain :

« S'il y a apparence de recrudescence de l'intégrisme actuellement, c'est que nous sortons – provisoirement peut-être – d'une
époque et d'une situation où la confirmation d'attitudes, sommaire-
ment décrites ci-dessus, s'était trouvée en partie occultée » (*le Monde,*
6 décembre 1978).

Autrement dit – et je l'ai constaté moi-même [44] – les masses ne renaissent pas à l'Islam ni au moralisme piétiste. C'est leur religiosité propre qui a été occultée, depuis le début du XIXᵉ siècle, occultée parce que nous, chercheurs européens, nous fréquentions exclusivement les « élites » maghrébines séduites par le nationalisme, voire le marxisme, sans comprendre qu'aux yeux de ces masses (au nom desquelles tant d'intellectuels, même « organiques », ont parlé), l'athéisme n'était qu'un luxe de *m'tourni,* « renégat » en dialectal. Une fois de plus, la société arabo-musulmane apparaît comme beaucoup plus complexe, plus différenciée, que ne le laisseraient supposer les rapports avec les seules classes politiques occidentalisées.

Le troisième problème de vocabulaire est celui posé par l'emploi du terme « renouveau islamique », qui ne veut rien dire à un double point de vue : d'une part, parce que la recrudescence islamique n'est en rien un renouveau théologique, bien au contraire, hélas! La lecture de la presse islamiste, l'écoute des prônes sont même parfois accablantes sur le plan théologique; elles sont en tout cas, le plus souvent, fort « classiques ».

L'étude (fastidieuse) des centaines de cassettes de Kischk (leçons et prônes), et d'autres prêcheurs maghrébins, démontre que le système est toujours le même : commentaire *(tafsîr)* classique, puis, à partir de la moralité et des mœurs, dénonciation de la perversion des classes dirigeantes occidentalisées dans une structure en crescendo vibratoire qui différencie les prônes islamistes des pâles sermons orthodoxes. Mais, par ailleurs, le phénomène lui-même des associations islamiques ou du militantisme est un phénomène banal dans l'histoire arabo-musulmane depuis les Qarmates et les Hachchachi, en passant par tous les fidayin qui ont bousculé des dynasties, attaqué La Mecque et même volé la pierre noire [45].

La recomposition de la mémoire historique des Maghrébins fonctionne avec un passé arabe fort différent de la lecture que nous en faisons objectivement : ainsi, j'ai interviewé des membres d'un groupe plus ou moins clandestin, qui s'intitulaient eux-mêmes « qarmatiyin » et se disaient communistes – avec une référence précise au IXᵉ siècle. Un autre groupe a pour devise (et pour programme?) « Palestine et Andalousie »...

Les Européens qui comprennent parfois le dessein du grand Israël oublient toujours que la perte de l'Andalousie est encore douloureusement ressentie par certains Musulmans.

Par contre, la nouveauté tient à la découverte par l'Occident des Frères musulmans, qui existent depuis 1928-1929, et à celle du chiisme sorti de la clandestinité dans laquelle il se complaisait – sans doute – depuis 1400 ans! Un des points intéressants pour nous est bien que les classes politiques « arabo-musulmanes » sont au moins aussi surprises que les Européens, en tout cas, ceux qui ne lisent pas Corbin, ou Laoust, ou Massignon... Mais Khomeyni n'est pas le douzième Imam, ni le septième, ni le Mahdi. Cela étant, il a déclenché partout dans le monde arabe un goût – suspect? – pour le sacrifice, pour l'attente de la Parousie, pour le *mahdisme* qui est un sentiment diffus, présent, constant, de la proximité du Royaume, de l'approche de la fin des Temps. A. Zghal a nommé ce phénomène de notre re-découverte la myopie constitutive du discours [46]. En effet, pour se constituer en un discours structuré et structurant, toute idéologie est condamnée à se comporter comme un myope en rejetant dans l'obscurité plus ou moins totale certains aspects de la réalité et en privilégiant d'autres aspects considérés comme la vraie réalité. En Tunisie, affirme Zghal, la myopie constitutive du discours officiel et des discours de l'opposition laïque portait sur la dimension arabo-musulmane de l'identité collective de la société tunisienne.

Alors, qu'est-ce que tous ces groupes, ces *fidâ'in,* ont en commun? Certainement, une problématique commune : le moteur commun de tous ces mouvements est la lutte contre la dépravation des mœurs, la décadence et le projet d'application de la Chari'a comme remède à tous les maux (sous-entendus légués par l'Occident). Il est exact qu'il faut y ajouter aujourd'hui – et cela est la seule nouveauté du « renouveau islamique » – la lutte contre le cosmopolitisme athée, qui n'était pas un danger au XIᵉ siècle par exemple, et parce qu'il a, aujourd'hui, une cause strictement allogène.

Ce siècle peut être pris comme point de repère parce qu'il fut un temps de bascule sinon de rupture épistémologique :

jusque-là, l'Islam oscille entre le rationalisme et la théologie, et
même si l'aristotélisme imprègne la philosophie arabe, les
mu'tazilites seront battus par les *fuqahâ'* redondants; alors
que, au contraire, le phénomène islamique marginalise les
intellectuels de culture occidentale. Les islamistes pensent que
tout s'est joué sur l'élimination d'Ali; Arkoun, lui [47], soutient
que la rupture a eu lieu au IXᵉ dans la pensée philosophique.
Différences de point de vue.

Par-delà cette diversité des opinions, l'unité du mouvement
islamiste – mais pas sa structuration – se manifeste de deux
façons nettes : *positivement,* par l'affirmation de la nécessité
d'un retour aux préceptes islamiques de comportement et
d'organisation qui contiendraient en eux-mêmes la solution de
tous les problèmes contemporains. Autrement dit, la *šarîᶜa* est
la seule réponse à la modernisation allogène. Et *négativement,*
par le rejet du matérialisme, du modernisme, de la sécularité et
de l'immoralité induits par la domination occidentale (dans
laquelle est inclus le marxisme).

Par contre, le mouvement est plus divisé sur les formes du
combat contre le Mal : actuellement, la plupart privilégient le
combat intérieur contre les mauvais Musulmans selon une
logique binaire, que j'ai déjà signalée, et qui peut se résumer
ainsi :   endogène/soumis/déraciné   *versus*   exogène/domi-
nant/occidentalisé.

Ce qui fait dire à beaucoup de prêcheurs : l'ennemi
extérieur (y compris le sionisme) est un prétexte qu'utilise
l'ennemi intérieur; « avant de libérer la Palestine, libérons nos
peuples de leurs tyrans [48] ». D'autres disent : « le chemin
d'al-Qods (Jérusalem) passe par Bagdad »...

VI

DU JIHAD AU TYRANNICIDE

L'absence de Dieu d'un monde voué à la malfaisance par Son retrait entraîne l'impossibilité de tout espoir eschatologique. L'horizon de l'homme se réduit alors à l'impossibilité de rejoindre Dieu dans la négation ou à subir le purgatoire d'une téléologie [1] fonctionnant dans l'histoire, son simulacre.

Toute *siyâsa* (politique) qui n'est pas de la *šarî‘a* est, *ipso facto,* despotisme, et le combat sacré doit être livré pour renverser les gouvernements oublieux des fondements religieux du pouvoir. La conséquence logique de la critique des mœurs conduit, à travers le *jihâd,* au tyrannicide dans la perpspective apocalyptique et sa version mahdiste de l'Islam, pour élucider la fatalité de la perte de l'homme. C'est ici que se mesure réellement l'hypostase du « fanatisme » pris en *contre-sens* par les médias occidentaux [2].

Deux variables me paraissent fondamentales pour expliquer le glissement vers le phénomène religieux de l'expression des rapports de forces, y compris des phénomènes de classes. Tout d'abord, dans la période contemporaine, il me paraît évident qu'en l'absence de liberté publique la contestation prend un caractère religieux. Mais ceci ne peut se comprendre que par rapport à une histoire différente : l'histoire du droit constitutionnel et des iibertés publiques est l'aboutissement logique de la lutte des classes en Occident, dont le couronnement est la victoire de la bourgeoisie des Lumières, de la

Déclaration des droits de l'homme et du citoyen à travers l'expression de la volonté générale dans une loi générale et impersonnelle. Ce phénomène ne s'est pas produit dans les mêmes séquences historiques en Orient, d'autant plus que l'homogénéité de la Umma s'est renforcée par-delà ses divisions réelles, face au colonialisme, à l'impérialisme, au sionisme. Et c'est seulement aujourd'hui, à travers les États-Nations, que se manifestent quelques éléments comparables de lutte de classes et de contradictions dont personne ne sait sérieusement si elles sont porteuses d'un avenir moderne...

Mais la deuxième raison est inscrite, elle, dans les tréfonds de l'imaginaire et des pratiques politico-religieuses des Musulmans : il n'y a pas dissociation entre la légitimité politique et religieuse parce qu'il y a de la transcendance dans l'histoire. La prophétie est la projection de l'inspiration divine dans l'existence humaine, et alors la Umma est aussi la Cité de Dieu :

« Quand on n'est pas soi-même un religionnaire, on prend l'initiative d'une politique religieuse [3]. »

Les exemples foisonnent, depuis les Saadiens jusqu'à Hassan II.

Si l'on combine les techniques et les raisonnements de la da°wa avec les écrits apocalyptiques, il est possible alors de comprendre comment s'ajoute à cette explication la légitimité intrinsèque de l'insurgé contre le prince impie : le *juste* devient « l'ombre de Dieu sur la terre » et doit ramener celle-ci à la Justice et à la Loi de Dieu; le *juste, l'insurgé,* qui utilise le droit de rébellion contre le pouvoir illégitime, est souvent qualifié, dans la tradition messianique musulmane, de *mahdî,* ou d'attendu [4]; et là encore la mémoire des Arabes n'est pas la même que la nôtre, et l'histoire des faux prophètes et des faux messies [5], bien que largement occultée, pour des raisons évidentes, par les orthodoxes/traditionalistes/sunnites, est largement connue des peuples arabo-musulmans. Ainsi, dans chaque siècle et en différents lieux du *dâr al-islâm* se sont levés des Mahdi qui se sont auto-proclamés. Les exemples foisonnent, comme

Abou Mahalli qui se déclara le Mahdi fatimide de « l'époque de la consommation des temps » (Maroc, fin du XVIᵉ s.), ou encore le Mahdi du Soudan (fin du XIXᵉ s.), jusqu'à celui qui échoua dans l'attaque de la mosquée de La Mecque en 1979 – en passant par Mohammadou Mariza Maïtasine, qui aurait péri dans les émeutes de Kano en 1980 [6]. Par-delà les proclamations officielles des chefs d'État arabes et des gouvernements occidentaux, les Musulmans du monde font la relation entre tous ces événements parce que, sur les places publiques et dans les fêtes, les conteurs – *meddah* – chantent et racontent sans cesse la geste des Arabes, et plus particulièrement celle des déshérités : cette notion de *mustaḍᶜafûn* renvoie à une grande tradition arabo-musulmane de pauvres devenus *imâm* par la grâce divine. Il existe un exemple très proche de nous, Français, dans l'histoire du Maroc : la *daᶜwa* d'Abdallah Ibn Yassine fonde le mouvement almoravide et celle d'Ibn Toumert fonde l'État almohade. Celui-ci n'est pas sans rappeler, par sa doctrine unitariste, le mouvement wahabite qui triompha en 1796 en Arabie Saoudite avant de s'allier avec la dynastie régnant encore aujourd'hui.

Ces exemples permettent de comprendre que la mémoire géographique et historique des Arabes réfère à des traditions méconnues en Occident, mais qui ne le sont pas dans les pays musulmans; ainsi, certains ouvrages qui relatent ces événements que je viens de citer en sont actuellement à leur septième ou huitième édition depuis les XIIᵉ et XIIIᵉ siècles, et la plupart de ces chroniques représentent entre quatre et sept volumes [7].

D'une façon quasi obsessionnelle revient sans cesse le problème fondamental qui se pose à la mort du Prophète : celui de sa succession. Or le Prophète « n'est le père d'aucun homme »; l'histoire de la succession des Alides a parfaitement décrypté toutes les conséquences de ce fait, mais nous pouvons aujourd'hui, grâce à la psychanalyse, aller beaucoup plus loin : le prophète Mohammad, Arabe et Musulman parfait, n'a pas eu de fils vivant [8]. Il faut tirer de ce fait toutes les conséquences symboliques lorsqu'on connaît l'importance de la généalogie et

de la filiation chez les Arabes. Mais cela se combine de plus
avec l'équivoque de la succession d'Abraham qui n'est pas la
même pour les Juifs, pour les Chrétiens et pour les Musulmans : ceux-ci descendent du fils qui n'a pas la plus haute
position hiérarchique dans la famille puisque sa mère n'était
que « l'autre » épouse. On imagine comment l'inconscient a pu
être structuré à travers ces deux faits de l'hagiographie
monothéiste. Or ces deux interprétations [9] de l'histoire religieuse, qui ne sont pas toujours clairement exploitées, me paraissent
pourtant fécondes et explicites pour comprendre l'ambiguïté du
conflit du Moyen-Orient; et si l'on songe que ce même
Abraham s'est reposé sur le rocher, on saisit mieux l'enjeu de
Jérusalem, triplement sainte, à la fois *Qadoš* et *al-Qods* (la
Sainte).

Le problème de cette autorité introuvable obère l'histoire
de tous les pouvoirs politiques, et de nombreux Musulmans y
voient l'illustration de la nécessité de refuser toute hypostase
des concepts opératoires fournis par les sciences sociales, et en
particulier l'opposition spirituel/temporel. Cet idéal éthique
s'identifie au califat légitime et n'a en fait pas connu de
réalisation historique parfaite en dehors de la période des
rašîdûn. Aussi, les islamistes comprennent bien qu'il y a là une
exigence antinomique et, pour eux, l'État n'est qu'un palliatif
imparfait, qu'ils qualifient d'ailleurs avec des arguments péjo-
ratifs : les « États-débris » ou les « gouvernements de la nécessité »... Yassin [10] soulève à juste titre le problème de l'illégitimité de tous les États arabo-musulmans contemporains à
travers la question occultée de l'illégitimité de la prise du
pouvoir par les Ommayades :

« Depuis bientôt quatorze siècles, les Musulmans se sont divisés
en deux camps quant à l'explication à donner et à l'attitude à prendre
devant l'usurpation du pouvoir par Moawiya, Compagnon du Prophète, mais humainement susceptible de présenter des traits jahiliyens
dans son comportement comme Abou Dharr à ses débuts. Dans
l'histoire musulmane, le phénomène de l'usurpation du pouvoir fut et
reste l'une des causes, la cause principale sans doute, de la pénétration
jahiliyenne dans la société islamique. Tout renouveau de l'Islam
dépendra de la réponse que nous donnerons et de l'attitude que nous

prendrons devant ce phénomène. Si l'illégitimité du pouvoir n'est pas dénoncée clairement comme la tare que l'histoire musulmane traîne comme un boulet depuis bientôt quatorze siècles, notre histoire restera opaque pour nous, notre présent et notre avenir également. Ceux qu'on appelle Kharéjites sont des groupes d'opinion qui sortirent des rangs de l'armée d'Ali en opposition à sa politique de conciliation avec son adversaire Moawiya. »

Abdallah Laroui soutient qu'il n'existe aucune théorie cohérente de l'État islamique, mais simplement et uniquement une définition des conditions de sa légitimité « qui est une utopie consciente d'en être une » [11]...

Le Musulman ne reconnaît ses devoirs de loyauté à l'égard d'un État que si celui-ci réalise l'organisation politique légitime de la Communauté conforme aux normes posées par la loi religieuse; sinon il y a oppression pouvant légitimer la rébellion.

Dans une certaine mesure, la tradition islamique reconnaît le principe de la révolte légitime et, s'il ne manque pas de Hadith et de versets du Coran pour admettre que le devoir d'obéissance des sujets peut aller jusqu'à la concession de pouvoirs autocratiques au souverain légal et légitime, il ne fait pas de doute pour la quasi-totalité des commentateurs que, lorsque le commandement est coupable, il faut s'en débarrasser, parce qu'il ne saurait y avoir d'obéissance à une créature s'érigeant contre le créateur (Hadith cité *supra*).

De plus, si l'on croise les habitudes de meurtre de sang caractérisant la société tribale avec le meurtre individuel religieux à l'encontre des croyants devenus apostats, il est clair que le rebelle musulman à l'ordre public, devenue impie, participe du combat légitime et sacré tel qu'il est canoniquement défini. Et les peuples arabo-musulmans sont aujourd'hui encore trop imprégnés de martyrologie pour que des termes aussi traditionnels que *fityân, mujâhid, fidâ'î* ou *šâhid*, même modernisés par les guerres de libération nationale et révolutionnaire de l'Algérie à la Palestine, n'aient pas encore une connotation religieuse, eschatologique dans l'imaginaire [12].

Un *fidâ'î,* terroriste individuel, ou un *mujâhid* morts deviennent des martyrs de la foi : *šâhid.* J'ajouterai, à travers mon expérience personnelle, que l'acte du sacrifice à l'arme blanche prend une valeur particulière difficilement compréhensible pour un occidental mais dont les Arabes et les Juifs savent, sans le reconnaître jamais devant un occidental, faire une lecture en terme de sacrifice/holocauste/*istišhâd.* C'est pourquoi il faut étudier la place actuelle du concept de *jihâd* dans la stratégie de l'islamisme radical avant d'indiquer comment, à travers quelques repères historiques, il peut déboucher sur le tyrannicide.

Du jihad

Le *jihâd* est le mot le plus galvaudé par la presse occidentale, qui d'ailleurs le conjugue au féminin : « la jihad ». Il est toujours traduit par « guerre sainte ». Or, en arabe, en théologie comme en herméneutique, il s'agit d'un concept polysémique; le mot *jihâd* a des connotations complexes et au moins trois sens : il signifie le combat contre soi-même, la lutte pour l'expansion de l'Islam, donc le combat contre les Infidèles, et le combat contre les mauvais Musulmans; *toujours, la lutte sur le chemin de Dieu.*

Mais avant d'en venir aux idées spécifiques des islamistes, un point de vue classique me paraît aujourd'hui largement occulté. Il est de bon ton de souligner que le mot *jihâd* signifie *effort sur soi-même* en vue du perfectionnement moral et religieux. Ceci est incontestable et a fait l'objet de développements forts pertinents sur lesquels la bibliographie est aussi sérieuse qu'abondante, depuis les mystiques jusqu'aux réformistes [13].

Incontestablement, cette conception se réfère plutôt à un autre concept musulman : l'obligation d'effort, *ijtihâd,* dans les domaines les plus divers. Mais toutefois, cette interprétation n'éloigne pas le Musulman de la tension de la foi dans son combat contre le mal puisque le but du jihad est l'établissement de la « logocratie musulmane », selon le mot de Charnay, sur l'ensemble des groupes sociaux. Ce qui a pour conséquence que chaque victoire n'est qu'une étape vers l'extension de l'Islam et que cet effort doit être poursuivi jusqu'au bout, c'est-à-dire jusqu'à sa totale expansion sur le monde et jusqu'à la fin des temps.

Le jihad a en effet pour origine le droit de Dieu qui doit aboutir à la soumission de l'humanité tout entière à Dieu, et pour cela les Musulmans doivent d'abord se transformer eux-mêmes; c'est le sens donné au Grand Jihad, la guerre pour la conversion personnelle comme une sorte de métanoïa. En ce sens, le jihad organise l'usage de la violence. Pour que la société musulmane refoule les limites de l'impureté et de la *jâhîliyya*, il ne suffit pas d'accomplir les rites; la tradition rapporte que pour un bon Musulman, l'année devrait se diviser en trois parties : une moitié consacrée à l'étude, un quart à l'exercice d'un métier et le reste à la défense armée de la Communauté musulmane.

Le Paradis en est la récompense dans l'au-delà et, la transcendance du destin terrestre, le Chemin. Il apparaît clairement dans ces conditions que l'ennemi principal de l'Islam est constitué par les Musulmans apostats et par les schismatiques groupés en partis qui divisent la Umma. Lorsque les orthodoxes ou les clercs légitimes sont atteints par la *jâhîliyya*, Dieu envoie des rectificateurs qui vont mener le *combat dans la voie de Dieu*, laissant à d'autres le combat contre les Infidèles. Mais la formule est la même : le *jihâd fî sabîli'llâh*.

L'arabe est une langue subtile qu'il faut utiliser jusqu'au bout, c'est-à-dire essentiellement selon la tradition des arabo-musulmans eux-mêmes, à travers l'herméneutique, pour comprendre quel est le sens qui faisait sens à l'époque de la prophétie. Pour la plupart des Musulmans, la Cité idéale n'est pas à construire sur un modèle à imaginer, mais correspond à l'ensemble des pratiques qui furent celles des quatre premiers califes, « les bien inspirés », par l'exemple du Prophète lui-même.

En ce sens, les islamistes s'en tiennent à la doctrine classique, à la tradition historique ainsi qu'aux textes eux-mêmes, au Coran bien sûr et à la Sunna, sur lesquels s'est formé le premier sens du jihad : le combat qui ne doit pas être mené simplement contre les Infidèles mais aussi contre les Musulmans eux-mêmes, pour annoncer au monde entier le Sceau de la prophétie et réaliser l'État islamique mondial. La Umma a pour mission historique de convertir l'ensemble de l'humanité à la vraie religion. Ce combat-là nécessite le rappel de la pensée des islamistes sur cette aventure eschatologique qui ne peut que déboucher sur la Parousie : il vaut surtout contre ceux qui les accusent, avec quelque légèreté, d'être dans l'erreur. Mon hypothèse est que, bien au contraire, ils sont parfaitement orthodoxes en la matière.

La doxa, c'est-à-dire l'indiscuté

Les considérations ci-dessus conduisent à décrire d'abord la vie internationale telle que la conçoit l'Islam : pour l'Islam, deux mondes existent, le *dâr al-islâm,* ou Maison de la soumission à Dieu, et le monde des Infidèles, avec lequel l'Islam se trouve en état de guerre permanente. Il est d'ailleurs nommé *dâr al-ḥarb* (monde de la guerre), avec lequel l'Islam ne peut entretenir que des rapports inégalitaires.

Ce monde est destiné à disparaître. L'Islam a trouvé la guerre à son berceau, et si le jihad ne fait pas partie des cinq obligations, le Coran contient un certain nombre de références ou d'occurrences sur la nécessité de mener ce combat contre les Infidèles :

Sourate	II	verset 216	
Sourate	II	verset 217	
Sourate	III	verset 157	Le combat vous est prescrit.
Sourate	III	verset 158	
Sourate	III	verset 169	
Sourate	VIII	verset 17	

Sourate	VIII	verset 39	Combattez-les jusqu'à ce qu'il n'y ait plus de luttes doctrinales et qu'il n'y ait pas d'autre religion que celle de Dieu.

Sourate	IX	verset	29

> Combattez ceux qui ne croient pas en Dieu, au jour dernier, qui ne considèrent pas comme illicite ce que Dieu et son Prophète ont déclaré illicite, ainsi *que ceux qui, parmi les gens des Écritures, ne pratiquent pas la religion de la vérité, jusqu'à ce qu'ils paient,* humiliés et de leurs propres mains, le tribut.

Sourate	IX	verset	41
Sourate	IX	verset	111
Sourate	IX	verset	123
Sourate	XLVII	verset	35
Sourate	LIX	verset	8

> O Croyants! Combattez les infidèles qui vous entourent.

(Les textes sont donnés dans les annexes.)

L'auteur traditionniste le plus utilisé par les islamistes, *Ibn Taymiyya,* met la propagation de l'Islam par la guerre au-dessus des cinq piliers, et le jihad ne peut prendre fin qu'avec la *Umma générale,* c'est-à-dire lorsque le monde entier sera converti à l'Islam : par-delà Ibn Taymiyya, référent de légitimité pour beaucoup d'islamistes, il est tout aussi intéressant de rappeler la doctrine classique en la matière.

Tout d'abord, l'ensemble de la doctrine classique a reconnu que les relations internationales ne pouvaient être réduites à un état de guerre permanent, et des trêves sont admises qui permettent des dérogations, mais celles-ci sont nécessairement provisoires et de courte durée. Quand la situation change, *les Musulmans doivent dénoncer unilatéralement la trêve,* et comme le droit musulman prime, il ne peut être reconnu, *dans ces conditions, un droit international commun ou supérieur aux Nations musulmanes et aux autres.* Il n'existe que peu d'interprétations plus nuancées de ce radicalisme musulman; aussi est-il nécessaire de s'arrêter ici sur une description précise du jihad dans la pensée arabo-musulmane classique, qui sert de base aujourd'hui à l'islamisme radical.

Juridiquement, le jihad consiste en l'action armée en vue de l'expansion de l'Islam et de sa défense. *Cette obligation juridique* découle, d'après la doctrine et la tradition historique, du principe fondamental d'universalisme, car l'Islam doit s'étendre à tout l'Univers, au besoin par la force.

Lorsque l'Islam rencontre des adeptes des religions dont les livres [14] sont reconnus par le Coran et qu'ils acceptent de se soumettre à l'autorité politique de l'Islam, le jihad ne s'applique plus à eux; mais les idolâtres ne font pas l'objet de ce traitement de faveur. Leur conversion est obligatoire alternativement avec leur mise à mort ou leur mise en esclavage, puisque le but suprême est de constituer une seule communauté organisée sous une autorité unique, l'Islam de la *umma islâmiyya*.

La *deuxième caractéristique* du jihad tient à son caractère obligatoire. Le jihad est une obligation reconnue, à quelques nuances près, par l'ensemble des sources, même si la doctrine règle le problème de la contradiction entre les textes par la théorie de l'abrogation *(naskh)*. La règle est donc formulée en terme absolu, le jihad est obligatoire même si les Infidèles n'ont pas commencé eux-mêmes la lutte.

Mais le jihad n'est pas une fin en soi : il est le moyen de débarrasser le monde du Mal; car le jihad n'est pas simplement une obligation juridique, et c'est sa *troisième caractéristique,* sur laquelle insistent particulièrement les islamistes. Il est en effet une *obligation religieuse*; le jihad tend à étendre le règne de la religion, ce qui est prescrit par Dieu et par son Prophète. Il est donc un acte de dévotion qui ouvre les portes du Paradis, et les textes ne manquent pas de lyrisme dans les promesses de récompenses assurées par tous les *mujâhidûn* combattants, et surtout par les *šuhadâ',* pour les martyrs de la foi.

La doctrine est plus divisée sur le caractère d'obligation *collective ou individuelle* que tout Musulman de sexe masculin libre et valide doit remplir (la doctrine distingue en effet les obligations collectives et personnelles : le *fard kifâya* et le *fard ᶜayn*), et ce n'est pas pour rien que l'un des inspirateurs des assassins de Sadate a intitulé son ouvrage théorique *L'obligation absente*, ou comme le traduit mieux encore Gilles Képel [15] *L'impératif occulté*. Certains islamistes en tirent un autre sens : le tyrannicide ou tout au moins l'assassinat du Prince musulman impie. Il faut donc signaler ici que le jihad s'impose aux habitants du territoire qui est le plus proche de l'ennemi. Il paraît surprenant qu'un seul conseiller des présidents ou un juriste de droit international au fait de la conscience islamique ait pu penser un instant que le traité entre l'Égypte et l'État d'Israël avait quelques chances d'être reconnu comme valide, alors que sa simple signature rendait par là même illégitime le gouvernement qui l'avait conclu. De même que l'élection de Jemayel par un parlement siégeant sous la menace israélienne ne peut pas avoir plus de légitimité qu'un accord séparé Israël/Liban. Quand le président Reagan dit qu'il n'y a plus de règles, personne ne peut lui souffler qu'il y a peut-être *d'autres* règles. En effet, si le jihad est un moyen pour obtenir la soumission de tous les peuples à l'autorité de l'Islam, cette obligation persiste et c'est sa *quatrième,* ultime et implacable caractéristique, jusqu'au jour de la Résurrection, jusqu'à la fin du monde, tant que l'universalité de l'Islam n'est pas réalisée.

Il apparaît clairement à travers cette lecture du jihad, que la paix avec les Nations non musulmanes ne peut être qu'un état provisoire et qu'aucun véritable traité de paix ne peut intervenir, sauf à l'état de trêves précaires qui non seulement *peuvent* mais *doivent* être dénoncées unilatéralement si cela paraît plus utile pour l'Islam.

La position islamiste

C'est à partir de cette interprétation que les islamistes ont une position encore plus radicale, au point qu'un certain nombre d'auteurs se sont demandé s'il ne s'agissait pas là non pas d'un renouveau de l'Islam, mais d'une résurgence du *Kharéjisme* [16] : l'orthodoxie islamiste consiste à privilégier le jihad – combat contre les mauvais Musulmans; c'est pourquoi, afin de préciser la position des islamistes, il faut restituer le recentrage qu'ils ont fait à partir d'Ibn Taymiyya sur le devoir de combattre les autorités musulmanes qui ont abandonné l'Islam. En effet, il est difficile de partager le point de vue de la plupart des auteurs hostiles aux « intégristes » sur ce point. Il semble au contraire que c'est à bon droit qu'ils produisent une théorie de *l'expropriation du pêcheur indigne* d'exercer la souveraineté dans un pays musulman, et que pour eux, avant de combattre l'impérialisme, il faut d'abord débarrasser les pays arabo-musulmans des ennemis intérieurs, des hypocrites, des Musulmans traîtres, ceux qui veulent séparer le spirituel du temporel; et c'est en ce sens qu'ils se réfèrent à Ibn Taymiyya. Il ne fait pas de doute pour eux que le grand combat – jihad – indissociablement spirituel, moral et policier, voire de rébellion et du subversion, est un combat permanent, une guerre intérieure d'épuration et tout à la fois une expérience mystique, politique et militaire qui ne saurait négliger que la plus grande source de péril pour la Communauté musulmane ne vient pas des ennemis extérieurs, mais de l'intérieur : cette *fitna* (désordre), qui fait du Musulman l'ennemi du Musulman.

Il faut donc, pour comprendre la logique de la stratégie des islamistes, préciser que, pour eux, *il ne s'agit pas seulement de dénoncer l'illégitimité d'un éventuel droit international (auquel bien entendu ils n'adhèrent pas),* mais, en amont, de combattre *l'illégitimité de tout gouvernement musulman* qui se laisserait aller à ne pas respecter les principes fondamentaux. Ils exposent ceux-ci, se fondant sur un témoignage du Prophète, qui répondit à la question d'un compagnon lui demandant quoi faire en l'absence de calife : « Vous pouvez prendre des chèvres et aller au désert, c'est mieux pour vous... »

Ainsi, certains islamistes n'accusent pas simplement les gouvernements musulmans de ne pas appliquer la *šarīʿa* (droit musulman), mais de ne plus avoir seulement l'Islam pour Loi, comme ce fut le cas pour les Ommayyades et les Abbassides, et de céder à la conciliation, comme ce fut le cas pour Ali; ces

gouvernements officiellement musulmans font alors partie de
ce que les islamistes appellent les « gouvernants de la nécessité
et du désordre », auxquels les Musulmans ne doivent plus
obéissance, car la *jâhîliyya* a atteint les sommets de l'État.
Selon le mot de Yassine :

« La Jahiliya depuis lors se nicha très haut dans la société
musulmane, au sommet de l'organisation politique et sociale... »

Les principes invoqués par les islamistes sont alors re-
construits. Les islamistes se réfèrent à l'ensemble de la théorie
classique en la matière, qu'ils résument ainsi : il y a d'un côté
l'Islam et de l'autre la *jâhîliyya*, c'est-à-dire la barbarie. Ils
partent de l'idée, non pas que la société internationale existe,
mais que le gouvernement légitime – nécessairement musulman
– est celui qui aide le Musulman à être musulman dans le *dâr
al-islâm*, qui contribue à étendre l'Islam et à reculer les limites
du *dâr al-islâm* (la « Maison de l'Islam », ici l'ensemble des
pays où il y a des Musulmans).

En effet, si Dieu ne châtie pas ceux qui n'ont pas reçu le
Message, l'obligation de la *daʿwa* (apostolat) est permanente
pour tous les Musulmans, puisque le Prophète l'a fait tout au
long de sa vie.

Les islamistes mettent donc en avant le devoir primordial
des gouvernements musulmans – et la « grande épreuve » est
aujourd'hui double : la division du Dar al-Islam en États-
Nations antagonistes et la *fitna,* la division interne.

Aussi s'appuient-ils sur des textes (d'ailleurs fort clairs)
pour combattre *d'abord* les « mauvais » Musulmans.   Le
message est simple : le jihad doit être mené, certes, contre
l'impérialisme, le sionisme, l'oppression extérieure, mais
d'abord contre le despotisme et l'apathie des chefs. Lorsqu'ils
passent au deuxième plan, celui de la société internationale, ils
reprennent la thèse classique des trois espaces :
  – le *dâr al-islâm* ou Maison de l'Islam,
  – le *dâr al-ḥarb* ou Monde de la Guerre,
  – le *dâr al-ṣulḥ* ou Zone de conciliation.
Bien entendu, pour eux, il n'y a pas de relations entre le

Dar al-Islam et le Dar al-Harb, sauf des relations de nécessité *(ḍarûra),* comme l'alimentation. Mais elles ne doivent pas porter sur des produits de luxe (les islamistes reprochent ainsi aux États les importations d'alcool, de produits inutiles, etc.). Ces relations ne peuvent conduire à la domination ni à la dépendance, car le Dar al-Islam est égal ou supérieur au Dar al-Harb; son infériorité (éventuelle) est inacceptable puisque « Dieu n'autorise pas ses fidèles à se soumettre aux infidèles ». Par contre, il peut exister des lieux de conciliation *(dâr al-ṣulḥ),* ceux *dans lesquels les autorités acceptent la prédication de l'Islam.* Il ne s'agit pas nécessairement de convertis ou de Musulmans même minoritaires dans un pays comme la France, par exemple, mais du fait que les *dâ°î* (prédicateurs de la *da°wa)* puissent prêcher pour l'Islam, librement; l'inverse n'étant pas vrai, les pêcheurs des autres religions n'ont aucun droit à l'intérieur du Dar al-Islam.

A partir de ces principes, les islamistes font une analyse de la société musulmane qui rend illégitime toute action des élites arabo-musulmanes qui ne sont plus dans la religion *(dîn),* mais qui sont passées dans le monde *(dunyâ),* rendant ainsi illégitime les actions juridiques de l'État *(dawla),* et *a fortiori* le droit international : cet axe *dîn/dunyâ/dawla* est le référent unique de la légitimité, dans l'ordre : religion → monde → État.

Les islamistes développent leur argumentation par un schéma assez cohérent qui respecte toujours une lecture fort classique et même orthodoxe du texte coranique : l'homme, jeté dans le monde pour être éprouvé, a transformé l'Islam en affaire individuelle par l'effet d'une perte de sens et d'énergie, « d'une entropie au long des siècles », écrit Yassine (p. 29). Et les pays islamiques – dans leur état actuel de sous-développement économique, d'émiettement en nationalités, de dépendance politique – souffrent de ce mal chronique que les islamistes appellent désordre *(fitna),* parce que « *l'unité première* de la Umma n'est plus qu'un souvenir lointain ou une chimère aux yeux des élites sans racines », affirme encore Yassine (p. 113).

Alors que les Musulmans ont le nombre, l'espace, la force

et le pétrole, ils sont divisés en des « États-débris » conduits par des « gouvernants de la nécessité » dont l'incurie est aussi grande que la traîtrise, car ils se sont trompés dans leur combat. La formule révolutionnaire « Jahiliyenne » devient alors un mot d'ordre de lutte pour prendre le pouvoir afin de changer les structures. Par contre la formule islamiste est :

« Combat unique dans les deux fronts de l'éducation et de la politique pour changer les rapports de l'homme à Dieu, à ses semblables et à la nature; pour changer les mentalités, les sentiments, les attitudes et les structures politiques sociales et économiques [17]. » (p. 14.)

Il s'agit bien du jihad. Cette dernière phrase est une clé tirée, par analogie, d'une sourate : « Dieu ne modifie rien en un peuple avant que celui-ci ne change ce qui est en lui » (*Coran,* XIII, 11).

L'Islam est une *praxis* dont le Coran donne la clé; c'est une praxis *révolutionnaire* parce que le Royaume, qui est de ce monde, est la tâche à accomplir par l'homme, un royaume autre.

En conséquence, à partir de cette analyse, un certain nombre d'islamistes nient toute légitimité aux « États » arabo-musulmans. (Je ne fais que citer des interviews d'acteurs sociaux vivant actuellement en France, au Machreq et au Maghreb.) Pour ces islamistes-là, les vrais Musulmans ne peuvent que classer tous les États dans le *dâr al-ḥarb,* non seulement parce qu'ils ne sont pas soumis à la loi de l'Islam, mais parce qu'ils entretiennent des relations avec Israël et qu'ils ont de plus des projets visant à combattre l'Islam : donc le jihad, y compris dans sa forme défensive, est une obligation plus vivante que jamais. Et la quasi-totalité de mes interlocuteurs ne cessent de dénoncer l'influence sioniste à la télévision française comme le parti pris des mass media en ce qui concerne le conflit du Moyen-Orient, y compris l'Iran, alors que beaucoup d'entre eux sont très nuancés sur l'action de Khomeyni.

Mais c'est particulièrement [18] face à l'amalgame « terroristes-intégristes » qu'ils ressentent la nécessité permanente du jihad. Ainsi, poussant la logique jusqu'au bout, certains interviewés se déclarent hostiles à toute relation avec l'Occident, contre toute coopération qui pervertit étudiants et diplomates, qui produit des effets désastreux sur les habitudes alimentaires, vestimentaires, qui, en un mot, font que les Musulmans vivent dans l'impureté permanente au simple contact de l'Occident.

Mais, autre conséquence, leur jugement n'en est pas moins sévère à l'égard de la division du Dar al-Islam en Etats différents : beaucoup d'interviewés soulignent le scandale que représente à leurs yeux la nécessité d'avoir un visa pour aller à La Mecque. Ils ne voient là que la conséquence de l'application de la *théorie de la nécessité* et de la *conciliation* qui ont perverti des élites transculturées au point de les aveugler sur leur propre état de dépendance.

La plupart des islamistes pensent ainsi que l'État-Nation n'est que le dernier avatar du colonialisme et que le droit international n'est que l'expression concrète de la domination de l'impérialisme. Il fut un temps où certains occidentaux n'auraient pas considéré cette position comme réactionnaire. Mais elle n'est pas « intégriste »; elle paraît tout simplement être *au principe* de l'Islam, comme le souligne le schéma suivant :

MUSLIM —— MU'MIN —— ISLÂMÎ

Le musulman peut être « soumis », croyant simple, ou militant de l'Islam, à travers l'*islâm* (soumission) —— l'*imân (foi)* —— l'*ihsân* (devoir de bienfaisance), dans la hiérarchie Religion *dîn* > Monde — *dunyâ* > État — *dawla*.

Ceci implique que la religion l'emporte sur le Monde (le Siècle), que l'État doit favoriser la possibilité d'être musulman; seul l'ordre de cet ensemble permet de classer la légitimité des États (musulmans), et non pas leur adhésion au droit international, car la lecture fondamentale du projet de la Umma ne peut être que la suivante : le destin de la Umma-cité doit se lire comme dialectique incessante entre Révélation/Vérité et Histoire réalisée.

La combinaison de ces éléments et la classification [19] de leur position hiérarchique dans les projets politiques implicites et explicites des États musulmans permet, sans qu'il soit nécessaire d'évacuer le concept de laïcité [29], d'analyser les relations possibles entre Religion et État : cette analyse permet en tout cas de comprendre la stratégie arabo-musulmane.

Il faut tout de même rappeler que l'Islam est la seule religion monothéiste qui progresse, plus particulièrement en Afrique; préciser que, dans la seule Indonésie, il y a plus de Musulmans que ce qu'il y a d'Arabes dans le monde, et que le chiffre minimal que l'on puisse donner aujourd'hui des Musulmans dans le monde approche sans doute du milliard. La classification en États ayant des projets de laïcisation plus ou moins explicites a permis à Tosy de présenter une lecture originale de la relation entre le monisme ou le pluralisme de l'Islam étatique officiel et le type d'islamisme qui en découle, selon que l'État tolère ou pas des formes populaires en Islam, selon qu'il contrôle ou pas les clercs officiels. Mais, depuis cette thèse, il y a eu partout radicalisation et recul de la laïcité, même dans ses plus timides avancées.

A force de répondre aux demandes des islamistes, les gouvernements ont créé un « horizon d'attente ». En effet, même dans les États les plus « laïcs » comme la Tunisie ou l'Algérie, il a fallu céder au moins sur la politique [21] familiale, sur les interdits alimentaires, etc.

Les États modernes mis en accusation sur la légitimité religieuse de leurs origines, répondent par des *output* internes, mais aussi d'une façon concurrentielle sur le plan international : le Roi du Maroc avec le Comité al-Qods et la conférence islamique, l'Arabie Saoudite, le Koweit et les Émirats par l'investissement; le Wahabisme concurrence la Libye et le Maroc dans la construction de mosquées en Afrique, tandis que les chefs d'État africains se convertissent à l'Islam; le Pakistan finance des associations islamistes et des prêcheurs qui parcourent le Dar al-Islam. Autrement dit, les gouvernements frileux élaborent une stratégie islamiste pour damer le pion aux islamistes sur leur propre terrain, c'est-à-dire dans le champ religieux.

Cette analyse permet une lecture, de l'intérieur, de l'apparente confusion dans la géo-stratégie des États arabes. Leur référence constante à la religion pour définir les limites du champ politique, c'est-à-dire pour produire les normes structurant l'espace politique et pour fixer les conditions d'accès et de départ de la scène politique, fournit un dénominateur commun. Un certain nombre de points apparaissent à l'évidence : l'alternative paraît osciller entre le risque d'autoritarisme [22], voire du « fanatisme » le plus dangereux pour l'Occident (la guerre du Golfe), et l'incapacité des Arabes à conclure la moindre alliance durable et, dans ce cas, l'accord « contre-nature » [23] Hassan II/Kadhafi a duré ce que durent les roses... Ni à mettre fin à la moindre guerre malgré les médiations musulmanes : Sahara, Tchad, Iran/Irak, sans oublier les massacres de Musulmans en Malaisie ou aux Philippines... Par contre, les islamistes répondent aux questions persistantes d'une façon cohérente et, ici, *comment concevoir l'extérieur et les relations avec lui.* Or, comme le souligne Jean Leca [24], se présenter à la fois comme prolongement du passé (mais par une relecture plus politique, c'est-à-dire strictement religieuse du legs *turâth*) et comme préfiguration de l'avenir, c'est se proclamer doublement irréfutable au regard de l'histoire et du temps à venir, c'est tirer sa légitimité directement de Dieu, car celui-ci ne peut pas trahir ceux qui lui sont fidèles. Dans une société où la Loi est donnée par Dieu, l'État est plus que partout ailleurs une superstructure qui reçoit d'autant moins d'appuis qu'il est obligé de prendre des décisions contraires à la Loi. Qui a pu penser sérieusement un instant que les accords de Camp David étaient légitimes?

Tout échec politique rend plus fragile encore les pouvoirs « occidentalisés » et compromis, et donc renforce la position islamiste et sa nébuleuse. Sans oublier ni sous-estimer la crise, l'impérialisme, les rapports Nord/Sud, Est/Ouest, il me paraît difficile d'éviter la question suivante : qui sera le mieux à même de répondre aux interrogations fondamentales des millions (du milliard?) de Musulmans qui ont inauguré leur XVe siècle comme la promesse d'une ère nouvelle, d'une future Parousie, alors que partout s'effondrent les modèles de développement par transfert de technologie et que nul ne sait comment maîtriser la vague démographique?

Or, de nombreux militants islamistes disent, écrivent et proclament qu'aucun croyant ne peut avoir peur de l'Apocalypse puisqu'elle annonce la fin des temps [25]... N'était-ce pas Robespierre qui interrogeait : « Mais qui a peur de la Terreur?... »

Le temps des assassins

Terrorisme, fanatisme sont des mots magiques qui vont de pair dans l'anxiogénéité occidentale lorsqu'il s'agit de l'Orient, surtout musulman, obscurantiste, extrémiste et « intégriste ». Il s'agit effectivement d'une vieille histoire et ceux qui paraissent surpris des changements et des remises en cause politiques suscitées, au nom de l'Islam, partout actuellement dans le monde arabo-musulman, ignorent souvent l'évolution de l'histoire sur ce problème.

Il existe effectivement une tradition du terrorisme politique dans l'Islam médiéval qui a structuré notre imaginaire d'occidentaux à travers le mot le plus équivoque pour qualifier ce mouvement : la « secte » des « Assassins ». Comment rêver de locution plus parfaite? Secte et assassin, et de surcroît drogués! En effet, les historiens ont longtemps hésité à expliquer l'origine et la confusion du mot *Assassin*. Aujourd'hui la profession admet la version de « mâcheurs de hachisch » : *ḥaššašiyyûn*. Et pourtant cette histoire fascinante est à la fois réelle et productrice d'un imaginaire douteux.

L'Islam a connu sur le plan politique des débuts fort difficiles puisque le problème *politique* de la succession du Prophète a été réglé par l'assassinat quasi généralisé et a donné naissance au chiisme, qui dans notre imaginaire aujourd'hui encore est synonyme de sectarisme, fanatisme, etc.

Il faut donc très rapidement rappeler un certain nombre de points historiques.

La Mecque est assiégée par Yazid, général Ommayyade, la pierre noire est cassée et la Kaaba a pris feu : le Prophète est mort depuis moins de cinquante ans !

Le calife Mutawakkil massacre les Chiites (850) et fait détruire le Mausolée de Hussein. De 847 à 945, sur treize califes, six sont torturés puis tués, deux démis de leur fonction par la force (on leur crevait les yeux, donc ils n'étaient plus « entiers » et ne pouvaient dès lors plus être califes...).

L'assassinat politique n'est pas, bien entendu, le mode de succession qu'a proposé le Prophète, mais pourtant il est inscrit aux principes mêmes de la légitimité de celle-ci : parmi les califes qui sont considérés comme modèles (les *rašîdûn*), trois sur quatre ont été assassinés. Lorsque les révolutionnaires voulurent destituer Othman qui avait attribué à ses cousins ommayyades sous forme de « fiefs » *(iqṭâᶜ)* des terres appartenant à la communauté, celui-ci leur opposa que son pouvoir était comme un « vêtement qui lui avait été donné par Dieu ». Il ne laissait ainsi à ses ennemis qu'une possibilité : l'assassinat politique.

Toute tentative « révolutionnaire » dirigée contre l'autorité fut à partir de ce moment-là jugée comme une *fitna* : une subversion visant à saper les fondements mêmes de l'Islam, car la *fitna* est le désordre par excellence.

Or, si nous connaissons très exactement les conditions qui ont permis à la suprématie des Qoraychites, et surtout du clan d'Abou Sufian (qui fut pourtant un ennemi du Prophète) de s'imposer, si nous savons par ailleurs comment les Ommayyades légitimèrent l'équivalence entre leur pouvoir, et l'identité et l'unité de la communauté musulmane, il est aisé de comprendre que la contestation du pouvoir ne pouvait aboutir qu'à la disparition physique de son titulaire. Mais par-delà cette analyse logique, l'histoire arabo-musulmane fourmille de démonstrations concrètes. Ainsi, pour prendre les cas plus proches de nous, la liste des oncles, des fils ou des pères ou des successeurs assassinés et auto-assassinés est particulièrement impressionnante dans les dynasties marocaines : par exemple,

entre la mort de Mohamed al-Mansour en 603 H jusqu'à
l'installation de l'Alaouite Moulay Rachid en 669 H, on ne
compte pas moins d'une douzaine de princes assassinés, emprisonnés ou exilés; c'est donc bien à partir du choix qui se fit à
l'époque de la succession du Prophète en 632 que les Musulmans se sont divisés en deux grandes tendances; ceux qui
pensent que le successeur doit être choisi par la communauté
parmi les hommes respectés pour leur piété, et ceux qui pensent
que la succession aurait dû revenir à Ali, cousin et gendre du
Prophète. A l'origine, le parti d'Ali *(šîᶜatu ᶜAlî)* est donc bien
une *faction politique*.

L'expansion rapide de la communauté musulmane avait
produit un État islamique que dirigeait une aristocratie avide et
dominatrice, et beaucoup de Musulmans pensaient que ce
n'était pas là la société idéale conçue par le Prophète. Bien plus,
lorsqu'en 661, après l'assassinat d'Ali, la dynastie des
Ommayyades s'impose, le chiisme se transforme à la fois sur le
plan politique et sur le plan religieux, et ceci sous les coups de
boutoir de ceux qui allaient devenir les orthodoxes dominants.

Or, l'histoire de la transformation du chiisme en sectes est
bien connue : elle est balisée par une série d'étapes à partir de
l'événement fondateur : la bataille de Kerbéla, en 680, qui vit la
défaite et le massacre de la famille de Hussein, fils d'Ali, et de
Fatima. A partir de cet événement se structure une messia-
nisme tout entier articulé autour du personnage de *l'imâm*, sur
l'attente de son retour et sur la propagation d'une doctrine qui,
peu à peu, va intégrer des idées mystiques héritées de diverses
hérésies iraniennes, judéo-chrétiennes, manichéistes, gnosti-
ques. Le chiisme s'est donc, dans une première période, séparé
de l'orthodoxie. Mais si le chiisme privilégie l'interprétation
philosophique de l'univers et l'interprétation ésotérique de
l'Islam, son programme politique restera toujours clair : renverser l'ordre imposé par les Musulmans orthodoxes et installer un
imâm à la tête de la Communauté en attendant la Parousie qui
sera précédée par le retour du Mahdi. Pour ce faire, il est clair
que le chiisme, surtout entre le Xe et le XIIIe siècle, a utilisé tous
les moyens y compris l'assassinat politique. Bien plus, il a

parfois réussi dans son projet politique en s'emparant du pouvoir, et lorsque les dynasties mises en place, par exemple celle des Fatimides, trahissaient la cause chiite, il fallait bien les éliminer.

Entre-temps, le chiisme s'était divisé en deux grandes branches, que nous appelons aujourd'hui chiisme septimain et chiisme duodécimain, selon le numéro de l'Imam qui s'est occulté et dont les partisans attendent le retour. De plus, un certain nombre de sectes descendant de ces différentes branches, comme les Druzes ou les Alaouites, dont il est beaucoup question aujourd'hui au Liban et en Syrie, ne sont pas reconnues comme appartenant à l'Islam par les Sunnites orthodoxes.

Mais le groupe qui fit le plus parler de lui et donna naissance à tous les fantasmes des Occidentaux est, bien sûr, celui des sicaires du « Vieux de la montagne », les mâcheurs de hachisch, plus connus sous le nom d'Assassins. Ce groupe a fait l'objet d'une étude, heureusement traduite en français, de l'orientaliste Bernard Lewis [26]. Lewis donne une définition parfaite de l'assassinat politique qui devrait permettre de mieux comprendre comment fonctionne le terrorisme actuellement :

« Pour leurs victimes, les Assassins étaient des fanatiques engagés dans une conspiration meurtrière contre la religion et la société. Pour les Ismaéliens, ils formaient un corps d'élite dans la guerre contre les ennemis de l'*Islam*; en frappant les oppresseurs et les usurpateurs, ils donnaient l'ultime preuve de leur foi et de leur loyauté et se gagnaient en félicité éternelle immédiate. Les Ismaéliens eux-mêmes utilisaient le terme de *fidâ'î* (c'est-à-dire approximativement « celui qui se dévoue ») pour désigner le meurtrier lui-même; on a d'ailleurs retrouvé un poème ismaélien qui loue leur courage, leur loyauté et leur dévouement désintéressé. Dans les chroniques ismaéliennes locales d'Alamût citées par Rachid al-Din et Kachani, il existe une liste d'honneur des assassinats, mentionnant le nom des victimes et celui de leur pieux exécuteur » (p. 86).

Les Assassins sont donc les *pieux exécuteurs* des mauvais Musulmans. J'aurai à reprendre cette définition, mais la comparaison avec les groupes contemporains s'arrête là car l'originalité de l'organisation ismaélienne n'est pas comparable avec celle des groupes que je vais décrire; en effet, la secte des « Assassins » était une société secrète et initiatique fondée sur une hiérarchie de la connaissance débouchant sur un ésotérisme qui n'est pas mon sujet ici. Par contre, deux points concernent plus précisément mon développement : le premier porte sur le jugement que les Chiites soutiennent sur l'illégitimité de tous les pouvoirs depuis les premiers califes. Or, un certain nombre d'islamistes reprennent cette thèse, *alors qu'ils ne sont point chiites*.

Le second concerne, non plus cette fois l'idée du tyrannicide légitime dans l'Islam, mais l'imaginaire occidental : ce sont en effet les récits de voyageurs (y compris celui de Marco Polo) et des Croisés, qui ramènent en Europe une définition définitive de la liaison confusionnelle entre terrorisme, fanatisme et chiisme. Il faut ajouter à ce portrait effrayant l'image hostile diffusée par les orientalistes du XIXe siècle, image tirée des visions sinistres qu'ont produites les théologiens et les historiens musulmans orthodoxes dont la préoccupation était de réfuter le chiisme. On comprend dans ces conditions comment il est difficile pour nous aujourd'hui d'expliquer des mouvements qui, aux *yeux des Européens comme des Musulmans orthodoxes*, sont constitués par des fanatiques drogués, des imposteurs intrigants, des terroristes nihilistes mâtinés de tueurs professionnels.

Je ne sais pas si Carlos existe, je ne l'ai pas rencontré. Mais par contre, j'ai beaucoup discuté avec de nombreux militants de ces mouvements que les occidentaux appellent « intégristes ». Certes, beaucoup admettaient le tyrannicide : l'idée d'assassiner un prince musulman impie et apostat leur paraît conforme à l'Islam, ce qui d'ailleurs est exact. Mais il ne s'est jamais agi pour eux de combattre les occidentaux en Occident par ce type de moyen.

Leur combat contre celui-ci se situe sur le plan de la perversion des mœurs et, à ma connaissance, il est difficile de créditer ces Musulmans-là des attentats commis en Europe contre des Européens.

Le problème du terrorisme palestinien est fort différent et

n'émane pas de groupes religieux. De plus, les actions de terrorisme international ne sauraient être confondues avec les actions contre des Musulmans, effectués par des militants islamistes, par exemple en Égypte ou en Syrie.

Les nombreuses déclarations d'Abou Nidal et les pratiques de certains États avec lesquels nous entretenons des relations diplomatiques [27] me confortent dans cette idée : ce sont le plus souvent des groupes laïcs, voire chrétiens, qui, en liaison avec des groupes occidentaux (de type « Armée rouge » ou Action Directe), pratiquent ce terrorisme-là. Car il ne faut pas oublier que l'aile révolutionnaire du mouvement palestinien est chrétienne (d'origine, au moins). Les chrétiens palestiniens sont depuis longtemps partisans d'un État laïc car ils pressentent quel serait leur sort dans un État islamique. Alors, il faut sortir des amalgames faciles, même si l'on peut admettre que tous ces groupes sont manipulés par des États et assassinés par leurs services secrets (y compris israéliens!).

Enfin, le dernier point sur lequel il faut insister est la rupture complète entre le chiisme et le sunnisme, qui me paraît impliquer le refus absolu de la confusion entre les mouvements islamistes et chiites : la quasi-totalité des gens que j'ai pu interviewer, leurs écrits et la quasi-totalité des écrits islamistes considèrent généralement que les Chiites sont des hérétiques, alors que ce n'est pas tout à fait exact sur le plan théologique. Bien sûr, nous avons quelques témoignages qui laissent penser que la révolution iranienne a fait un effort d'explication en direction des masses sunnites, mais pour avoir eu en main une des rares cassettes circulant à Marseille sur ce thème (« ni Chiites, ni Sunnites, tous Musulmans! »), je dois témoigner que c'est une propagande qui n'a pas grand écho et qui de toute façon implique pour le chiisme la perte de sa spécificité. De plus, au Moyen-Orient, les groupes chiites actifs, de type *Amal* par exemple au Liban, sont traversés de courants et de tendances fort contradictoires, comme cela est apparu clairement lors des événements de 1985 et 1986. Mais la télévision française les a présentés, pendant la présence de l'armée française (1984), comme de dangereux terroristes fanatiques, alors que Nabih Berri était partisan d'un Liban multi-confessionnel, ce qui n'est pas le cas du *Hizb Allah*, le parti d'Allah, traduit en français par « ces fous de Dieu »...

Aussi, dans les affaires d'avril 1985, l'Occident découvret-il la complexité : les « terroristes » peuvent être des Arméniens ou des Chrétiens membres des Fractions armées libanaises [25], tandis que le Sénat américain accuse la CIA d'être l'instigatrice d'un attentat anti-« intégriste » à Beyrouth... Il faut donc essayer de présenter une typologie dans la nébuleuse de ces groupes.

VII

LES ASSOCIATIONS ISLAMISTES

Sans négliger l'analyse comparative [1], il m'est apparu, à l'expérience, peu efficace d'employer des concepts, même pertinents et ayant fait leurs preuves au Centre, dans un contexte culturellement différent, vivant une histoire diachronique d'une façon non europée-centriste. Il est indispensable au contraire de présenter une lecture *périphéro-centriste* des fonctions et des rôles de la cléricature dans l'Islam classique, orthodoxe et historique, pour expliquer ma thèse sur les Musulmans militants radicaux, à partir de ce qui fait sens pour eux. La forclusion du politique, par-delà le fait qu'elle implique que la politique n'est qu'une cuisine *(ṭabkha),* est possible quand une communauté redevient *Gemeinschaft.* Autrement dit, les Arabes pratiquent allégrement et régulièrement l'aller-retour entre les catégories mises au point à partir des temps modernes par Toennies, Morgan, Durkheim, Gramsci : solidarité organique/solidarité mécanique; communauté/société; société politique/ société civile, etc. Il est en effet surprenant d'imaginer que la culture et les catégories occidentales ne soient pas devenues familières aux masses arabes! Comment pouvait-il en être autrement, alors que ces stratégies étaient diffusées par une intelligentsia sécularisée, voire laïque, formée dans une multiplicité de lieux, le plus souvent étrangers; ces nouveaux intellectuels ne constituaient pas un corps homogène, comme celui des Ulama classiques. De plus, ils se sont coupés, petit à petit, de leurs bases d'origine, qu'elles soient de classe ou culturelles. Le mouvement démographique et l'urbanisation ont rempli les périphéries urbaines de nouveaux venus complètement étrangers aux valeurs de l'intelligentsia « moderne ».

En même temps ces nouveaux venus, à Casablanca et au Caire, n'étaient pas plus sensibles aux vertus des Ulama ou des nouveaux clercs musulmans produits par les États-Nations. Ceux-là surtout, en Syrie, en Algérie comme en Égypte, ont perdu leur liberté en servant de courroie de transmission à l'État, et de plus n'ont pas su combattre la dégradation de l'enseignement traditionnel. Le mouvement islamiste a alors produit des clercs qui sont venus combler le vide des discours modernes et traditionnistes : nous [2] avons démontré comment ces « nouveaux entrepreneurs indépendants concurrentiels » ont pu, dans des lieux précis, capter le discours d'opposition au Prince pervers, en jouant sur la tension entre l'ordre du monde et la transcendance. Ces clercs ont à leur tour renforcé le mouvement islamiste.

L'Islam, en tant que totalité structurante, a été plus largement utilisé *après* les indépendances politiques des États arabes (sauf en Arabie Saoudite) qu'au moment des luttes de libération nationale; cela dénote une perception fort différente de l'Islam par rapport aux penseurs et aux hommes d'action du XIXe siècle.

Dans bien des cas, il est possible de soutenir que l'Islam n'a pas été le facteur déterminant dans la conduite de la guerre de libération nationale – ce qui ne signifie nullement qu'il était absent. Par contre, au lendemain de l'indépendance, l'institutionnalisation du réformisme (pris ici au sens de mouvement salafiste) permet au pouvoir d'effectuer une double opération : d'une part, en reprenant à son compte la thématique et les slogans des Ulama de la Nahda, il conforte sa légitimité en rattachant le nouvel État-Nation à la mouvance arabo-musulmane; par ailleurs, l'Islam est alors utilisé comme instrument de cohésion sociale en privilégiant la mythique de l'Unité, unité de la patrie algérienne recouvrée, unité de la Nation algérienne perturbée par les alternatives (crédibles) proposées par le colonisateur, unité communielle de la Umma en tant que communauté musulmane transcendante. Mais ce faisant, le pouvoir algérien, par exemple, semait des graines dont les

produits, non contrôlés parce que non prévus, allaient perturber, plus tard, le processus de sécularisation mis en place : au
nom de cette légitimité, l'État algérien a arabisé et islamisé la
société civile algérienne en l'enserrant dans un réseau étroit de
petits clercs formés par l'enseignement dit « originel ». Ceux-ci
ont été affectés à des postes sur l'ensemble du territoire et ont
diffusé une pensée traditionniste peu conforme aux objectifs
socialistes affichés par une partie de la classe politique. Ainsi
dans cette Algérie « montreur de conduite du tiers monde » se
constitue un humus sur lequel va s'épanouir l'islamisme quand
les circonstances s'y prêteront. Ce processus de « concurrence
des clercs pour le monopole de la production des biens
symboliques » se retrouve sous des formes spécifiques, dans
tous les États arabo-musulmans [3]. Certains vont devenir des
militants islamistes et, avec d'autres, vont se regrouper dans des
associations.

Les islamistes

Pour comprendre la pensée des militants islamistes, il faut
partir d'une lecture de ce qui fait sens pour eux et non pas de
l'environnement international, encore moins partir de ce que
disent, déclarent, écrivent les élites arabes transculturées que
récusent les islamistes.

Il y a, en effet, une corrélation absolue entre la légitimité
invoquée par les islamistes et la nature des États-Nations
modernes arabo-musulmans : leur légitimité est *inversement
proportionnelle* à leur acceptation du droit non musulman.
Aussi, pour un islamiste, les normes du droit international, les
Droits de l'Homme, qui s'enracinent en Occident et sur la scène
internationale dans « le concert des Nations », dans la personne
humaine, dans l'individu, tels qu'ils sont peu à peu définis à
partir du XVIIIe, ne représentent rien, ne signifient rien. Certains
ont même souligné lors d'interviews que les sources réelles des
Droits de l'Homme se trouvaient dans la pensée grecque athée
et que ce fut l'un des grands malheurs – disent-ils – de la

philosophie arabe que d'avoir été pervertie par la pensée grecque.

Pour certains tiers-mondistes, ces mêmes droits s'enracinent dans l'ensemble des droits collectifs provenant de la légitimité, de la revendication d'un NOEI (Nouvel Ordre Économique International). Cela non plus ne fait pas sens pour les islamistes. Pour eux, le droit s'enracine dans le *Qor'ân,* et dans l'exemple du Prophète. Tout le reste est billevesées, voire trahison. Il faut donc examiner la position radicale des Musulmans islamistes à travers leurs écrits et les témoignages recueillis oralement depuis quelques années [4].

Le corps d'hypothèses de base qui justifie ma position d'analyse « interne » de la logique, de la cohérence de la stratégie arabo-musulmane des islamistes peut se résumer ainsi : l'Islam est l'idéologie des masses arabes et constitue la vision de la plus globale de toutes les idéologies révolutionnaires. L'Islam est révolutionnaire puisqu'il postule le remodelage des relations sociales et des structures sociales, et la fabrication d'un homme nouveau. L'idéologie des élites arabes qui sont en contact avec l'Occident, celles qui négocient et qui gèrent les relations Nord-Sud, est, au mieux, le « modernisme nationalo-progressiste ». Ces élites ne représentent qu'elles-mêmes et ont ainsi intérêt à leur propre reproduction; pour ce faire, elles produisent un discours crédible aux yeux de l'Occident qui en retour leur donne de la légitimité : ils sont des pavillons de complaisance.

A partir de ce constat, l'islamiste reprend l'ensemble des propositions (que j'ai exposées plus haut), qui consiste à opposer à la modernisation de l'Islam « l'islamisation de la modernité », ou de revenir au plus vite à la Umma. L'islamisme considéré dans son acception d'organisation minimale, c'est-à-dire en tant que flux, vague de pensée non structurée qui tend par des moyens très différents vers une « adéquation » de la société civile et de la société politique, est actuellement un phénomène qui couvre tout le monde arabo-musulman, tout le *dâr-al-islâm,* c'est-à-dire là où les Musulmans se retrouvent en masse, au Maghreb, en France ou en Belgique, aux USA ou en Arabie Saoudite, comme en Indonésie, etc.

Il est cependant hasardeux, au-delà du délire faisant état d'un complot « d'une internationale terroriste islamiste [5] », d'attester fermement de l'existence d'une similitude organique entre les différents groupes nationaux, même si l'hypothèse de l'existence d'une même sensibilité, qui traverse l'espace « transnational » lorsqu'il s'agit, le plus souvent, d'organisations « conversionnistes » de la *da°wa* (appel), ou verticalement par la revendication d'un même référentiel, est largement vérifiée.

Il reste qu'au-delà de cette nébuleuse islamiste, chaque mouvement définit une stratégie particulière adaptée à la forme du régime auquel il est appelé à se confronter, même si l'occupation des mosquées et l'utilisation du prône se retrouvent partout. Il serait par conséquent erroné d'affubler de monolithisme un mouvement comme les « Frères musulmans » au risque d'en faire une abstraction, synonyme de terrorisme. Remarquons par exemple que les Frères musulmans égyptiens sont très différents des Frères syriens même s'ils partagent le même credo. Les premiers ont été amenés, suite aux réactions contradictoires du pouvoir, oscillant entre la conciliation et le combat, à privilégier l'aspect *da°wa* [6]; alors que les seconds ont été très tôt, devant le radicalisme des « Alaouites » (Syriens), amenés à opter pour une organisation militaire et ont dû céder face aux massacres dont ils ont été les victimes après avoir eux-mêmes assassiné...

« Nos frères citoyens ont pu constater que les Frères musulmans avaient une structure organisée, coiffée d'une direction hiérarchisée tant militaire que civile, des officiers de liaison, des principes d'organisation. (...) Ils ont constaté que ce mouvement avait atteint une dimension internationale par sa force et son poids politique, qu'il avait une pensée et même un plan pour abattre le régime, un appareil capable de fournir aux *moujâhidîn* des mortiers, de RPG, des équipements de communication et des explosifs [7]. »

L'islamiste peut en effet être réformiste ou révolutionnaire, clandestin ou semi-institutionnalisé, violent ou pacifique; l'islamisme peut être de masses ou d'élites : sa configuration dépend en grande partie de l'option institutionnelle et politique de l'État et des rapports qu'il noue avec les acteurs du champ religieux. La variable géopolitique éclaire aussi certains aspects du problème et explique parfois des alliances « contre nature » entre groupes chiites et sunnites.

Les islamistes sont-ils alors des névrosés qui prêchent la guerre à l'Occident [8] ?

Les islamistes sont des Musulmans qui, en général, après une conversion rapide, décident de respecter rigoureusement ce qu'ils estiment être le principe de la conduite exemplaire. Leur action s'accompagne souvent d'un projet social : réaliser ce qu'ils croient être un État musulman fort et moderne. C'est une tentative de retrouver en soi, dans le groupe (association ou confrérie), dans la collectivité réinventée (qui coïncide étrangement avec la Cité-Umma), les moyens de supporter le coût énorme de la modernité anarchique, dont l'une des caractéristiques est d'avoir détruit les anciennes structures sans en avoir mis d'autres en place. Nous avons trop de témoignages qui concordent sur la conversion de ces « PHD + barbe » = jeunes, dynamiques, diplômés. L'islamiste est généralement un produit de la scolarisation massive, rejeton mâle d'une famille nombreuse, plutôt traditionnaliste, modeste et vertueuse. Sa réussite scolaire est la pierre d'achoppement de son drame; frustré, car il ne trouve pas de travail avec son diplôme, il chavire lorsqu'il aborde l'université mixte, « occidentalisée ». Aussi, sera-t-il très vite récupéré par les groupes, sécurisants, qui crient « Allah Akbar ». Il passera alors des longues soirées où il n'arrivait pas à se saouler à la bière (mauvaise) à de longues soirées de travail, de réflexion et de propagande, dans une ambiance « saine » sans mixité... Ces islamistes ont été « popularisés » – toutes tendances confondues – par des reportages (photos-choc de la grande presse = jeunes gens barbus armés de Kalachnikov, le front ceint de bandeaux noirs ou rouges, portant diverses inscriptions, encadrés par de vigoureux *mollâh* vêtus de noir et chapelet en main).

Or, l'islamiste ne réfère pas à l'image du marginalisé, ni à celle du « diablotin en burnous [9] », parce qu'il est le plus souvent un pur produit de l'école moderne parfois laïque. Pour la Tunisie, par exemple, comme l'explique Zghal :

« Le phénomène récent de retour à l'Islam ne mobilise pas les forces sociales du passé *mais plutôt des catégories sociales urbaines produites par le processus d'intégration des économies du tiers monde dans le marché économique international.* La base sociale des différents mouvements islamiques est constituée non par des paysans attachés à leurs traditions ancestrales, mais par des catégories sociales intermédiaires (les classes moyennes urbaines) désignées par les grands stratèges américains et leurs épigones locaux comme la force sociale stabilisatrice du tiers monde. Le plus déroutant, pour les intellectuels positivistes et néo-positivistes, est que le fer de lance de ce mouvement de retour au sacré dans le monde musulman n'est pas formé comme on pouvait le croire par des étudiants des facultés de théologie menacés par le chômage, mais par des étudiants des facultés de sciences (mathématiques, physique-chimie) et des instituts de technologie. Et l'origine sociale de ces étudiants n'est pas, en général, différente de celle des étudiants mobilisés par les différents courants de la gauche laïque. Ce sont généralement des enfants de la petite bourgeoisie urbaine ou semi-urbaine [10]. »

De plus, les islamistes ne sont pas une simple minorité, même si les militants sont numériquement peu nombreux (mais pas moins nombreux que les membres des partis progressistes) : leur nom même explique leur dynamisme *(islâmiyyûn).* Ils sont des militants de l'Islam qui se réapproprient le champ politique sur des modes populaires (ou populistes) avec des techniques classiques et traditionnelles, mais en utilisant les moyens modernes comme les cassettes, les haut-parleurs, etc. Ce faisant, l'ensemble des *croyants* musulmans sont disponibles pour l'écoute.

Les islamistes ne sont pas simplement des frustrés de la modernisation; ils représentent un large éventail de catégories socio-professionnelles, et de plus leurs leaders se recrutent de plus en plus dans les milieux scientifiques. Cette observation vaut également pour la France; mais Képel a fait la même observation pour l'Égypte, et O. Roy l'a souligné aussi à propos de l'islamisme afghan :

« Les jeunes intellectuels islamistes (car en Afghanistan, ils ont généralement moins de trente-cinq ans) sont des produits de la société

moderne ou plutôt d'enclaves modernistes dans la société traditionnelle. Le mot *rowšândâr,* traduction du mot « intellectuel » (...)
s'applique à tous les jeunes sortis du système éducatif « moderne »,
qu'ils se réclament du marxisme, du libéralisme ou de l'islamisme. En
ce sens, qu'il y a une communauté d'origine et de problématique très
grande chez tous ces jeunes [11]. »

L'islamisme exprime, beaucoup plus que les angoisses des
chômeurs et des marginaux de la société, celles d'une élite de
clercs semi-savants en rupture d'équilibre « eschatologique », et
c'est en ce sens que je les rattache au « principe d'espérance ».

Ce dialogue fictionnel d'Olivier Carre rend très bien
l'image que se fait l'islamiste du rôle qu'il a à jouer :

« Si on lui parle du « tiers-mondisme progressiste » à la nassérienne, il sourira, haussera les épaules, vous priera d'essayer de traverser
la rue sans vous tremper les pieds dans les dégorgements d'égouts. Et
vous ? Radieux : l'alternative existe, voyez l'Iran révolutionnaire,
l'Afghanistan et la Syrie insurrectionnels. C'est aujourd'hui l'aube de
l'Islam pour notre temps. Réaction : intégrisme, obscurantisme,
cléricalisme, Moyen Age !
Soyons sérieux, rétorque le militant islamiste, le regard lumi-
neux, le seul, le vrai progressisme, c'est l'alternative islamique, c'est la
modernisation autochtone enracinée dans notre culture populaire et
elle est islamique jusqu'au bout de nos ongles [12]. »

D'autres témoignages peuvent être repérés :

« Pour nous, dit un islamiste de gauche, l'Islam est avant tout une
méthode et non un système clos et achevé. Ce qui importe, c'est la
finalité poursuivie par l'Islam. Cette finalité peut être atteinte, selon
les époques, par des formes différentes d'organisation et de pratiques
sociales (...), nous récusons la méthode salafiste, car elle opère une
lecture trop littérale de la tradition, sans la moindre référence à
l'histoire concrète. Ses conceptions sont sans lien avec le réel [13]. »

Ce refus de la tradition partagé par la majorité des
mouvements islamistes (particulièrement ceux qui se disent
progressistes) s'explique par une tentative d'émancipation idéo-

logique. L'Islam, en effet, comme le fait remarquer O. Roy [14],

« est plus pensé en terme de politique que de religion, c'est plus une idéologie qu'une théologie. Les islamistes refusent la séparation entre le politique et le social, entre l'État et la société civile ».

Contrairement aux Ulama (y compris ceux qui sont les plus contestataires), qui acceptent implicitement la séparation *dîn-dawla* (« religion-État »), même si c'est pour des raisons fonctionnelles, les islamistes tentent, par-delà l'abrogation de la tradition, une réappropriation « totalitaire » de l'espace politique et l'interpellation d'un État étrangement hégélien (parce que immanent) [15] couvert et légitimé par le *tawḥîd*. De nombreux textes qui émanent d'intellectuels ayant une forte sensibilité islamiste montrent l'ampleur de cette préoccupation, que l'on pourra comparer à la définition du *tawḥîd* que j'ai donnée plus haut :

« L'Islam est la religion révolutionnaire par excellence. Le *tawḥîd* est un processus d'unification dans le futur du fait accompli dans le passé, il veut dire la liberté de conscience, le rejet de la peur, la fin de l'hypocrisie et du dédoublement. « Dieu est grand » signifie la destruction du despotisme. Tous les êtres humains sont égaux et toutes les nations sont égales devant le même principe [16]. »
« Le *tawḥîd* est donc l'abolition de toute hiérarchie sociale. Le *tawḥîd* est la lutte de l'homme sur le sentier de Dieu, la libération de l'homme de toutes les conceptions et pratiques sociales réactionnaires; le *tawḥîd* signifie, en dernière analyse, la lutte pour la société sans classes, sans discrimination raciale, sans préjugés sexistes, donc une société où toutes les chaînes et contraintes sociales et culturelles auraient disparu. »

Ce discours étrangement « marxiste [17] » n'est qu'une variation (islamiste progressiste ou de gauche) sur un même thème, celui de l'islamisme en général qui, lui, tire sa force de la profondeur historique de son référentiel et de l'effort de ré-élaboration des concepts entrepris par Sayyed Qutb après Mawdoudi, et plus près de nous par al-Faraj, le maître à penser du groupe qui assassina Sadate pour des raisons qui nous ramènent à la stratégie et à la structure de ces groupes.

Les associations islamistes : typologie

Pour faire une typologie des organisations, il faut définir ce qu'est une organisation potentielle dans l'Islam. Que ce soit un mouvement ou un parti politique, *a priori,* une organisation est toujours suspecte de prendre le risque de fractionner la communauté musulmane, de la diviser. C'est pour cela que la quasi-totalité des mouvements étudiés hésitent eux-mêmes sur leur propre appellation; certains mots semblent proscrits, comme *ḥaraka* (mouvement), *ḥizb* (parti), sauf lorsqu'ils sont accolés au mot « Allah », mais surtout le mot *firqa* (fraction), qui renvoie à toute l'histoire des dissensions des débuts de l'Islam [18]. Par contre, les mots privilégiés tournent autour de la racine *JM^c* ou du mot *daᶜwa*.

L'Islam comporte un principe de totalité, en ce sens que, sans organiser quoi que ce soit à proprement parler [19], comme aucun domaine ne lui échappe, il est susceptible d'être à l'origine de toute forme d'organisation. Ceci me paraît être l'explication du fait que, dans le temps et dans l'espace, les transits sont courants entre organisations apparemment concurrentes et que les appartenances multiples occupent l'ensemble du possible : un Musulman peut être « réformiste » et appartenir en même temps à plusieurs ordres religieux, de même qu'un militant de la *daᶜwa* explique en toute sérénité sa parfaite orthodoxie alors qu'il a été membre d'une organisation ba'thiste ou maoïste. L'absence de principe organisationnel fait que *le pouvoir, dans une organisation, appartient à celui qui le prend.* C'est pourquoi la concurrence entre les clercs et les petits entrepreneurs indépendants permet l'émergence de leaders que je qualifie pour ma part de politiques.

L'organisation de base, en quelque sorte niveau zéro, est constituée par le *salon,* le *bayt al-ḍuyûf* en particulier, et par la plus petite salle de prière n'importe où : pièce à l'étage, garage, certaines peuvent accueillir trois ou quatre croyants tout au plus. Dans un mouvement de structuration de l'organisation, le plus souvent itinérante, selon la tradition historique de la *daᶜwa*, elle va vers des mosquées de plus en plus grandes et de plus en plus remplies, surtout lorsque le prêcheur ou le missionnaire entraîne à sa suite des fidèles qui parcourent son espace public de prédication. C'est en effet une tradition attestée dans l'histoire arabo-musulmane que d'aller écouter des prônes. Il paraît plus utile d'essayer d'établir une typologie des mouvements islamistes plutôt que d'en donner la liste exhaustive, peu facile à établir : à partir d'une vingtaine de cas étudiés [20], je propose de diviser les mouvements islamistes, qu'ils soient association ou semi-parti politique, en fonction de leur efficacité et non pas de leur structure. Effectivement, les distinctions pertinentes ne semblent tenir ni à leur dénomination, ni à leur historique, ni à leurs objectifs affichés, mais plutôt à leurs activités réelles; et à mon sens, à partir de ce critère, on peut les diviser en trois catégories :

– *Les groupes ou associations de maintenance classique,* c'est-à-dire les mouvements qui s'occupent de la cure des âmes, de l'entretien de la foi et éventuellement qui regroupent des croyants pour des prières surérogatoires. Contrairement à ce que nous (Tosy et moi) avons écrit dans le passé [21], je classe ces associations parmi les islamistes parce qu'elles ont revivifié d'anciennes structures face à l'incapacité des clercs officiels de mobiliser les masses, en particulier du fait qu'ils méprisaient la religion populaire. Ce phénomène (le néo-turuquisme) de revivification de groupes classiques, tout au contraire, se fonde sur la réactivation des *ṭurûq* (pluriel de *ṭarîqa*), c'est-à-dire, pour simplifier, des confréries : il s'agit là d'un phénomène de réappropriation du politique sur un mode populaire. En ce qui concerne les mouvements islamistes, les défis lancés aux autorités ne pouvaient se faire que dans ces conditions de maîtrise du référentiel (c'est-à-dire l'arabo-islamisme) saisissant les Musulmans dans leur quotidienneté.

– Le deuxième type est constitué par des *associations conversionnistes* dont la mission est la récupération des Musulmans tièdes, activités correspondant à la *daᶜwa* classique. Ce type d'associations, travaillant dans la société civile, accèdent directement au politique puisqu'elles restructurent le champ religieux dans ce qui constitue un contre-champ politico-religieux, un État en négatif puisqu'elles procèdent d'une même conception de l'État par la référence aux quatre premiers califes, État qu'elles veulent reconstruire simplement par une interprétation différente de l'Islam. La différence paraît porter aujourd'hui sur le référentiel; l'État moderne utilise un référentiel institutionnalisé complexe, alors que les associations islamistes proposent une référentiel simple qui est la garantie de l'unité à travers l'unicité : unité de la communauté, unicité du référent, unicité de Dieu.

– La troisième catégorie comprend des *associations plus activistes,* qui par-delà leurs fonctions missionnaires formulent un projet politique et qui donc devraient, seules, mériter l'appellation d'islamistes. C'est d'ailleurs pour cette raison que nous les avions distinguées dans nos travaux précédents. Mais aujourd'hui, un autre critère prévaut : le refus ou l'acceptation du recours à la violence me semble le véritable critère de répartition.

Le véritable enjeu pour toutes ces associations se trouve dans la constitution d'une contre-élite, puis dans la création d'un État fondé sur la *šarīʿa,* enfin dans la création d'un État musulman unique. La distance qui existe entre le cheikh Kischk ou tout autre prêcheur, par rapport à Mawdudi et Sayyed Qutb, est dans l'utilisation de la force et de la violence organisées pour imposer un État islamique à la société civile. Or, jusqu'à preuve du contraire (Olivier Carré le montre bien), Qutb était hostile à l'usage de la violence; ce n'est pas l'avis d'Ali Sfaxi *(Su'al, op. cit.),* et comme lui d'ailleurs, beaucoup de chercheurs pensent que Qutb admettait l'usage de la violence.

Le classement effectué ne peut faire oublier les problèmes inhérents au découpage des objets réels et que ce qui se passe dans la réalité *prouve plutôt la cohabitation que la séparation.* J'ai en effet connu trop de cas qui appartenaient ou qui ont appartenu successivement à plusieurs catégories et il est même quelques groupes qui ont changé de catégorie pendant la décennie que j'étudie... Le chercheur se heurte toujours aux mêmes problèmes : les acteurs sociaux répugnent à entrer dans ses catégories!

Par contre, ces mouvements sont tous orthodoxes et ils sont tous issus du réformisme et de la Nahda.

1º *Les Frères musulmans.* Les magazines arabes font leurs couvertures à la une avec les barbus les plus célèbres : les pères fondateurs du plus ancien mouvement, puisque après tout l'Occident découvre un « intégrisme » qui l'angoisse alors que, sous cette forme moderne, il existe depuis plus de cinquante ans. En effet, l'ancêtre commun, mais pas toujours le référent unique, de tous les mouvements islamistes, est l'association des Frères musulmans : *Jamâᶜat al-ikhwân al-muslimîn.* Il s'agit d'une association de type moderne qui ne participe pas du phénomène de néo-turuquisme. Elle ne recrute pas ses adeptes dans les confréries populaires fort nombreuses et vivantes en Égypte, mais plutôt parmi des cadres moyens urbanisés et scolarisés. Fondée en 1927 par un instituteur, Hassan al-Banna, elle a produit un certain nombre de penseurs non négligeables qui vont se radicaliser au fur et à mesure de la répression exercée contre l'association. Mais si l'on reprend le programme d'al-Banna tel qu'il est formulé dans différents écrits, force est de constater deux caractéristiques : tout d'abord, qu'il est parfaitement conforme à l'orthodoxie islamique, ensuite qu'il va servir de modèle à la quasi-totalité des groupes islamistes. Les écrits de Banna ont été largement diffusés, même en français. Je résume donc le plus simplement possible son programme [22] :

1. Une invitation au retour aux sources.
2. Une voie traditionnelle.
3. Une réalité soufie.
4. Une entité politique.
5. Un groupe sportif.
6. Une ligue scientifique et culturelle.
7. Une entreprise économique.
8. Une doctrine sociale.

L'association fut dissoute pour la première fois en 1948 et

al-Banna assassiné lui-même en 1949; mais entre-temps, elle avait essaimé au Machreq comme au Maghreb, surtout pendant les périodes où elle fut décimée, essentiellement par Nasser. Elle fut parfois tolérée en Syrie, en Jordanie et même en Égypte sous Sadate, mais le plus souvent poursuivie, et même férocement, comme ce fut le cas en Syrie où près de quinze mille frères furent assassinés à Hama en 1982. Ils avaient eux-mêmes attaqué l'académie militaire d'Alep en juin 1979, massacrant les cadets.

Depuis 1973, l'association égyptienne a été dirigée par Umar Tilimsani (jusqu'à sa mort en 1986), lointain descendant d'une famille algérienne qui suivit l'émir Abd el-Kader dans son exil à Damas. Plus ou moins légaliste, l'association est réformiste au sens double de réforme *(ṭanzîmât)* et d'*iṣlâḥ* (réforme de soi-même).

Elle prône la réislamisation de la société par l'islamisation des institutions modernes et elle se présente comme un mouvement de prédication qui condamne le recours à la violence. Elle a publié chaque fois qu'elle l'a pu des revues militantes, par exemple, entre 1976 et 1981, le mensuel *al-Daᶜwa* et, depuis 1984, elle est alliée au parti Wafd. Elle a aujourd'hui huit élus à l'Assemblée du peuple, le parlement égyptien.

Il est aisé de constater, même à travers ce trop bref résumé, qu'elle appartient elle-même à plusieurs catégories parmi celles que j'ai proposées. La difficulté de l'opération de classement est d'autant plus délicate que ses filiales syrienne et jordanienne ont eu des comportements, des attitudes et des stratégies parfois différentes. Ainsi, à la suite de la répression nassérienne en 1954, Mustapha al-Siba'i prend le commandement général des branches syrienne et égyptienne et les Frères sont même représentés au parlement syrien par Isâm al-Attar, dirigeant suprême du mouvement jusqu'en 1980, mais vivant actuellement en exil à Aix-la-Chapelle... alors que sa sœur est ministre de la Culture du gouvernement syrien! Cet imbroglio familial donne une idée de la difficulté à clarifier la stratégie réelle des États. Entre-temps, le mouvement avait éclaté en organisations multiples : en 1963, déjà, une fraction radicale prônait le reeours à la violence face à la tendance historique d'Isham al-Attar, réformiste mais légaliste. Aussi, au cours des affrontements urbains de l'année 1979, Isham al-Attar (qui a dénié la participation des Frères contre les cadets d'Alep) est mis en minorité et remplacé par un triumvirat partisan de la lutte armée : Ali al-Bayanuni, Saïd Hawa et Adnan Sa'ad ad-Din; le mouvement change de nom et... de catégorie : Front islamique de Syrie ou *Mujâhidîn,* que nous retrouverons plus bas, de même qu'un groupe encore plus violent issu du même tronc mais exclu de l'organisation des Frères musulmans en 1982, *l'Avant-garde combattante.*

Dans la même catégorie, il faut également placer l'association des Frères musulmans de Jordanie et des territoires occupés. Celle-ci est dirigée depuis 1948 par Abdd al-Rahman Khalifa qui se présente d'ailleurs comme le vice-président du conseil exécutif des Frères musulmans pour l'ensemble du monde arabe. En ce qui concerne le territoire de Gaza, le cheikh Khazandar ayant été assassiné en 1979, les Frères n'ont plus de représentation officielle, et pourtant ils recueillent 75 % des suffrages à l'université; je dois avouer que tous mes informateurs ont été plus que réservés sur l'activité de l'association depuis l'occupation israélienne [23].

Il s'agit là d'ailleurs d'un non-dit général, car il n'est pas de bon ton de rappeler dans les milieux progressistes arabes que les premiers qui vinrent au secours des Palestiniens *avant la Seconde Guerre mondiale* (et ce, dès les années 1929 à 1937) pour mener la lutte armée, à la fois contre la puissance mandataire mais aussi contre les bourgeois arabes vendant les terres aux Juifs..., furent les Frères musulmans!

Par contre, ayant assisté à quelques échanges de coups en Cisjordanie et dans les territoires occupés, j'ai pu constater que ce sont les Jeunesses musulmanes qui se réclament des Frères musulmans. Mais cela ne saurait masquer les contradictions des Frères musulmans palestiniens qui réussissent à soutenir inconditionnellement le *Fath,* tout en adoptant la pensée des Frères musulmans – alors que ceux-ci sont anti-communistes et anti-OLP[24] ..., tandis que les notables religieux des territoires occupés sont très liés à la monarchie hachémite. Il existe ainsi une double appartenance religieuse des Palestiniens : d'une part, les Frères musulmans palestiniens se regroupent au sein d'un mouvement islamique du jihad *(al-Ḥarakat al-islâmiyya al-mujâhida),* sous la responsabilité du cheikh Chamen, tandis que les notables religieux sont représentés au conseil islamique suprême jordanien et au département des *awqâf* (biens religieux).

Les Frères musulmans, en Jordanie, sont réformistes et légalistes, et agissent comme association de bienfaisance; ils sont d'ailleurs reconnus par le gouvernement jordanien et soutiennent le régime, en échange de quoi ils agissent au grand jour; ils contrôlent les ministères de l'éducation et de la justice ainsi qu'une université au moins. Certains députés (Ahmad Koufani et Abdallah Akailef) élus en mars 1984 passent pour représenter les Frères et s'ils ne font théoriquement pas de politique (sauf à réclamer la libération de la Palestine), ils ont assuré le repli des Frères musulmans syriens, et de nombreux incidents parfois violents les opposent aux Palestiniens des territoires occupés.

Comme si tout cela n'était pas assez confus, il faut ajouter l'activisme propre aux Frères musulmans palestiniens. Par exemple, à Gaza, ils attaquent les bureaux du Croissant Rouge en janvier 1980; par ailleurs, ils sont très actifs au Sud-Liban pendant l'été 1982 et ils publient une revue dont le titre est clair : *L'Écho du Jihad.*

Bien entendu, les Frères musulmans ont essaimé au Maghreb et au Machreq; on trouve à peu près partout le même type de mouvement, plus ou moins clandestin selon le degré de répression ou d'ouverture que proposent les régimes locaux, la règle me paraissant être la suivante : *quand un régime se libéralise, les églises de volontaires s'engouffrent dans le créneau.* Au Maroc, ils sont vaguement tolérés alors qu'ils sont toujours interdits en Tunisie mais, en Irak, ils ont connu des fortunes diverses (la branche irakienne des Frères musulmans a été fondée par Sawwaf en 1948 et réprimée depuis 1951...). C'est dire qu'une différence essentielle existe entre les associations de Frères musulmans selon qu'elles sont au Maghreb ou au Machreq : au Moyen-Orient, elles sont anti-nassériennes et anti-socialistes, alors qu'au Maroc, face à la monarchie, elles n'ont pas ce problème. Elles se contentent d'être contre le socialisme à l'algérienne et à la tunisienne. Elles ont en commun d'être accusées de recevoir des soutiens financiers de l'Arabie Saoudite. Pour ma part, je privilégierai plutôt la capacité de ce type d'association à récolter de l'argent volontaire et il me paraît tout de même contradictoire (et cela justifie le chapitre suivant à propos des stratégies de l'Arabie Saoudite et des Ligues islamiques) d'invoquer constamment le soutien financier d'États qui travailleraient ainsi à leur propre perte... Encore que les formes multiples de manipulations puissent conduire à ce que l'arroseur soit arrosé!

Ainsi, dans le Golfe, l'association des Frères musulmans n'existe pas officiellement, mais de nombreux réfugiés égyptiens, syriens ou irakiens vivent actuellement en Arabie Saoudite : le cheikh Ghazali, le frère de Saïd Qutb, ainsi que l'Irakien Sawwaf.

Il existe un cheikh « officieux » des Frères musulmans en Arabie Saoudite : le cheikh Mohammed al-Khattar, mais un autre (le cheikh Quardawi) serait réfugié à Qatar. Un certain nombre de Frères sont des personnalités proches de l'Islam saoudien, dont ils constituent un relais efficace. Mais, depuis 1975, il existe une tendance plus radicale à l'université de Riad, et surtout (j'y reviendrai à propos de la troisième catégorie) les choses ont changé depuis l'attaque de la mosquée de La Mecque le 20 novembre 1979.

Il existe également un noyau de Frères au Yémen et un groupe plus structuré au Koweit : l'association de la réforme sociale *(Jamâ'at al-işlâḥ al-ijtimâ'iyya),* dirigée par Abd al-Aziz al-Muttawa, mais dont certains informateurs pensent que le vrai animateur est le docteur Umar Bahair Amiri, dirigeant présumé des Frères musulmans marocains : une preuve de plus de la mobilité des Frères par-delà les États. Comme dans d'autres pays, ce mouvement s'exprime dans les mosquées et à travers plusieurs revues. Il compte aussi quelques députés qui parlent officieusement en son nom. Le Koweit présentant la caractéristique d'être sans doute l'État le plus démocratique du monde arabe, d'autres groupes existent que l'on peut classer dans cette catégorie encore : l'Association pour

la revivification de l'héritage islamique, dirigée par Khalid
Sultan, et le courant dit des Salafiyyin... Il faut noter combien
le vocabulaire arabe permet de justifier mon hypothèse : *işlâḥ,
ijtmâ°iyya, mujtama°* (le nom de la revue de l'Association de la
réforme sociale), et bien sûr Salafiyyin, renvoient au mouvement réformiste et démontrent à quel point tous ces mouvements sont parfaitement orthodoxes. Mais, à l'assemblée du
Koweit, les députés siègent à côté de députés chiites pro-
khomeynistes qui représentent d'autres mouvements dont il
sera question plus loin.

Il existe par ailleurs d'autres mouvements réformistes,
comme *al-Da°wa* à Dubay, qui disposent d'une publication :
al-Işlâḥ (la réforme), caractérisée toutefois par un trait que je
n'ai pas retrouvé ailleurs : elle met l'accent sur l'athéisme
soviétique et dénonce les dirigeants chrétiens de l'OLP.
La nébuleuse FM est donc considérable. Elle couvre
l'ensemble du monde arabe mais, à mon sens, elle est composée
de Musulmans parfaitement orthodoxes qui réclament, simplement, l'application de la *šarî°a* dans des États reconnaissant
l'Islam comme religion d'État. Cette « idéologie » a bien sûr fait
le lit de toutes les autres organisations.

2° *La deuxième catégorie* est constituée par les associations missionnaires, apostoliques et conversionnistes. Elles portent généralement les noms génériques de *Jamâ°at al-da°wa* ou
Jamâ°at al-islâmiyya, il faut y ajouter les associations pakis-
tanaises du *Tablighi* (Message). Ces associations sont nées en
général de l'incapacité des clercs orthodoxes à lutter contre
l'occidentalisation de la société arabo-musulmane; ce sont donc
des associations dans la mouvance des Frères musulmans; *elles
sont d'esprit réformiste mais pratiquent la prédication,* selon
des techniques bien connues dans les églises protestantes ou
assimilées aux États-Unis et en Europe, mais sans que cette
comparaison signifie autre chose qu'un éclairage pour le lecteur
européen. En effet, ces associations, très nombreuses, utilisent

un fonds commun très classique dans la société arabo-musulmane dont j'ai exposé les principes dans le chapitre sur la *daᶜwa*. Mais leur originalité tient au fait qu'elles sont souvent très critiques à l'égard des gouvernements en place, et que même dans le cas où elles sont soutenues par les régimes, elles échappent parfois au contrôle de gouvernements qui ne peuvent pas faire autre chose que de les tolérer. L'exemple le plus probant est celui des associations de ce type créées à l'instigation de Sadate en 1972-1973 dans les milieux universitaires et placées sous la responsabilité de Mohammed Uthmân Isma'îl, gouverneur d'Assiout jusqu'en 1982. C'est le type même d'associations se référant à Sayyed Qutb qui se présentent comme l'avant-garde de la Umma, critiquent le pouvoir et la société « Jahiliyenne », et accusent les gouvernements en place d'être revenus à la barbarie anté-islamique. Ces associations que nous [25] avons pu observer aussi bien en Égypte qu'au Maghreb ont toutes utilisé la même tactique : *elles ont d'abord noyauté les associations estudiantines, puis, à partir de là, elles ont contrôlé les campus universitaires.* Elles sont divisées en dizaines d'organisations comparables de l'Atlantique au Nil qui appliquent strictement le programme d'al-Banna, y compris par l'utilisation de groupements sportifs, de clubs de karaté et par la constitution de camps islamiques sur le modèle « scout ». Elles invitent les étudiants à adopter un mode de vie islamique et ont transformé les campus dans les dix dernières années; elles sont en particulier à l'origine de l'apparition des barbes et des vêtements islamiques. Certains militants n'ont pas eu besoin d'adopter la barbe car ils venaient du castrisme ou du maoïsme : la police profita souvent de cet amalgame en arrêtant systématiquement les barbus...

Le succès de ces associations tient au fait que, face à la situation catastrophique des universités, elles fournissaient en contrepartie un certain nombre de prestations qui favorisèrent les conditions de travail : publications à prix réduits, services de bus par sexes séparés, révisions en groupe, places réservées aux étudiantes voilées, etc. Là aussi, le vide créé par les pouvoirs leur permit de remplacer les étudiants d'extrême gauche, y compris par l'usage de la violence. Ces groupes ont, de plus, favorisé le passage de certains de leurs membres dans la troisième catégorie, dans la mesure où, par exemple, en Égypte, ils furent impliqués dans les incidents confessionnels en juin 1981 ou dans les émeutes du quartier de Zawiya al-Hamra. Nous les retrouverons donc plus loin.

L'exemple le plus complexe de ce type est tunisien : le mouvement de la Tendance Islamique. Il faut noter un changement dans l'intitulé : fondé en 1976 sous le nom de « l'action islamique *(al-ittijâh al-islâmî)*, il ne prend sa dénomination actuelle, MTI (Mouvement de la Tendance Islamique), qu'après 1978, sous la direction de Rachid al-Ghannuchi. Le prêcheur le plus célèbre de Tunisie est l'un des animateurs de ce mouvement, Abd al-Fattah Mourou ; ce mouvement caractéristique de cette deuxième catégorie proposée a fait l'objet des analyses les plus fausses de la part de la gauche maghrébine : il est le type même de mouvement qui a été assimilé aux « Frères musulmans », alors qu'il s'agit d'un mouvement non seulement réformiste mais sans doute relativement progressiste ; et pourtant ses leaders sont influencés par Shariati [26], Qutb, Baqir al-Sadr et Hassan al-Banna. Le mouvement refuse le recours à la violence et admet même l'existence du parti communiste tunisien. Cependant, en tant que mouvement de prédication, il lance un appel à l'islamisation de la vie publique et, à la manière Qutb, il condamne la société « Jahilite » ou « Jahiliyenne », revenue à la barbarie pré-islamique.

Dans le contexte des mouvements sociaux violents, des émeutes et des problèmes politiques propres à la Tunisie, ce mouvement s'est radicalisé en deux temps. Tout d'abord, il se politise dans les années 1981 et demande à être reconnu *en tant que parti politique* ; puis, plusieurs tendances se manifestent en son sein et produisent des groupes différents, d'ailleurs victimes de la répression en 1982-1983. Graciés aujourd'hui, ils travaillent à visage découvert. Un premier groupe « progressiste », avec Abd al-Salah Jourchi, quitte le MTI et crée la *Revue 15/21* (c'est-à-dire XVᵉ siècle de l'Hégire, XXIᵉ siècle...) : revue dont il est difficile de soutenir qu'elle est réactionnaire ou intégriste...

Un autre groupe, fondé par Hassan Ghodbani, le Choura,

Parti islamique de la concertation, traduisait ainsi le désir de démocratie propre à tous les Tunisiens. Le mouvement publie d'ailleurs plusieurs revues dont les deux principales sont *al-Maʿrîfa* (la connaissance) et *al-Mujtamaʿ* (la société).

La distinction me paraît donc nettement passer entre les réformistes orthodoxes et les radicaux, et non pas à travers des catégories du type fondamentaliste ou intégriste. En ce sens, le cas de la Tunisie est particulièrement illustrateur de ce phénomène de « revivalisme musulman [27] » : il faut en effet appréhender le renouveau islamique non pas par rapport à l'histoire occidentale de l'émergence de l'État moderne et de la laïcisation, mais à partir du contexte historique et social du monde arabo-musulman dans lequel la sécularisation-laïcisation n'est pas pensée de la même façon. Ainsi, les débats en Tunisie autour de la « presse autorisée » montrent bien que l'on peut être musulman de gauche engagé dans la lutte entre l'Islam et la Jahiliyya, mais aussi qu'il est concevable d'unifier le monde arabe au nom du prolétariat et de défendre la justice sociale à travers une lecture « marxiste » des fondements de l'équité islamique [28]. Cette lecture se trouve confrontée par la composition intellectuelle de certains mouvements : le MTI par exemple comporte de nombreux scientifiques dans son comité directeur.

Il existe un faisceau d'organisations dans la mouvance de cette deuxième catégorie qu'il est difficile de toutes situer, car elles sont à la fois très locales et très dispersées sur le territoire de chacun des États arabo-musulmans, parfois même très discrètes et violentes comme en Algérie [29] ou pourchassées en Syrie et en Irak ; toutes sont cependant caractéristiques de cette *réappropriation du politique qui fait le lit de l'islamisme*. Les prêcheurs (d'où leur nom générique d'*Ahl al-daʿwa* – « les prédicants » ou « les gens de la *daʿwa*) se recrutent en effet dans la clientèle de ces petits groupes islamistes. Les éléments qui vont constituer la troisième catégorie naissent également dans ces organisations.

N.B. Au mois d'avril, Ghannuchi vient à nouveau d'être embastillé.

3° *La troisième catégorie* comprend les associations plus activistes, qui, par-delà leur fonction missionnaire, ont à la fois un projet de société et une activité de type politique. La distinction la plus importante entre ces mouvements est constituée cette fois par leur acceptation ou non du passage à la violence, qui se traduit par leur plus ou moins grande clandestinité. Le clivage principal passe entre celles qui veulent réformer la société en se transformant en parti politique et participer éventuellement au pouvoir et celles qui excommunient le pouvoir par l'opération de *takfîr* (excommunication); celles qui acceptent donc d'utiliser la violence pour le déstabiliser ou même le faire disparaître.

N. B. Pour qu'il n'y ait pas d'équivoque, je traite à part, dans le chapitre suivant, les associations chiites présentes essentiellement dans le Golfe, car il n'en existe pas au Maghreb, et les associations pro-iraniennes du Moyen-Orient.

Deux exemples pris en Algérie et au Maroc permettent de comprendre comment, en une dizaine d'années, certains groupes sont passés de la catégorie missionnaire à la catégorie radicale et politique. Encore une fois, la variable déterminante est la position de l'État concerné : l'hégémonie en matière de légitimité religieuse est la clé de la plus ou moins grande clandestinité des mouvements.

Le Maroc et l'Algérie, parce qu'ils représentent deux pratiques politiques fort différentes ont produit des organisations islamistes qui proposent à leur tour des alternatives fort différentes.

D'une part, en Algérie, l'État est monopoliste et il n'existe pas d'autre centre de production de biens symboliques légitimes y compris religieux, en dehors. Ainsi, les groupes islamistes ont été quasiment clandestins avant d'être réprimés et dénoncés comme non conformes à l'Islam progressiste. Et pour le moment, le conflit armé, qui a été d'une virulence extrême (1986), a permis l'écrasement physique des petits groupes les plus radicaux. Alors qu'au Maroc, le Roi, en tant qu'*Amîr al-mu'mimîn,* est hégémonique en matière religieuse, de sorte que la société marocaine a toujours produit des négociations entre différents centres concurrentiels : confréries, ʿulamâ', etc. Aussi les mouvements islamistes ont-ils été plus nombreux et semi-publics, mais leur évolution, avant que la monarchie puisse les manipuler, a suivi le même chemin qu'en Algérie, avant de se transformer complètement.

La plus ancienne association connue en Algérie est née tout naturellement comme une des conséquences de la participation des Musulmans au front des forces anticolonialistes. Il n'était pas possible en effet aux progressistes et aux nationalistes algériens d'ignorer longtemps le soubassement religieux de la guerre de libération nationale, et si certains ont essayé de gommer cet héritage, bien vite les ʿulamâ' le leur rappelèrent et imposèrent à l'État algérien quelques décisions pour le moins surprenantes pour un pays qui s'affirmait socialiste. Mais cela ne suffit pas à la branche la plus radicale, qui fonde en 1964 le premier groupe militant al-Qiyâm (les valeurs) autour d'une personnalité parfaitement légitime par son passé de militant nationaliste, Malek Bennabi. Cette association est apparemment exclusivement culturelle et revendique simplement l'islamisation de la société. Elle est dissoute en 1966 et interdite en 1970 en raison de ses excès, en particulier les violences exercées contre les attitudes vestimentaires des jeunes femmes algériennes. C'est alors que, conformément au modèle que j'ai esquissé plus haut, le mouvement se structure en essaimant à travers le pays, principalement autour des mosquées et des prêcheurs les plus virulents. Or ceux-ci utilisent les thèmes mêmes inscrits dans le programme de la révolution algérienne, et en particulier l'arabisation. Pendant les années 1970 à 1980, les adeptes de ce qui n'est pas un mouvement structuré d'une façon organisationnelle s'efforcent essentiellement de financer la construction de mosquées et d'y rétribuer des imams de leur tendance. Il semblerait que pendant cette décennie, les prêcheurs soient essentiellement influencés par Mawdoudi sans que l'on puisse émettre d'autre hypothèse que les coopérants égyptiens et les Frères musulmans y soient pour quelque chose. Le pouvoir et la gauche algérienne se satisfont d'un amalgame grossier : « Tout ça, c'est des FM... » Pourtant, dès cette époque, quelques intellectuels commencent à penser que le vide idéologique, en Algérie, risque d'être comblé, si la gauche n'y prend pas garde. Une de mes amies traduisait l'anxiété de la fin du règne de Boumediene par cette formule : « Nous n'avons le choix qu'entre le football et les Frères... »

Je me surpris à redouter qu'en fait les Algériens allaient, tôt ou tard, bénéficier de ces deux formes d'opium du peuple... Les Frères musulmans algériens ont systématiquement été dénoncés comme étant des agents de l'étranger. Officiellement, il n'y a pas de mouvements islamistes et pourtant, en dépit des difficultés de l'enquête de terrain, les témoignages ne manquent pas sur la mainmise des islamistes sur des mosquées concurrentielles. Ainsi, des incidents très violents aboutirent à la prise d'assaut de la mosquée de Laghouat en 1982 par la police avant d'autres incidents plus violents : un procès en 1985 aboutit à la condamnation de quelque soixante-dix intégristes, tandis que les morts se comptent par dizaines en 1986. Il est tout de même surprenant que les membres du FLN, face au vide de leurs meetings, ne se posent pas quelques questions sérieuses... Les graines avaient été jetées par les réformistes et malgré la condamnation des premières associations « intégristes » et des différents groupes de *junûd* d'Allah (dans les années 1970), l'Algérie continuait une politique contradictoire à travers les publications du ministère des Affaires religieuses prônant *l'authenticité,* les séminaires et les réunions consacrées à la pensée islamique.

Comment s'étonner aujourd'hui que certains, comme le cheikh A. Sahnoun ou le professeur Abasai Madani, aient puisé dans ce stock pour retourner l'argumentation contre le gouvernement lui-même? Et ce n'est pas la condamnation à perpétuité de Moustapha Boulali par la cour de sûreté de l'État en avril 1985 qui peut enrayer un mouvement se nourrissant partout de ses propres martyrs : en effet, point n'était besoin d'être grand clerc pour constater que les Frères disposaient de nombreux relais jusque-là, y compris au sein du conseil du gouvernement, et si le 9 février 1980, le ministère des Affaires religieuses est réorganisé [30], c'est avec une mission si précise – au moment où le grand débat en Algérie porte sur le projet du code de la famille – qu'il fallait être aveugle pour ne pas comprendre que l'islamisme avait gagné suffisamment d'appuis pour qu'il en soit fini avec le rêve d'une Algérie presque laïque. A moins que l'ensemble des mesures ne fût la réponse aux attentes que suscitaient les revendications islamistes, mais les résultats sont là. Comment s'étonner alors que le mouvement islamiste ait essayé de pousser son avantage en passant à la violence pour exiger la réalisation de l'islamisation totale de la société algérienne? Comme le milieu étudiant produisait le plus de résistances, ce fut là, en novembre 1983, que les affrontements furent les plus durs. En décembre, le gouvernement démantelait une organisation subversive découvrant des armes et des explosifs; de nombreux militants furent arrêtés, dont certains furent condamnés en 1984; mais, en dépit des mesures de clémence prises depuis par le président Ben Jedid, les obsèques en avril 1984 du cheikh Abdellatif Soltani démontrent, par l'ampleur et le nombre des participants, que le mouvement est bien implanté dans la société civile. Alors que la date et le lieu de l'enterrement n'avaient pas été précisés, des milliers de fidèles se sont retrouvés pour la cérémonie.

Au Maroc, dans la grande variété des mouvements très proches des Frères musulmans, l'association qui se détache pour la démonstration du passage des groupes missionnaires aux groupes radicaux est la *Jamᶜiyyat al-daᶜwa al-šabîba al-islâmiyya*. Cette association, qui a pignon sur rue dans un quartier de Casablanca, avait été créée dans un premier temps par un ancien militant du l'USFP, Abdal-Karim Muti. En 1975, l'association éclate en quatre groupes, au moins, qui sont plus radicaux et même plus révolutionnaires les uns que les autres. Le débat à l'intérieur de ceux-ci porte à la fois sur la guidance de Muti et sur le *takfîr* : est-ce que le recours à la violence est un moyen de lutte contre les pouvoirs, qu'il n'est pas possible d'attaquer de front et qu'il faut donc excommunier? Est-ce que le concept de *takfîr* (excommunication) peut être utilisé à l'encontre des peuples opprimés? Ce débat, qui d'ailleurs agite une partie des lycées et des collèges, produira de nombreux heurts avec la gauche marocaine et dans l'émigration marocaine en France.

Tout va basculer lorsque le mouvement est accusé de l'assassinat d'Umar Benjelloun, dirigeant de l'USFP. Lors du procès, en septembre 1980, Muti fut condamné, mais il avait trouvé refuge en Arabie Saoudite et, d'après mes propres renseignements, il a participé à l'attaque de la grande mosquée de La Mecque. Nous sommes là en présence d'un type de mouvement qui intervient d'une façon brutale dans le champ politique, contrairement aux groupes missionnaires se proclamant apolitiques (au Maroc mais aussi en Europe, le plus important est constitué par la *Jamâ͑at al-tablîgh wa'l-da͑wa*, mouvement né en Inde en 1941).

Par définition, nous savons peu de chose sur les mouvements les plus radicaux et les plus violents au Machreq et surtout dans la péninsule Arabique : ils sont pourchassés dans la mesure où, par exemple, comme le mouvement de l'Avant-garde islamique *(al-Ṭali͑at al-islâmiyya)*, ils prônent une action explosive et clandestine. Il existe plusieurs partis de la libération islamique *(Ḥizb al'taḥrîr al-islâmiyya)*, dont le modèle type est celui créé vers 1948 par Taqi al-Din al-Nabahani, donc bien avant la révolution iranienne...

Ce mouvement aux activités clandestines me paraît caractéristique; un certain nombre de ses militants sont connus *sous plusieurs noms*. Ainsi, le cofondateur du parti Khalil Mohamad Said, porte le nom de Khalil al-Hasan dans l'OLP, mais il vit aujourd'hui au Koweit car le mouvement est interdit en Jordanie. Cette pratique des pseudonymes et de la circulation clandestine dans les pays musulmans se double d'une autre caractéristique concernant le siège central de ce type de parti : il aurait son siège en République fédérale allemande; des activités de ce groupe sont signalées en Égypte (Salah Sirriya, chef du groupe égyptien de l'Académie militaire, en aurait fait partie [31]) et des officiers ont été condamnés en Tunisie en août 1983 pour le même motif. Enfin, ce parti excercerait de grandes activités clandestines dans les territoires occupés par Israël, en Syrie, à Bahreïn... et même en Libye.

Il s'agit bien d'un parti radical puisqu'il prône la restauration de l'État islamique par le renversement des pouvoirs en place à travers la mise sur pied d'une avant-garde islamique. Ce mouvement est panislamique et essentiellement panarabe, il s'est nettement démarqué de la révolution iranienne.

Ce type de mouvement se retrouve bien entendu en Syrie, dans l'ensemble des groupuscules qui se sont séparés des Frères musulmans, précisément sur le problème de la violence; ainsi, un autre mouvement, intitulé l'Avant-garde combattante *(al-Ṭalaᶜat al-muqâtila)*, est en fait la branche militaire des Frères musulmans refusant toute alliance avec les partis laïques. Cette branche est issue des Phalanges de Mohammed Marwan Hadidal (mort en prison en 1974) et d'Adnan Ukla, lui-même exclu de l'organisation des Frères musulmans en avril 1982. Ce groupe est à l'origine de nombreux attentats et a fait l'objet d'une répression très violente. Il existe en Syrie une autre branche radicale des Frères musulmans : le Front islamique de Syrie qui s'appelle *Mujâhidîn*. Ce front publie un programme en novembre 1980 qui réclame l'instauration d'un État islamique par le retour aux libertés démocratiques et le renversement de Hafiz al-Assad. Ce mouvement qui a pratiqué la technique de l'attentat a, cependant, contracté une alliance avec des partis d'opposition, y compris laïques, et a vigoureusement condamné la révolution iranienne.

Ce type de mouvements radicaux s'est illustré essentiellement au Liban et en Égypte. Je n'insisterai pas sur le cas de l'Égypte qui a été bien décrit par Gilles Képel, sauf à résumer là aussi le passage des mouvements, de type « qutbiste » radical, aux mouvements de violence radicale. Par-delà les mouvements, d'ailleurs enclenchés les uns dans les autres, que je signale, il existe à ma connaissance une cinquantaine d'organisations islamistes. Cette fois, la classification possible passe par le *takfîr* : certaines organisations considèrent que puisque la société contemporaine vit dans un état de jahiliyya, elle doit être excommuniée, car le vrai Musulman doit refuser toute loi non musulmane.

Deux groupes sont créés en 1971 : ce qui démontre une fois de plus que la révolution iranienne n'est pas le point de départ du renouveau islamiste.

Le premier mouvement, fondé par Salih Sirriya, ancien

membre du parti de la libération islamique jordanien, s'intitulait l'Académie militaire *(al-Fanniyya al-ᶜaskariyya).* Sirriya, qui fut exécuté en 1974, était un radical qutbiste : il pensait que la société « jahilite » devait être détruite par la violence mais que le peuple opprimé était la victime principale du pouvoir athée. Le mouvement échoue dans l'attaque de l'Académie militaire d'Héliopolis le 18 avril 1974, et le gouvernement de Sadate démantèle le groupe. Mais, cette même année 1974, Chukri Mustafa avait créé la société des Musulmans *(Jamâ'at al-muslimîn).* Cette société avait été surnommée par la police d'un titre qui se voulait dérisoire et qui pourtant traduit bien le nœud du problème : *al-takfîr wa'l-hijra,* c'est-à-dire « excommunication et retraite au désert ».

Peut-être que les services secrets égyptiens sont aussi subtils que le laissent supposer les « blagues » dont est coutumier le peuple égyptien : ce titre décrit très bien la pensée de ce mouvement qutbiste radical; en effet, il prône l'excommunication des mauvais Musulmans, refuse de collaborer avec les représentants du système éducatif ou même avec les fonctionnaires de l'État. Par-dessus tout, ce mouvement a organisé la vie musulmane de ses membres en marge de la société « jahilite ». Il s'agit bien là d'un imaginaire dans lequel le retour au désert est une des sources de la réconciliation de l'homme avec lui-même dans la voie de Dieu. Sans que je puisse souscrire à cette thèse, ce mouvement a été comparé à celui des Kharéjites [32] mais ce rappel, en lui-même, démontre combien les références historiques sont fondamentales pour faire une lecture moderne et actuelle de ce type de mouvement.

Le 3 juillet 1977, le mouvement enlève puis assassine le cheikh Dhahab, ancien ministre des Biens religieux. Chukri Mustafa est exécuté cette même année et, Bien que le mouvement ait été démantelé à cette époque, en 1984, une cinquantaine de personnes du groupe ont été arrêtées...

Il existe d'ailleurs un autre groupe comparable, fondé en 1980 par Mohammad Abd al-Baqi : « repli et méditation » *(al-Tawqîf wa'l-tabayyun),* qui s'est illustré dans ses attaques contre les Coptes et dont de nombreux militants ont été arrêtés en 1984. Ce groupe est en effet surtout connu par ses déclarations contre les Chrétiens, considérés comme impies, et par là même, contre les gouvernements musulmans qui tolèrent que le véritable statut de *dhimma* ne leur soit plus appliqué.

Mais le groupe « qutbiste » radical qui a fait le plus parler de lui est celui nommé *al-Jihâd* : le 6 octobre 1981, il assassine Sadate et le 8, il prend d'assaut le quartier général de la police à Assiout. Il a donc poussé le plus loin la logique du renversement par la force du pouvoir corrompu. De plus, le penseur de ce groupe, Abd al-Salam Faraj, a produit un texte *(l'obligation absente)* qui porte la logique du *jihâd* contre les mécréants à son paroxysme. Inspiré d'Ibn Taymiyya, ce texte va beaucoup plus loin que ceux de Sayyid Qutb, qui en fait ne prônait pas la violence jusqu'au bout.

Le groupe *Jihâd* est composé par la réunion des branches régionales sous la houlette de Karam Zuhdi et de Faraj. Ces deux leaders sont exécutés le 15 avril 1982 avec Khalid al-Islambuli, chef du commando qui assassina Sadate. Le procès des quelque trois cents militants du groupe se déroula en 1984 et donna lieu à un phénomène absolument unique dans l'histoire de la répression policière à travers le monde, mais somme toute banal dans le système arabo-musulman : une *munâzara* (verse et controverse), qui eut lieu entre les ʿulamâ' et les šuyûkh de l'université d'al-Azhar et les militants emprisonnés, publiés par voie de presse autour du thème du tyrannicide. Et il semblerait que ce soit parce que les ulama officiels n'avaient plus guère d'arguments à opposer que le débat cessa, faute de combattants [33].

Ces mouvements ont constamment refusé des alliances avec les groupes chiites et avec la révolution iranienne. Il paraît indispensable d'insister ici, avant de présenter les mouvements chiites eux-mêmes, sur l'amalgame qui conduit les mass media occidentaux à voir la main de l'imam Khomeyni derrière toutes les manifestations terroristes. Les mouvements islamistes, même les plus radicaux, partagent l'idée générale du Sunnite sur le chiisme, et les gouvernements arabes obtiennent sans difficulté de leurs ʿulamâ', des *fatwa* dénonçant l'hérésie iranienne [34].

La plupart des leaders islamistes que nous avons pu interroger font à peu près le même type de déclarations, sauf à reconnaître que la révolution iranienne est une contribution importante dans la lutte contre l'impérialisme... et que le modèle de renversement du régime est utile et pertinent.

A propos de l'ouvrage de Khomeyni *Le Gouvernement islamique*, les ulama du Maroc écrivent :

« Ces propos contraires à la foi en l'unicité de Dieu sont réprouvés par tous les Musulmans et ne sauraient être admis par aucune école juridique islamique quelle qu'elle soit. Rien ne saurait en disculper le renégat qui *admet un associé à Dieu*, qu'un repentir catégorique et public, un désaveu clairement exprimé dans une déclaration solennelle. C'est le seul moyen susceptible de dégager la responsabilité de *celui qui doit périr* (...) »

L'accusation de ŠRK (d'association) est la plus grave. Elle est d'ailleurs erronée car l'Imam occulté n'est pas Dieu et Khomeyni n'a jamais prétendu être l'Imam ou le Mahdi.

On notera également que le jugement de ces braves oulamas marocains à l'égard du crime d'association est simple : la mort.

La lignée des Imams donne donc le *chiisme septimain* et le *chiisme duodécimain* qui attendent, respectivement, le retour du septième ou douzième Imam occulté.

Mais l'Imam parfait reste Ali pour les deux branches. Par contre, des « sectes » se sont détachées du tronc principal : les Zaydites, les Druzes, les Alaouites, qui ne sont plus considérées comme musulmanes par les orthodoxes.

Les mouvements chiites

Le cas du Liban permet d'exposer maintenant quelques exemples de mouvements chiites, puisque certaines associations islamistes, comme d'ailleurs dans le Golfe, sont probablement chiites ou tout au moins alliées à des Chiites.

En effet, les mouvements libanais présentent une caractéristique particulière étant donné l'existence de plusieurs

TABLEAU DES IMAMS CHIITES ET DES SECTES

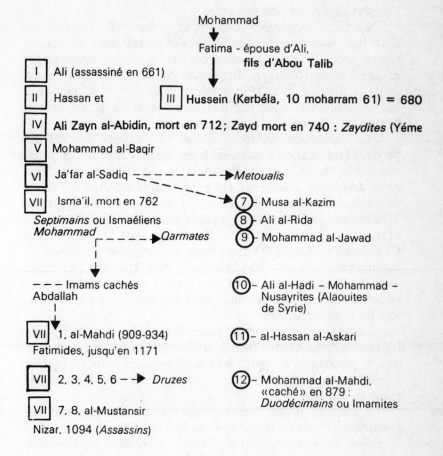

Mohammad

Fatima - épouse d'Ali,
fils d'Abou Talib

| I | Ali (assassiné en 661) |

| II | Hassan et

| III | Hussein (Kerbéla, 10 moharram 61) = 680

| IV | Ali Zayn al-Abidin, mort en 712 ; Zayd mort en 740 : *Zaydites* (Yéme

| V | Mohammad al-Baqir

| VI | Ja'far al-Sadiq — — — — — — — —➤*Metoualis*

| VII | Isma'il, mort en 762   ⑦ - Musa al-Kazim

Septimains ou Ismaéliens   ⑧ - Ali al-Rida
Mohammad ┌ — — — — ➤*Qarmates*   ⑨ - Mohammad al-Jawad
          │

— — — Imams cachés   ⑩ - Ali al-Hadi – Mohammad –
Abdallah   Nusayrites (Alaouites
│   de Syrie)

| VII | 1, al-Mahdi (909-934)   ⑪ - al-Hassan al-Askari
Fatimides, jusqu'en 1171

| VII | 2, 3, 4, 5, 6 – ➤ *Druzes*   ⑫ - Mohammad al-Mahdi,
                                     «caché» en 879 :
| VII | 7, 8, al-Mustansir   *Duodécimains* ou Imamites
Nizar, 1094 (*Assassins*)

communautés musulmanes : certaines institutions islamiques
officielles disposent de milices, tandis que d'autres mouvements
sont animés d'un fort esprit de clan. Ajouter que quelques
groupes islamiques ont été liés aux Frères musulmans syriens,
égyptiens et palestiniens ne donne qu'une toute petite idée de la
complexité du cas libanais.

Certains mouvements radicaux prônent la restauration
d'un État islamique au Liban; ils s'opposent donc au confessionnalisme. Tel est le cas, par exemple, du mouvement
al-Jamâ'at al-islâmiyya, dirigé actuellement par Fathi Yakan.
Mais la distinction que je voudrais souligner n'est pas celle
habituellement retenue par les observateurs du Liban : clans,
confessions, Nord, Sud, montagnes, etc.

La distinction pertinente passe par les mouvements qui
prônent l'unification confessionnelle entre Chiites et Sunnites,
comme le Mouvement de l'unification islamiste, *sunnite (Ḥa-
rakat al-tawḥîd al-islâmî).* Ce groupe est le résultat, à Tripoli,
de la fusion d'un groupuscule *(les soldats de Dieu)* et du
Mouvement du Liban arabe, opérée en 1982 à l'intérieur de la
branche estudiantine du Fath. Il est dirigé par le cheikh Sa'id
Cha'abane et Khalil Akkawi, mais une scission a eu lieu en
janvier 1984 lorsque Cha'abane a été reçu à Damas par Hafiz
al-Assad, alors que le mouvement avait combattu les forces
syriennes et pris fait et cause pour les dissidents palestiniens
lors de la crise de 1983.

Le fait le plus important pour comprendre pourquoi j'isole
les mouvements chiites tient à la démographie : tout le monde
sait, et personne n'a intérêt à en tirer les conséquences, que les
Chiites sont désormais le groupe le plus important numériquement au Liban.

Aussi n'est-il pas étonnant que les radicaux pro-iraniens,
préconisant l'instauration d'un État libanais islamique, aient fait
sécession du groupe *Amal* de Nabih Berri dont l'orientation
presque laïque se situe dans le cadre multi-confessionnel
libanais. Ce groupe dissident dirigé par Hussein Mussawi, basé à
Baalbek, a permis l'accueil au Liban à partir de 1982 des
Pasdaran (Gardiens de la révolution) et des « Hizbullahi », qui se
sont installés dans la plaine de la Békaa. Cette collaboration

entre Chiites iraniens et libanais a changé le visage de la guerre :
ces groupes se sont illustrés dans les attaques contre les forces
« d'interposition » françaises et américaines [35] et ont rendu
particulièrement difficile l'occupation du Sud-Liban par l'armée
israélienne. Personne ne peut dire encore actuellement quel est
l'impact psychologique sur les masses arabo-musulmanes de ce
harcèlement des troupes d'occupation par les groupes chiites,
alors que les forces armées arabes ont démontré leur incapacité
depuis deux décennies. Il ne fait pas de doute pour moi que cette
pression aura de grandes conséquences pour l'avenir des
relations entre Chiites et Sunnites, qui devraient logiquement
conduire à la proclamation d'une république islamique au
Sud-Liban. Ce ne sont pas quelques sommets de l'Organisation
de la conférence islamique rappelant rituellement le soutien
inconditionnel à la cause palestinienne qui peuvent redorer le
blason des gouvernements des pays arabes, d'autant plus que ces
groupes chiites ne se sont pas privés de rappeler que les
gouvernements des États du front ont essentiellement utilisé
leurs meilleures forces militaires, non pas à la guerre contre
Israël, mais à la répression contre les militants islamistes. Pour
qui se souvient des massacres de Hama ou ceux de Septembre
noir, il se trouve beaucoup de Musulmans dans le monde arabe
pour prêter une oreille attentive à de tels propos...

Il n'est pas dans mon sujet de traiter du problème du
Liban autrement que pour exposer en quoi il est caricatural du
radicalisme islamique, en soulignant toutefois que, sur ce plan,
« l'intégrisme chrétien » n'a rien à lui envier. Un certain nombre
de travaux sur le Liban sont disponibles et ont fait l'objet de
longues discussions dans le milieu universitaire; il n'est pas
possible d'éviter d'y faire allusion puisque le problème libanais,
plus que tout autre, est significatif des fantasmes occidentaux
et des difficultés universitaires. Car c'est au Liban que se
croisent les préjugés et les imaginaires qui occultent le débat
entre les Français, les Arabes, les Chrétiens, les Musulmans, les
chercheurs, les journalistes [36].

Trois caractéristiques me paraissent significatives pour
essayer de mettre un peu d'ordre dans la version libanaise de

l'Islam radical : je ne pense pas que le Liban soit un État confessionnel qui pratique la guerre des religions ; il me semble au contraire qu'il ne s'agit pas d'un État au sens hégélien mais d'un État au sens khaldounien [37], typique de ce que j'ai exposé plus haut : un État sans politique.

En effet, la combinaison des clans, du système tribal, de la mobilité géographique des groupes sociaux, d'une forme particulière de féodalisme issue de l'*iqṭâ'*, latifundia arabe classique [38], et la présence massive des Palestiniens surtout depuis « Septembre noir » (Jordanie, 1970) me paraissent des éléments plus importants à prendre en compte que le « confessionnalisme », d'autant plus que les grandes familles dominant le Liban se sont suffisamment auto-assassinées depuis vingt ans sans considération de religion et que les Palestiniens *chrétiens* (par exemple ceux du camp de Daaye) n'ont pas plus été épargnés que les Palestiniens *musulmans* de Sabra et Chatila, tour à tour massacrés par les « Chrétiens » et les « Musulmans »...

Il faut en effet rappeler, parce que les Français [39] ont, me semble-t-il, une vision un peu idyllique d'un Liban chrétien démocratique – toute la haine qui a déferlé sur ce pays depuis des décennies... Qui a tué Bechir Gemayel ? Pourquoi ? Son père (Pierre) avait fondé les Phalanges sur le modèle... de la jeunesse allemande dont il avait pu admirer la discipline aux jeux Olympiques de Berlin... La milice de Camille Chamoun est liquidée en 1980 par Bechir Gemayel...

La déconfiture des *Murâbiṭûn* et de la gauche palestinienne, en 1982, due, entre autres, à Saeb Salam, ne peut faire oublier l'anticommunisme virulent de tous ces leaders, qu'ils soient « chrétiens » ou « musulmans ». Saeb Salam, lui, est connu pour ses alliances occidentales et arabes (saoudienne) ; son pendant – chiite – pro-syrien est Adel Osseirane, vieux revenant à la Conférence de Genève. Mais les pro-syriens sont légion. Quant à Walid Joumblatt, il lui arrive lui aussi de soutenir les Syriens, qui ont tué son père. Mais Walid est de gauche (*sic*...). Il a, tour à tour, trahi tous ceux avec lesquels il s'est allié, et cela continue aujourd'hui. Après tout, avant tout, pour que vivent les Druzes... Mais les Sunnites ne sont pas en reste : ceux de Tripoli, eux aussi, ont un « leader charismatique » aux mœurs équivalentes : Rachid Karamé, qui est un allié de la Syrie quand il n'est pas contre le « grand frère » du Nord. Comment le lui reprocher quand on sait que le plus sanguinaire de tous, Soleiman Frangié, a fait venir les Syriens (il y a plus de quarante ans maintenant!) pour sauver les Chrétiens?... Pour prendre le pouvoir, il a célébré une « messe sanglante » au cours de laquelle tous ses concurrents périrent... Il aurait dû mieux lire l'Évangile : « Celui qui tue par l'épée périra par l'épée... » En l'occurrence, son fils et une trentaine de ses partisans furent à leur tour massacrés par les Phalangistes en juin 1978. La boucle est bouclée, sauf que tous ces « braves gens » avaient en commun leur haine des Palestiniens et avaient oublié... les Chiites.

Le deuxième élément me paraît être la transformation démographique des Chiites, qui constituaient non seulement une minorité religieuse mais les classes les plus défavorisées. Or, les conflits sociaux n'ont pratiquement jamais éclaté au Liban, ce qui laisse apparaître en conséquence les conflits communautaires. Le « pacte national » fonctionnait sur des chiffres faux depuis 1943; aujourd'hui, les Chiites sont majoritaires, sans que leur représentation ait été changée. Ils réclament donc simplement leur place dans le pouvoir avant de réclamer tout le pouvoir dans le cadre d'une république islamique, qui serait évidemment plus liée à Téhéran qu'à l'Occident.

Troisièmement, la relative autonomie des acteurs secondaires se manifeste particulièrement au Liban : il me semble, en effet, qu'Israël, contrairement à ce que disent les Arabes, n'est pas simplement un fait colonial classique réductible au cas de l'Algérie et de l'Afrique du Sud; de même, il ne me semble pas qu'Israël soit simplement un pion de l'impérialisme américain. L'État hébreu est tout cela à la fois avec une dimension messianique, eschatologique qui tient à une histoire et à des lieux particuliers; les Arabes ne peuvent pas à la fois mener le combat anti-impérialiste et ignorer la dimension métaphysique de Jérusalem. Or bien souvent, dans sa politique d'oppression et d'annexions, Israël a mis ses alliés au pied du mur. Par ailleurs, je ne crois pas plus que la Syrie ne soit qu'un pion manipulé par l'Union soviétique. Là encore, l'histoire démontre que le mythe de la Grande Syrie fait sens et comporte des éléments de réalité non négligeables, tandis que l'Union soviétique n'a jamais fait preuve d'un dynamisme outrancier dans son soutien à ses alliés arabes. La combinaison de ces éléments n'écarte pas le jeu des grandes puissances mais laisse une place d'autonomie relative aux acteurs secondaires. Ceci étant, il n'y a que les Occidentaux pour croire à la paix séparée ou à la désignation du président chrétien du Liban par un parlement réuni sous *la* protection des chars israéliens.

Sadate et Bechir Gemayel ont été assassinés pour les mêmes raisons. Le nœud du débat tient dans la double volonté américaine et israélienne d'ignorer l'OLP, conjuguée à la volonté de la quasi-totalité des États arabes de contenir ce qu'il y a de révolutionnaire dans la résistance palestinienne. Ainsi, les groupes secondaires échappent à leurs alliés, à leurs clients et à leurs protecteurs, ce qui permet à la Syrie et à Israël de manipuler leurs clients et leurs protecteurs en fonction de leurs seuls intérêts.

C'est à mon avis dans ce seul contexte, dont on trouvera le détail chronologique dans les travaux de Corm ou Bourgi et Weiss [40], que peut se comprendre l'émergence du radicalisme. J'ajouterai comme précaution ultime qu'il s'agit du seul cas où effectivement ce radicalisme coïncide dans une communauté chiite et une classe sociale particulière. Pour comprendre l'émergence du groupe *Amal* et ses dissidences, il faut remonter à quelques années en arrière, et plus particulièrement au fait que la population palestinienne et libano-chiite, mélangée dans des zones d'émigration de Beyrouth Sud-Est ou dans le fameux camp de Tell-el-Zaatar, fournissait une main-d'œuvre à bon marché pour l'industrie libanaise. J'ai quelque mal à entonner le concert des nations sur le soi-disant fameux « miracle libanais », pour lequel sont rarement fournies des explications claires autres que celles d'une essence particulière et spécifique au capitalisme libanais; il me semble qu'il doit bien y avoir quelque part extorsion d'un surplus de même qu'il y a une bien belle exploitation des Palestiniens dans le Golfe...

Or, l'afflux des réfugiés palestiniens après les batailles et les massacres des dix dernières années a non seulement aggravé les tensions mais a structuré la révolte chiite latente. L'œuvre de prise de conscience des Chiites libanais en tant que *classe* et *confession* tient à la personnalité de l'Imam Moussa Sadr (disparu en 1978 en Libye) et des exilés iraniens encadrés par un autre mystérieux « disparu », Mustapha Chamram (futur ministre de la défense iranienne), ainsi qu'Abou Sharif, organisateur militaire du mouvement *Amal* et futur responsable des Gardiens de la révolution. En 1967, l'Imam Moussa Sadr fonde le Haut Conseil Islamique chiite et le Mouvement des déshérités, *al-Mahrûmîn* (une fois encore, je signale que la révolution iranienne est postérieure). Ce mouvement sera la base d'*Afwat al-muqâwamat al-lubnâniyya,* autrement dit *Amal* (« Brigades de la résistance libanaise »).

En 1978, l'Imam Sadr « disparaît » en Libye et Nabi Berri devient secrétaire général d'*Amal,* mais il est contesté par le président Hassan Hachim et par le leader du Sud (Mahmoud al-Faqih). En moins de cinq ans, alors que l'Occident ne s'est pas encore aperçu de son existence, le mouvement se scinde en branches antagonistes sans tenir compte des groupuscules...

En 1980, Hussein Mussawi forme l'*Amal islamique* dans la Bekaa, puis Abbas Mussawi créé les « Hizbollahi » de Baalbek avec Soubhi Tuferli.

Entre-temps, l'*Ittiḥâd al-ṭolobâ'* (Union des étudiants) était captée, intellectuellement puis physiquement, par le cheikh Mohammed Hussein Fadlallah (celui qui fit l'objet de l'attentat de la CIA du 8 mars 1985, dans le quartier de la mosquée Bir al-Abed).

Enfin, Abdallah Mussawi crée en 1983 le groupe « Imam Hussein », qui renvoie ainsi à la martyrologie suprême que j'ai décrite (Kerbéla et l'Imam Hussein, fils d'Ali). Cet emboîtement démontre l'intérêt de ma typologie et de mes propos réservés sur celle-ci : n'importe qui peut *appartenir à toutes les séquences* et appartient de fait à d'autres encore. Les comités islamiques de mosquées et de quartiers, qui quadrillent les villes [41], mais aussi des mouvements du cheikh Cha'abane, ou le

Jamâ'at ⁽Abd al-Raḥmân, ou encore Abdallah Behti, ou Fathi Yakan, etc., je ne peux tous les nommer. Mais on peut faire un portrait type de ces hommes à longue robe, barbe et chapelet. Le cheikh Cha'aban Sa'id est un cas exemplaire : né à Batroun en 1930, il s'installe à Tripoli en 1947, au Caire (al-Azhar) en 1952-1958; au Maroc en 1958-1961, en Irak en 1961-1964; il enseigne la littérature arabe en 1964. En 1976, avec l'Association de l'Éducation islamique, il fonde l'école *al-Imâm* à Tripoli et en 1981, avec *Jundallâh* et d'autres groupes, il fonde une école de Da'wa (mission islamique); il a donc parcouru le monde arabe et l'itinéraire complet de l'apostolat. Après la disparition de l'Imam Sadr, deux modérés ont pris en main le mouvement chiite : Nabih Berri et Mohammed Mehdi Chams-sedine. Berri, en particulier, est considéré comme un *jahilien* par les Musulmans! Et ces groupes sont très divisés face aux divisions du mouvement palestinien.

La première rupture entre les Chiites et les Palestiniens se produira en 1978 à l'occasion de l'opération « Litani » lancée par les Israéliens et, petit à petit, *Amal* va glisser, par-delà son refus de rejoindre le *Front du salut national* constitué à l'initiative de Damas, vers les thèses syriennes. Pour finir, dans la bataille de l'élimination des Palestiniens partisans d'Arafat, *Amal* sera du côté des Syriens.

Or, pendant ce temps, un certain nombre des Chiites regroupés autour du cheikh Fadlallah vont rejeter l'idée d'un Liban multi-confessionnel et se constituer en parti radical sur le modèle iranien des Hezbollahi, « partisans de Dieu », qui rêvent d'une république islamique dont le projet a été adopté le 30 janvier 1986 lors de la Conférence islamique de Jamaran (Téhéran) [42].

Cette branche qui, seule, peut être considérée comme radicale, a organisé la résistance à l'occupation israélienne surtout dans le Sud-Liban à la fin de celle-ci, tandis que le mouvement originel lui-même se chargeait plus prosaïquement de la liquidation des derniers Palestiniens fidèles à Arafat à Sabra et Chatila..

Mais, comme tout le monde « roule pour la Syrie » aujourd'hui, y compris Gemayel, Frangié, Joumblatt et Rachid

Karamé, je ne vois pas très bien où se situe la différence confessionnelle. Quant aux Palestiniens, ils n'ont plus comme soutien que les quelques *Mourâbiṭûn* (organisations nassériennes) – tout au moins ceux qui n'ont pas été chassés par les Druzes – et les Chiites pompeusement qualifiés de « progressistes », alors qu'il y a fort longtemps que les partis communistes libanais se sont évaporés sous les coups de boutoir de tous les « confessionalistes » au moins d'accord sur ce point... Sans oublier les groupes (chrétiens et musulmans) partisans de la Grande Syrie : ce sont des partis politiques très anciens et non pas des mouvements religieux.

Reste le fameux « Jihad islamique », dont je crois pour ma part qu'il n'existe pas, et constitue plus une facilité téléphonique masquant mal des groupuscules divers. Par contre, un fil conducteur apparaît : la famille Mussawi [43]. Il semblerait que Sadek Mussawi fasse la liaison avec le Conseil Supérieur de la Révolution Islamique, créé en 1981 à Téhéran, dont le président était un *Ḥojjat al-islâm* (Mohammed Bakr el-Hakim), mais surtout dont les coordinateurs étaient en poste à Damas.

Comme, par ailleurs, nous savons que des camps d'entraînement contrôlés par ces mêmes personnages sont installés au Liban, en Syrie et en Iran, il est possible de soutenir que rien ne se passe au Sud-Liban sans l'assentiment de la Syrie. Mais la liaison avec l'Iran laisse prévoir qu'un jour les groupes chiites (hizbollahi) pourraient échapper au contrôle syrien. Plusieurs réunions ont eu lieu en 1985 et en 1986, qui ont précisé les liens entre les Chiites libanais et iraniens.

Voici (page suivante) le schéma que proposait *Jeune Afrique* en 1984 : la plupart des hebdomadaires français ont plus ou moins complété les vides en 1986. Ils ont surtout précisé les liens avec les différents services secrets syriens (par exemple *Le Nouvel Observateur* du 26 septembre 1986 et *L'Express* du 12 septembre 1986).

Ce schéma me paraît faux sur le plan de sa réalité car un certain nombre de noms sont des pseudonymes invérifiables. Par contre, il me paraît exact sur le plan de la phénomélogie car il traduit la complexité des relations entre tous les groupes

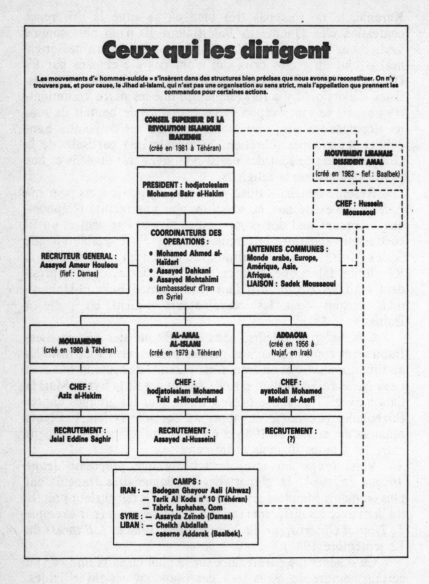

Ceux qui les dirigent

Les mouvements d'« hommes-suicide » s'insèrent dans des structures bien précises que nous avons pu reconstituer. On n'y trouvera pas, et pour cause, le Jihad al-islami, qui n'est pas une organisation au sens strict, mais l'appellation que prennent les commandos pour certaines actions.

CONSEIL SUPERIEUR DE LA REVOLUTION ISLAMIQUE IRAKIENNE
(créé en 1981 à Téhéran)

MOUVEMENT LIBANAIS DISSIDENT AMAL
(créé en 1982 - fief : Baalbek)

PRESIDENT : hodjatoleslam Mohamed Bakr al-Hakim

CHEF : Hussein Moussaoui

COORDINATEURS DES OPERATIONS :
- Mohamed Ahmed al-Haïdari
- Assayed Dahkani
- Assayed Mohtahimi (ambassadeur d'Iran en Syrie)

RECRUTEUR GENERAL : Assayed Ameur Houleou (fief : Damas)

ANTENNES COMMUNES : Monde arabe, Europe, Amérique, Asie, Afrique.
LIAISON : Sadek Moussaoui

MOUJAHIDINE (créé en 1980 à Téhéran)

AL-AMAL AL-ISLAMI (créé en 1979 à Téhéran)

ADDAOUA (créé en 1956 à Najaf, en Irak)

CHEF : Aziz al-Hakim

CHEF : hodjatoleslam Mohamed Taki al-Moudarrissi

CHEF : ayatollah Mohamed Mehdi al-Asefi

RECRUTEMENT : Jalal Eddine Saghir

RECRUTEMENT : Assayed al-Husseini

RECRUTEMENT : (?)

CAMPS :
IRAN : — Badegan Ghayour Asli (Ahwaz)
       — Tarik Al Kods n° 10 (Téhéran)
       — Tabriz, Isphahan, Qom
SYRIE : — Assayda Zeïneb (Damas)
LIBAN : — Cheikh Abdallah
        — caserne Addarak (Baalbek).

militants ou terroristes. Mais cette complexité apparaît encore mieux sur le plan quotidien. J'ai donc choisi, pour illustrer mon propos, de décrire, à travers la presse égyptienne et libanaise, une *journée particulière* : le 9 avril 1985. Pourquoi ce jour-là? Pourquoi pas? Tout simplement parce que j'étais au Caire et qu'à l'occasion de la préparation des fêtes anniversaires de la récupération du Sinaï, le concert unanimiste me fit penser au merveilleux film d'Ettore Scola.

L'Orient le jour décrit cette journée particulière dans la même page, que je résume ainsi : le mouvement chiite international se réunit secrètement à Londres pour établir sa stratégie dans le Golfe et au Liban avec Hassan Hachem, président du Comité exécutif d'*Amal*, Sayyed Hussein al-Sadr, membre du parti irakien *Daᶜwa*, représentant le conseil suprême de la révolution en Irak basé à Téhéran (donc hostile à Saddam Hussein) et des membres du mouvement chiite de Bahreïn, clandestin.

Cette réunion a-t-elle véritablement eu lieu? Pour décider de quelle stratégie?

Par contre, il me paraît évident que la communauté chiite internationale est riche, elle est composée d'exilés du Golfe et d'Irak, et les collecteurs ne manquent pas qui font « la tournée » pour ramasser des fonds. J'ai pu constater cette pratique de la même façon dans tous ces groupes (comme d'ailleurs dans les sociétés sionistes). Les Musulmans, en France, nomment cette opération, qui est l'inverse de la *ziâra* (offrande lors d'un pèlerinage), d'un mot qui la sacralise, *tazkiya,* c'est-à-dire le ramassage de l'aumône légale...

L'Orient le jour, dans ce même numéro, signale qu'une délégation du Mouvement de l'unification islamique regroupant différents mouvements de Tripoli se rend en Syrie pour y rendre compte (à qui?) des problèmes...

Le cheikh Sa'id Cha'abane représentait le MUI *, Abdallah

---

* Le Mouvement de l'unité islamique a été formé en 1982 de
— *Jundallâh* (cheikh Fawwaz Husayn Agha, cheikh Kanaan Naji) et sa jeunesse musulmane (pro-Fath);

Babeti, le mouvement *Jamâ^cat islâmiyya,* tandis que le « comité des mosquées » était représenté par Malek Allouche.

Accompagnés de Hussam Darwiche et du cheikh Said Skoff, ces personnalités accusent le pouvoir libanais, en accord avec l'Intifada (la sédition – la rébellion), de détourner l'attention du peuple du retrait israélien et de ne pas envoyer des armes au Sud-Liban pour que ses habitants puissent chasser les agents d'Israël, c'est-à-dire les Forces libanaises de Georges Adwane...

Mais en même temps, le journal signale ailleurs que le responsable du groupe chiite Amal, Berri, ne veut pas envoyer l'armée régulière au Sud... et que le congrès chrétien se tient sans la présence des Kataeb et des Forces libanaises qui sont hostiles à la stratégie de Gemayel...

C'était un jour normal à Beyrouth, il n'y a d'ailleurs eu que neuf morts et seize blessés répertoriés.

Cette journée particulière, réelle, n'est que le masque (simulation/dissimulation sont les deux mamelles de la Méditerranée) d'une autre journée particulière, que je ne saurais décrire, celle-là, puisqu'elle implique Michel Seurat... Alors, disons qu'il s'agit une fois de plus d'un récit fictionnel : c'était le 1er mai 1986 à Beyrouth. Le cheikh Fadlallah (Mohammed Hussein) égrène son chapelet en balançant doucement son corps un peu raide de savant-saint sur les épaules duquel pèse le lourd fardeau que lui a confié Dieu.

L'agitation est contrastée autour de lui : de beaux jeunes gens, barbus, armés, vont et viennent. D'autres, en robe et turban noirs, sont assis à ses pieds et attendent la consultation.

- *Résistance populaire,* Khalil Akawi, Bilal Matar;
- *Mouvement du Liban arabe,* Ismat Murad (assassiné depuis), Abou Samir Allouche;
- *Sunnites* du quartier Tabana.
Programme : « le peuple voit maintenant que l'Islam seul est la solution » ; c'est la dernière mission divine, il résout tous les problèmes. L'Islam n'admet pas le pluralisme, mais il libère l'homme.

(Le cheikh est né à Najab, Irak, en 1935, d'une famille originaire du Sud-Liban; il est revenu au Liban en 1966. En 1976 il s'installe dans la banlieue sud de Beyrouth, Bir al-Abd et Chiah.)

Ce jour-là l'interlocuteur lui demande : « Pourquoi lui?... » (il s'agit de Michel Seurat). « Mais, incroyant, sais-tu seulement ce qui signifie LUI en arabe?... »

Des hommes en armes vont et viennent; tout cela est à la fois oppressant et normal...

Puis la sentence tombe. « Comment voulez-vous, vous (les orientalistes occidentaux) qui savez et qui ne venez pas *fî sabîl Allâh* (sur le chemin de Dieu), que nous ne vous traitions point selon la juste sanction réservée aux apostats?... »

Ce jour-là, de nombreux photographes occidentaux ont fait leur moisson de photos réalistes sur Beyrouth et sur les Barbus... Le contingent me hérisse, la rapidité de l'information ne peut se faire qu'au détriment de la connaissance... Je renonce aux portraits et aux paysages parce que l'horreur a été banalisée par les médias. Michel savait, lui.

C'était une journée ordinaire à Beyrouth, que l'on ne compte pas sur moi pour la raconter. Ainsi il m'est difficile de suivre les journalistes dans leur description (*sic!*) du Hezbollah. Ce mouvement me paraît difficile à cerner et ses membres eux-mêmes lui dénient toute réalité structurelle puisqu'il s'agit, pour eux, du peuple de Dieu tout entier en lutte et en marche *fî sabîl' Allâh,* selon le verset 56 de la sourate v : « Ceux qui prennent pour maîtres Dieu, son Prophète et les Croyants, voilà ceux qui forment le Parti de Dieu et qui seront les vainqueurs. » Ceci étant, il existe bien une direction centrale et une direction libanaise du Hezbollah : elle comprend à peu près tous les personnages que je viens de citer [44].

La direction libanaise du « Hezbollah »

Le « Conseil supérieur charii » au Liban regroupe treize personnalités :

– le cheikh allama, Mohammed Hussein Fadlallah, député de l'imam Khomeyni au Liban, président du « Conseil » libanais du « Hezbollah » ;

– le cheikh Sobhi al-Tofaili, l'un des membres fondateurs du « Hezbollah » au Liban, responsable de la région de Baalbek ;

– le sayed Hussein al-Mussawi, chef de l'organisation « Amal islamique » ;

– le cheikh Salah al-Din Arkahdan, l'un des responsables de la « Jamaa islamique » à Saïda ;

– le cheikh Maher Hammoud, sunnite, l'un des responsables de l'organisation du « Rassemblement des ulama musulmans » à Saïda et Beyrouth ;

– le cheikh Sa'id Cha'abane du « Mouvement de l'unification islamique » de Tripoli ;

– le cheikh Moharram al-Arfi, sunnite, l'un des responsables de la « Jamaa islamique » à Saïda et représentant de l'imam Khomeyni au Sud-Liban ;

– le cheikh Mohammed Ali al-Jouzou, Mufti sunnite du Mont-Liban ;

– Ali Arfani, chef de l'appareil militaire du « Hezbollah ». Arfani, plus connu sous le nom d'Abou Tourab, est l'un des responsables des unités de la « Garde révolutionnaire » (Passdaran) au Liban ;

– Abbas al-Hakim, responsable militaire du « Hezbollah » ;

– Ali al-Saleh, reponsable militaire du « Hezbollah » ;

– Hamid Afjii, responsable du département de l'Information ainsi que de la revue du « Hezbollah ».

La direction centrale du « Hezbollah »

C'est le « Conseil supérieur charii » qui tient lieu de direction centrale. Son siège est à Téhéran. Il regroupe les personnalités suivantes :
– le cheikh allama Mohammed Taki Madrissi, président du « Conseil ». Il est aussi chef du « Parti de l'Action islamique », opposé au pouvoir du président irakien Saddam Hussein;

– le cheikh allama Mohammed Hussein Fadlallah, vice-président et responsable du « Hezbollah » au Liban;

– Le hojat al-islam, Hadi al-Ghafâri, responsable du « Hezbollah » en Iran;

– le hojat al-islam, Hadi al-Madrissi, responsable de l' « Organisation islamique pour la libération de Bahreïn »;

– l'ayatollah Abbas Mahri, chef du « Mouvement islamique de libération du Koweit »;

– le hojat al-islam, Baker al-Hakim, président du « Conseil suprême de la révolution islamique en Irak »;

– le hojat al-islam, Haïri Koumani, ambassadeur d'Iran auprès de l'État des Émirats arabes;

– le cheikh Mahdi Sadek al-Laouassani, chef du « Mouvement de libération islamique du Qatar »;

– le cheikh Mohammed Ahmad Safouat, membre important de l'organisation égyptienne du « Takfir oual Hijrat »;

– le hojat al-islam, Mahdi al-Hakim, membre de la direction du « Parti de la Da'wa islamique » en Irak, responsable du « Hezbollah » en Grande-Bretagne.

(*Les Cahiers de l'Orient*, n° 2, 1986.)

Les mouvements chiites hors du Liban

La démographie chiite joue également pour les États du Golfe avec un argument supplémentaire, l'émigration. Ainsi, la communauté chiite d'Irak a constitué en 1982, à Téhéran, un Conseil suprême de la révolution irakienne, à partir d'une *Jâmâ'atal-ᶜulamâ'* fondée en 1981 par Mohammad Baqi'al-Hakim.

Un autre mouvement, sans doute basé à Téhéran, milite pour la libération du Bahreïn : le Front islamique pour la libération échoue, en effet, dans une tentative de coup d'État le 13 décembre 1981. On sait aujourd'hui que d'autres tentatives ont échoué dans le golfe, parce que le problème des otages est lié à ces affaires.

Les autorités d'Arabie Saoudite ont accusé, bien entendu, les Chiites d'être à l'origine de l'attaque de la grande mosquée mais rien n'est moins sûr : toutefois, un mouvement s'est fait connaître en Arabie Saoudite dont on peut supposer qu'il est sinon chiite tout au moins pro-iranien : c'est l'Organisation de la révolution islamique dans la péninsule Arabique. Quelques communiqués ont été diffusés et signés par Abdel Rahmane al-Yami qui ne laissent pas de doute sur la référence iranienne, sans que l'on puisse en tirer autre chose que, pour ce mouvement, l'action a commencé après la défaite de juin 1967.

Enfin, dernier exemple, le Front islamique pour la libération du Bahreïn publie un mensuel, la *Révolution du message,* qui pose problème car sa lecture laisse supposer de fort bonnes relations avec des mouvements sunnites du type *al-daᶜwa,* par exemple celui de Dubay, ou un autre mouvement basé à Koweit, déjà signalé, la *Jamâ'at al-iṣlâḥ al-ijtimâᶜ.*

Le point le plus complexe à élucider tient à l'alliance entre les mouvements chiites irakiens hostiles au gouvernement et l'absence de rébellions réelles des Chiites irakiens alors que la guerre fait rage [45].

S'il est aisé d'expliquer ce phénomène par la répression féroce qui caractérise le régime irakien, il me paraît tout de même surprenant que les mouvements d'opposition ne puissent pas mieux réussir. Ils sont en effet bien implantés, radicaux, et ont été très actifs bien avant de recevoir le soutien de l'Iran.

Il y a donc un problème qui est porteur de questions pour l'avenir : est-ce que le nationalisme moderne l'emporte sur l'appartenance confessionnelle?

En effet, ce qui caractérise les mouvements chiites d'opposition, c'est leur ancienneté; ainsi, *al-Da^cwa* a été fondée par Mohammad Baqir al-Sadr dans la décennie 1950-1960. J'ai déjà signalé l'importance de l'œuvre de cet Irakien, qui fut d'ailleurs exécuté par le régime, le 8 avril 1980. Ce mouvement s'est développé sous la houlette des dignitaires religieux irakiens essentiellement dans la région de Najaf et de Kerbéla, haut lieu de la martyrologie chiite.

Comme son nom l'indique, ce mouvement est d'abord destiné à la reconversion des Musulmans tièdes. Petit à petit, le mouvement se divisa en deux tendances au moins, l'une plus proche du réformisme de Chariat Madari et l'autre qui afficha comme objectif la prise du pouvoir et l'instauration d'un État islamique grâce à sa branche militaire (l'Armée de libération de l'Irak), impliquée dans de nombreux attentats contre la police, l'armée et les membres du parti Ba'th irakien. Une fraction dissidente de ce mouvement aboutit à la création en 1975 de l'organisation de l'action islamique (*Muna??amat al-^camal al-islâmî*), plus violente encore, qui adopta la lutte armée pour renverser Saddam Hussein. Les deux groupes ont par ailleurs, mais semble-t-il séparément, lancé un certain nombre d'opérations à l'étranger contre les ambassades américaines : en Europe (1980, Italie – 1981, Grèce – 1982, Paris) et au Koweit (décembre 1983). Aussi les deux mouvements sont-ils violemment réprimés, mais tout porte à croire que le mouvement *al-Da^cwa,* aujourd'hui dirigé par un des fils de Muhsin al-Hakim, dont le porte-parole est le cheikh Mohammad Mahdi al-Assefi, est encore aujourd'hui l'organisation la mieux structurée en Irak.

Pourtant, en 1982, *al-Da^cwa* reconnaissait la guidance de l'Imam Khomeyni sans que l'on puisse établir des liens très précis avec les structures de la révolution iranienne. Ce qui, par contre, semble être le cas d'un autre mouvement créé en 1980 et installé à Téhéran : *al-Mujâhidîn,* dirigé par Said Abd al-Aziz al-Hakim, qui préconise la lutte armée et a pratiqué de nombreux attentats contre des ministères irakiens. Si l'on ajoute les liaisons que certains de ces mouvements essaient de nouer avec le mouvement libanais dissident (*ʿAmal islâmî*), on a une idée de la complexité de la situation dont ne rend pas exactement compte le tableau synoptique établi par *Jeune Afrique* cité plus haut.

Il me paraît toutefois difficile d'admettre l'existence d'un organigramme qui correspondrait à ce mystérieux mouvement qualifié de nom générique de *Jihad islamique,* et il me semble qu'un certain nombre de précautions doivent être prises face à l'attribution de n'importe quel acte terroriste à ce Jihad islamique par les mass media occidentaux. Il ne faut pas, en effet, sous-estimer plusieurs points très précis. Le premier, c'est que les formes d'organisation politico-religieuses, qui ont parfois une branche militaire relativement efficace, ne doivent pas faire oublier qu'il s'agit avant tout de mouvements qui ont été capables de regrouper essentiellement les déshérités : *mustaḍ-ʿafûn,* selon le vieux concept arabo-musulman classique.

La deuxième caractéristique de ces mouvements tient à la répression dont ils ont fait l'objet, comme cela apparaît très nettement dans l'énumération de tous les leaders qui ont été exécutés. Aussi un certain nombre des membres de ces groupes vivent-ils dans la clandestinité. Or il existe une théorie, là encore fort traditionnelle, dans la pensée arabo-musulmane classique : *la nécessité de la dissimulation,* prônée par certains groupes sous la forme du *taqie,* plonge ses racines dans la pensée arabo-musulmane et dans le passé connu et cultivé par les gens composant ces groupes.

Enfin, dernière caractéristique, ces mouvements qui puisent tous dans un référent unique, l'Islam de la Cité idéale des quatre premiers califes, telle que l'ont décrite les orthodoxes, ne prétendent à rien d'autre qu'à l'application de la *doxa,* c'est-à-dire la restauration d'un État islamique juste, équitable, fondé sur la chari'a. Les orthodoxes sont donc eux-mêmes pris à leur propre piège, puisque, au fond, ce qu'ils exigent, parfois violemment, est l'application des principes qu'ils proclament.

Le siège de la mosquée al-Harem

Pour ajouter à la complexité des mouvements, mais aussi pour confirmer mon hypothèse de leur orthodoxie, le cas de l'attaque de la mosquée de La Mecque illustre parfaitement mon propos : *il est à la fois l'aboutissement logique de toute la problématique des mouvements islamistes, mais contradictoirement il n'est pas le fait d'un groupement particulier.*

Il faut re-situer cette affaire dans un double contexte : celui de l'histoire arabo-musulmane et celui plus particulier de l'Arabie Saoudite contemporaine.

Les Lieux Saints ont fait l'objet plusieurs fois de ce type d'enjeux violents, et ce toujours à partir du même argument : *la dénonciation de l'apostasie des gardiens des Lieux Saints.*

Mais ce n'est pas par hasard si l'attaque a eu lieu le 1er Moharram de l'an hégirien 1400, et ce n'est pas un hasard non plus si l'un des insurgés, Mohammed ben Abdallah Kartani, fut désigné par les attaquants sous le titre de *mahdî.*

Il est possible aujourd'hui de recouper un certain nombre d'informations et de comprendre, sinon le détail, tout au moins le contenu symbolique de cette opération [46]. Le chef militaire de l'opération, Djahimade Ben Youssef al-Outeybi, appartient à une tribu (Matir) qui s'était déjà confrontée à la monarchie saoudite en 1924. Mais on ne saurait se contenter de cet élément tribal. En effet, l'Arabie Saoudite s'est transformée profondément depuis cette époque : tout d'abord, le Roi Abdel Aziz avait mis sur pied une politique de sédentarisation qui avait pour but d'effacer le caractère nomade et bédouin de la société. Ses successeurs devaient tenter la modernisation sinon l'occidentalisation de l'Arabie Saoudite, mais la mort de Khaled et l'assassinat du Roi Fayçal en 1975 démontrent que la monarchie, sans doute à cause de son alliance avec l'Islam unitariste connu en Occident sous le nom de Wahhabisme, fut prise à son propre piège.

Le modernisme se traduisit en effet par une scolarisation massive, l'importation des télécommunications et des modèles occidentaux, en particulier l'apparition de voitures dans un pays particulièrement puritain. Tout ceci n'étant rien à côté de la mainmise de l'énorme famille royale (3 500 princes et princesses) sur plus de 80 % de la rente pétrolière, qui s'établit autour de cinquante milliards de dollars. Les idées des insurgés sont sur ce plan parfaitement conformes à l'idéologie du mouvement islamiste : la modernisation menace la culture et les valeurs religieuses, et ébranle les fondements de la société.

Mais, bien plus, la monarchie est accusée de collusion avec l'impérialisme et le sionisme en particulier parce qu'elle place ses capitaux dans les banques américaines au lieu de développer le monde arabo-musulman. Par-dessus tout, les membres de la famille royale sont accusés de perversion : jeux, alcool, etc., d' « occidentalisation ».

La dénonciation de la corruption et du relâchement des mœurs trouve son humus sur le propre terrain du système wahhabite, et la répression a été d'autant plus violente que ce type de contestation est bien plus populaire et donc plus redoutable que l'opposition de quelques intellectuels libéraux ou marxistes qui restent toujours très isolés. Bien plus que l'assassinat de Sadate, cette affaire a impressionné le monde arabe puisque l'insurrection s'est tout de même produite au moment du pèlerinage, c'est-à-dire en présence de plus de trois cent mille pèlerins dont les témoignages ont été ensuite diffusés dans l'ensemble du monde arabo-musulman sans que la réprobation des gouvernements, dénonçant pêle-mêle des fanatiques hallucinés, tantôt au service de Khomeyni ou de la CIA, changeât quelque chose à l'impact de cet événement, comme j'ai pu moi-même m'en rendre compte dans de nombreuses interviews; il est d'ailleurs attesté que des centaines, voire des milliers de pèlerins ont pris fait et cause pour les insurgés. Enfin, les photos de la mosquée la plus sacrée, saccagée par les impacts de l'armement lourd utilisé pour déloger les insurgés, le massacre qui s'ensuivit et l'intervention d'étrangers non musulmans ont produit un effet désastreux.

En conclusion de ce chapitre, il est nécessaire de rappeler que c'est parce que ces groupes mettent en danger tous les régimes du monde arabo-musulman que l'Islam radical représente un danger pour l'Occident, alors que ces mouvements commettent peu d'exactions en Occident contre des Européens. Par contre, il ne fait pas de doute que les choix de la France ou des États-Unis, choix stratégiques de soutien à l'Irak, à certaines fractions libanaises, tandis que la RFA appuie plutôt l'Iran et que l'URSS ne sait plus exactement où sont ses alliés, sans oublier le soutien inconditionnel de l'Europe et des États-Unis à Israël, ces choix peuvent amener certains groupes à s'attaquer aux intérêts français sur place.

Mais de là à conclure que le terrorisme international qui met des bombes en France trouve un appui dans la communauté musulmane en France, il y a un pas que, pour ma part, après des années d'enquête, je ne me crois pas autorisé à franchir et qui, bien au contraire, relève à mes yeux d'un amalgame dangereux et irresponsable. Je ne peux, bien entendu, mettre dans la même charrette le « terrorisme international » type Carlos, par exemple les attentats contre le TGV et la gare de Marseille, parce que j'attends toujours la preuve de la collusion chiites/intégristes marseillais...

Par contre, nos meilleurs alliés arabes financent des groupes islamiques qui sont concurrentiels avec les islamistes, comme je vais l'exposer maintenant.

La société musulmane contemporaine est, en effet, traversée par des organisations qui ont pris des formes différentes selon les temps et les lieux mais qui, tout de même, peuvent être ramenées à quelques types : corporations de métier, confréries, mouvements culturels de type « clubs » littéraires ou musicaux, et aujourd'hui « amicales », en particulier contrôlées par les États-Nations en ce qui concerne les immigrés. Si les corporations de métier ont, pour la plupart, disparu à quelques exceptions près, par contre, non seulement le système confrérique s'est maintenu, mais il s'est développé dans les dernières années en se nationalisant alors que le système confrérique classique des *Turuq* était plutôt internationaliste : le nombre des voyageurs du Maghreb qui s'installèrent définitivement au Machreq est aussi important que le nombre de fondateurs de Zawiyat venus de l'Orient. Or, précisément aujourd'hui, ces organisations sont concurrencées par de nouvelles structures

dans un double encadrement territorial, celui imposé par les
États-Nations et celui proposé par les organisations internationales, y compris musulmanes, comme l'Organisation de la
conférence islamique. Ces croisements produisent des effets
dont l'étude est nécessaire à la compréhension des groupes
islamistes.

LES MOUVEMENTS ISLAMISTES *

Nom	Traduction	Rite	Pays	Date	Fondateur et leader actuel
Amal : Afwât muqâwimat al-lubnâniyya	Brigades de la Résistance libanaise	chiite	Liban	1967/1978	Moussa Sadr Nabih Berri
ᶜAmal islâmî	L'action islamique (dissident d'Amal)	chiite	Liban (Baalbeck)	1980	Hussein Mussawi
Association des Frères musulmans. Cette association a essaimé partout dans le monde arabe en prenant parfois les formes plus occultes, que je signale par le sigle FM. Mais l'Association est particulièrement bien structurée en Jordanie (Abd al-Rahman Khalifa) et dans les territoires occupés, ainsi qu'à Gaza où le leader, le Cheikh Khazandar, a été assassiné en 1979.		sunnite	Égypte	1927	al-Banna, assassiné en 1949. Depuis 1973 : Umar al-Tilimsani, mort en 1986 au Caire.
al-Daᶜwa	L'appel	chiite	Irak	1956	Mohammed Bakir al-Sadr, exécuté en 1980.
al-Daᶜwa	L'appel	sunnite	Dubay		
La Fraternité		sunnite	Branche irakienne des FM	1951	Sawaf, soutenu par l'Arabie Saoudite.
Front islamique pour la libération de Bahreïn		chiite	Actuellement à Téhéran	1975	

* Ce tableau a été établi avec l'aide de Nicole Catan.

Nom	Traduction	Rite	Pays	Date	Fondateur et leader actuel
Harakat al-is-lâmiyya al-mujâhida	Mouvement islamique du Jihad	sunnite	Territoires occupés		Cheikh Ghanem
Harakat al-tawhîd-al-is-lâmî	Mouvement de l'unification islamique	sunnite	Liban Tripoli	1982 + fusion de Mouvements scission 1984	Cheikh Cha'abane
Hizb al-tahrîr al-islâmî	Parti de la libération islamique	sunnite	Jordanie et Territoires occupés	1948	Taqi al-Din al-Nabahami
Hizbollâhî recouvre plusieurs groupuscules	Parti de Dieu	chiite	Iran Liban	1980	Actuellement dissident d'Amal. Abbas Mussawi.
Imâm Hussein	(Groupe terroriste)	chiite	Liban	1983	Abdallah Mussawi
al-Ittijâh al-is-lâmî	Mouvement de la tendance islamique MTI	sunnite	Tunisie	1978 succède à l'Action islamique	Rachid al-Ghannuchi
al-Ittihâd al-talaba Cf. *Harakat al-tawhîd al-islâmî* (fusion)	Union des Étudiants	sunnite	Liban		Cheikh Fadlallah
al-Jamâ^cat al-islâmiyya	La Communauté musulmane	sunnite	Liban	1948	Mohammed Umar Da'uk; actuellement, Fathi Yakan
Jam^ciyyat al-ikhwân al-muslimîn	Cf. Association	sunnite	Partout		
Jam^ciyyat Talâ^c al-islâm	Avant-garde de l'Islam	sunnite	Maroc	1975	
Jamâ^cat al-^culamâ'	Association des savants				
Jamâ^cât al-islâmiyyât	Associations islamiques	sunnite	Égypte	1972	Créées à l'initiative de Sadate, confiées à Othma Ismail (Assiout), échappent au contrôle.

Nom	Traduction	Rite	Pays	Date	Fondateur et leader actuel
Jam°iyyat al-da°wa	Nom générique d'une multitude d'associations apostoliques		Partout		
Jam°iyyat al-da°wa al-šabîba alislâmiyya	Association pour l'apostolat de la jeunesse islamique		Maroc	1972	Abd al-Karim Muti
Jamâ°at al-muslimîn (Takfîr-u Hijra)	La Société des Musulmans (Excommunication et Hégire)	sunnite	Égypte	1971	Chukri Mustafa, exécuté en 1977.
Jamâ°at al-fanniyya al-°askariyya	Académie militaire	sunnite	Égypte	1971	Salih Sirriya, exécuté en 1974, issu du Parti libération islamique (Jordanie).
Jamâ°at al-iṣlâḥ al-islâmî	Association pour la réforme musulmane	sunnite			
Jamâ°at al-iṣlâḥ al-ijtimâ°î	Association de la réforme sociale	sunnite	Koweit		Abd al-Aziz al Muttawa
Jamâ°at al-tablîgh wa-da°wa	Association pour la diffusion du message		Inde A essaimé partout et plus particulièrement en Europe entre 1960 et 1975.	1941 1942	
al-Jihâd	La « Guerre Sainte », Le combat	sunnite	Égypte	Vers 1980 Fusion de groupuscules	Faraj et Karam Zuhdi
Jihâd islamique : Nom générique (invention de journalistes occidentaux) d'un groupe terroriste situé à Téhéran ou en Syrie.					

Nom	Traduction	Rite	Pays	Date	Fondateur et leader actuel
Recouvre actuellement une nébuleuse de groupuscules plutôt libanais.					
Junûdallâh, ou les Soldats de *Junûd Allâh*. Plusieurs groupes ont porté ce nom à des époques différentes dans différents pays, plus particulièrement en Algérie et au Liban.					
al-*Maḥrumîn*	Les Privés	chiite	Liban	1967	Moussa Sadr
al-*Mujâhidîn*	Front islamique : Les combattants de la guerre sainte	sunnite	Syrie	1980	Issam Attar puis Bayanumi Hawa et Saad Addin
Munaẓẓamat al-ᶜamal al-islâmî	Organisation de l'action islamique	chiite	Irak	1975	Cheikh Mohammad al-Chirazi
Organisation de la révolution islamique dans la péninsule Arabique		sunnite mais pro-iranien	Arabie		Abdel Raman al-Yami
al-*Qiyâm*	Les valeurs	sunnite	Algérie	1964	Malek Bennabi
devient *Ahl al-daᶜwa*	Les prédicants	sunnite	Algérie	Après 1970	
al-*Salafiyyîn*	Les partisans du retour aux Ancêtres	sunnite	Koweit		Khalid Sultan
al-*Ṭâliᶜ al-islâmiyya*	Avant-garde islamique	sunnite	Tunisie		Clandestin
al-*Ṭalîᶜat al-muqâtila*	Avant-garde combattante Branche militaire des FM, issue des phalanges de Marwan Hadidal	sunnite	Syrie		Adbnan Ukla
al-*Tawaqquf wa'l-tabayyun*	Repli et Méditation	sunnite	Égypte	1980	Mohammad Abdal-Baqi

N.B. Il ne s'agit ici que des mouvements que j'ai cités. Il en existe partout d'identiques. Pour le seul Liban, cf. le numéro spécial des *Cahiers de l'Orient* (2), 1986, pp. 237 et s.

VIII

LA CONCURRENCE
POUR L'EXPANSION DE L'ISLAM

Entre les États musulmans et les militants islamistes

Le fondement même de mon hypothèse pour expliquer l'expansion de l'Islam et le renouveau islamique (qui n'est en rien un renouveau théologique) tient au fait que tous les partenaires puisent dans un même stock, dans un même référent unique mais réinterprété d'une façon différente : dans le *turâth,* le legs arabo-islamique, c'est-à-dire l'Islam tel qu'il est présenté et diffusé par les orthodoxes.

Une fois encore, le fil rouge de mon raisonnement tient au débat sur le califat : là est l'explication première. Les islamistes s'en servent pour contester les États musulmans oublieux de leur légitimité religieuse alors que certains rois et chefs d'État ont pensé reconstituer le califat à leur profit. C'est donc bien autour du débat sur le califat [1] que s'articule la concurrence entre les islamistes et les États, ceux-ci voulant faire évoluer le califat vers une forme de SDN/ONU orientale ou, selon l'analyse de Mohamed Iqbal, vers une assemblée élue. Bien évidemment, cette thèse est à l'opposé de l'État islamique unique que proposent les islamistes.

Celui-ci est par ailleurs fort différent dans l'esprit des Chiites iraniens. Il faut donc bien commencer par ce dernier problème. En effet, rien ne prouve que les islamistes souhaitent un État islamique à l'iranienne et ce pour plusieurs raisons, même si ma typologie des mouvements islamistes devait s'appliquer au cas iranien. La cause principale – et je la situe ici volontairement – tient à la différence d'analyse du pouvoir que font les Sunnites (et donc les islamistes) et les Chiites. Je crois avoir assez insisté plus haut sur les différences entre l'*imâma* et le *khilâfa* pour ne pas y revenir, sauf à préciser que le débat sur l'État n'est pas du tout le même.

Une autre raison tient au fait que la révolution iranienne n'est, pour moi, que le révélateur de l'islamisme radical et non pas sa cause. D'ailleurs celui-ci, comme le sunnisme orthodoxe, va bientôt affronter la révolution iranienne exportée. La seule hypothèse que je puisse alors formuler – et qui sera infirmée ou confirmée par le cas libanais – est la suivante : le chiisme duodécimain doit perdre sa spécificité pour exporter la révolution iranienne qui n'a rien de spécifique.

Elle n'est en effet que la conjonction d'une classe (les marchands du Bazar) qui a trouvé dans le chiisme une idéologie, et dans les Mollahs des intellectuels organiques bien que traditionnels. Ces deux groupes se sont alliés avec les « barbus + PHD », intellectuels modernistes, pour arrêter la modernisation allogène dont la logique les menaçait de disparition en tant que groupes sociaux. Face au cosmopolitisme séculier du régime du Shah, ils ont légitimé leur édifice par la statue du Commandeur – Khomeyni –, qui leur a ouvert les abîmes de la thanatocratie consentie, dévoreuse de ses propres enfants. Aujourd'hui, la révolution iranienne s'est banalisée (y compris dans l'horreur, mais ce n'est pas très original à mon avis...) et prétend créer un État... comme les autres États musulmans.

Or, ceci est en contradiction absolue avec l'essence du chiisme. Aussi la constitution d'un État chiite arabe au Liban – c'est-à-dire hors de la Perse – est un test plus important pour mon propos – et pour l'avenir – que la révolution elle-même. A l'échelle du tiers monde en particulier [2], la révolution iranienne a quelque chance de passer pour un modèle à condition qu'elle gomme le chiisme. Or, même sur ce plan-là, il est des Musulmans (officiels, pas « intégristes ») pour chercher des rapprochements dans le jeu « à qui perd-gagne »... entre la pensée sunnite, qui met l'accent sur des institutions légales et rationnelles, et la pensée chiite, qui propose au contraire un Imam infaillible, qui remplira « la terre de justice après le temps de l'oppression [3] », parce que

« le seul leader *(al-zâᶜim al-wâḥid),* le sauveur, l'inspiré de Dieu exprime les intérêts du peuple et emprunte tous les traits de Dieu en savoir et en capacité : il observe et entend tout et se prononce sur tout... »

Or certains ulamas libanais ont pu signer la constitution islamique (dont nous reproduisons un extrait ci-après) parce que la notion de *tutelle de jurisconsulte (lajnat wilâyat al-faqîhj)* a été substituée à celle d'imam et de calife.

Lors de la tenue de la quatrième « Conférence de la pensée islamique » à Téhéran, le 30 janvier 1986, des réunions importantes ont groupé des chefs religieux libanais et iraniens. Les réunions de « Jamaran », du nom de la banlieue nord de Téhéran où réside l'imam Khomeyni, ont abouti à un projet de Constitution islamique pour le Liban calqué sur le modèle de la Constitution iranienne. Soixante-trois responsables religieux libanais, sunnites et chiites, ont signé le projet à Téhéran ou au Liban. Parmi les signataires les plus connus figurent les cheikhs : Mohammed Mahdi Chamseddine, Mohammed Hussein Fadhallah, Sa'd Cha'abane, Mohammed Ali Jouzou, Moharram Arfî, Maher Hammoud, Salah Al-Din Arkahdan, Mohammed Ali Assaf, Mohammed Mohsen Fakih, Hussein Srour, Abdallah Assaf, Mohammed Jawad Fakih, Ahmad Hamdan, Abdallah Hallak, Sadek Moussawi, ainsi que Hussein et Ali Moussawi...
Les grandes lignes de cette Constitution sont les suivantes. Telles qu'elles sont traduites dans les *Cahiers de l'Orient, op. cit.* [4] :

PRÉAMBULE

« L'Islam est une religion de justice et de miséricorde pour tous les hommes. Sous son ombre, les fils de toutes les communautés et religions célestes vivent en toute liberté et jouissent de la justice, de la sécurité et de la tranquillité. Les musulmans constituant la majorité du peuple libanais, la création d'une république islamique au Liban sera donc dans l'intérêt de tous les Libanais. »

LA COMMISSION DE LA TUTELLE DU JURISCONSULTE
(LAJNAT WILAYAT AL FAKIH)

« Dieu, à Lui la puissance et la gloire, est le véritable détenteur du pouvoir. Les représentants de Son pouvoir sur la terre sont les

Prophètes et les Envoyés et, à leur tête, le Très Honoré Sceau des Prophètes Mohammed Ibn Abdallah, sur lui soit la bénédiction de Dieu et sa paix et, à sa suite, les califes et les imams vénérés. En raison de l'occultation *(ghayba)* de l'Imam el Mahdi – puisse Dieu le Très Haut hâter son retour – son représentant véritable est *l'imam, l'ayatollah grandissime et le jojjat al-islam et des musulmans Rouhallah Moussawi Khomeyni.* Il exerce la tutelle du jurisconsulte. Il est le pasteur (râhi) des musulmans et des gens de la conscience (Ahl Al Dhimma) ».

Au Liban, l'ayatollah Khomeyni déléguera son autorité à la « Commission de la tutelle du jurisconsulte » présidée par le Cheikh (qui aurait été fait ayatollah depuis) Mohammed Mahdi Chamseddine.

LE PRÉSIDENT DE LA RÉPUBLIQUE

Il est élu pour une période de quatre ans, au suffrage universel, sur une liste agréée par la « Commission de la tutelle du jurisconsulte ».

LE POUVOIR LÉGISLATIF

Il est confié à un « Conseil consultatif » *(choura)*, élu au suffrage universel. « La communauté religieuse ayant recueilli le plus de suffrages se verra confier la charge de constituer le gouvernement. » La Commission pourra dissoudre le « Conseil consultatif » comme elle pourra démissionner le président de la République ainsi que le Premier ministre.

LE POUVOIR JUDICIAIRE

Il est confié à des tribunaux religieux (charii). Les tribunaux civils seront remplacés par des tribunaux religieux propres à chaque communauté. Le système judiciaire est musulman.

L'ARMÉE

Son commandant en chef sera nommé par la « Commission de la tutelle du jurisconsulte ». Le poste de commandant en chef pourra cependant être attribué au président de la République.

Nationalistes et étatistes versus islamistes

Il ne s'agit donc en rien du débat sur l'État hégélien proposé plus haut mais du problème posé par *l'absence de calife et d'imam.*

La sécularisation telle qu'elle s'est produite en Europe est originale et unique, les sphères de la société arabo-musulmane ne sont pas aussi séparées. La problématique de passage au politique, à travers un État qui se réfère à l'universel, ne se pose pas du tout de la même façon d'un bout à l'autre de la Communauté musulmane, et encore moins dans la Nation arabe dont l'idéologie sécularisante du Ba'th n'est qu'une variante.

Tout d'abord, il n'y a, à mon avis, que trois cas dans lesquels il est possible de repérer une tradition étatique propre, et encore dans ces trois cas (Égypte, Iran, Maroc) l'expérience particulière est tellement diversifiée qu'il me paraît difficile d'en tirer quelques leçons. Sauf à souligner que partout l'État moderne se construit dans la même tension contre le tribal et contre le religieux, et que partout des groupes fort différents, ethniquement ou confessionnellement, ont essayé de capturer l'appareil d'État. Il s'agit donc, pour moi ici, d'un problème politique et non pas religieux, encore que l'Islam propose parallèlement une formule tout aussi originale d'un État que l'on peut qualifier de moderne.

Mais il ressort nettement de mes enquêtes que la caractéristique spécifique du militant islamiste, quelle que soit la forme prise par son mouvement local, tient à son ignorance voire à son mépris de l'État-Nation, parce que l'existence de plusieurs États divisant la communauté des croyants est pour lui une *fitna,* un désordre. Par contre, il pense que l'État islamique fondé par le Prophète, et conforté par les quatre premiers califes, les mieux inspirés *(rašîdûn),* constitue l'expression parfaite de l'unité et de l'indivisibilité de la Umma. Ce modèle, qui n'est vague que dans l'esprit des détracteurs de l'Islam, a été légué par le Prophète; la *šarî°a* lui confère son caractère légal et vise à « hausser l'homme public et privé au niveau de l'idéal éthique proposé par le Prophète [4] ».

Aucun État idéal n'a jamais été établi à partir de ce modèle car il est perçu tour à tour comme prédateur et despotique quand il touche aux intérêts privés. En retour, il est lui-même l'objet d'un pillage systématique, à tel point que je pense que les Arabes ont mis sur pied un mode de production très original qui est l'inverse du capitalisme monopolistique d'État, surtout en période de crise mondiale du capitalisme et d'atomisation des sociétés périphériques.

Mais, par ailleurs, cet État, modelé mythiquement sur les « Rachidun », est destiné, en même temps, à incarner les plus hautes valeurs morales : celles des Droits de Dieu. Il ne peut jamais être à la hauteur, d'autant plus que, contrairement à l'Europe, où elle appartient aux clercs ou aux Églises, la Mémoire ici appartient aux masses enivrées de récits mythiques : la Loi, donnée par Dieu, est sous la sauvegarde de chaque Musulman. L'État n'en est ni la source, ni le garant.

« L'État n'est alors qu'une superstructure, écrit Claude Cahen [5], avec laquelle la population ne ressent pas de solidarité, superstructure d'autant plus étrangère qu'en fait les Princes sont appelés à prendre des mesures extérieures à la *Loi*. »

C'est pourquoi Mohammed Tosy a proposé, dans sa thèse [6], un système de classement des États arabo-musulmans fort astucieux et qui réserve à l'utilisation quelques surprises. A partir des observations formulées ci-dessus sur l'allogénéité de l'État, et en admettant l'hypothèse que la greffe hégélienne n'a pas pris, il est possible en effet de classer les États arabo-musulmans dans une échelle qui a l'avantage de constituer un référent unique et qui correspond assez bien aux catégories islamistes.

L'axe de cette échelle hiérarchique est constitué par l'utilisation, emboîtée dialectiquement, de trois concepts arabo-musulmans qui avaient déjà fait l'objet d'une première présentation par Arkoun, et que j'ai réutilisés avec Tosy : l'Islam est en effet tout à la fois *dîn, dunyâ,* et *dawla,* c'est-à-dire religion, monde au sens de sécularité, et État au sens de succession dynastique légitime. Il faut alors envisager toutes les combinai-

sons et pour cela essayer d'ordonner ces trois caractéristiques :
il ne fait pas de doute pour les Musulmans orthodoxes comme
pour les Musulmans islamistes que le bon ordre est *dîn, dunyâ,
dawla*; mais, dans la pratique contemporaine, chacun des
États-Nations a articulé l'ordre différemment. Ainsi, la grande
distinction repérable ne tient pas au nationalisme ou au
progressisme, et encore moins au modernisme, mais à la façon
dont chaque État-Nation a tenté de monopoliser d'une façon
hégémonique la production de biens symboliques. En particulier, la façon dont chaque État-Nation a organisé le système
religieux tout en se légitimant, en renvoyant au même référent
unique, l'Islam, tel qu'il est présenté par les savants orthodoxes. Ainsi, il est alors possible de croiser un certain nombre
de variables autour de la question suivante : est-ce que l'État
moderne laisse la place à des concurrents en matière religieuse? Une variable surprenante peut alors être isolée : celle qui
articule la présence d'un ou de plusieurs rites * et d'un ou de
plusieurs partis dans la société étudiée. Ce qui permet de
poser cette question curieuse : existerait-il une liaison quelconque entre pluri-partisme et mono-rite ou pluri-rites et monopartisme?

Mais une autre catégorie apparaît très rapidement lorsqu'on se pose ce type de questions : par-delà le débat sur la
religion populaire, l'État tolère-t-il des formes d'Islam considérées comme altérées par les savants orthodoxes?

Quelques surprises attendent le spéculateur. Par exemple,
l'Islam apparaît comme moniste en Algérie et en Arabie
Saoudite, et produit dans les deux cas une exclusion virulente
de l'Islam populaire. Cette piste pouvait être féconde par
rapport aux platitudes habituelles sur l'État-Nation vu à travers
la bourgeoisie « compradore », qui ne serait alors qu'un moment
historique du capitalisme ascendant...

---

* Il existe quatre écoles improprement appelées « rites » dans l'Islam
sunnite : malékite, hanafite, hanbalite, chaféite. Ce sont des écoles d'interprétation jurisprudentielle.

Typologie de l'État musulman moderne

Il faut distinguer clairement entre les États arabo-musulmans qui ont tenté la sécularisation, sinon la laïcisation de la société, et ceux pour lesquels l'hégémonie passe par une maîtrise de la religion. Une première typologie est alors possible qui permet de comprendre pourquoi certains mouvements islamistes sont plus agressifs dans certaines sociétés apparemment libérales, comme la Tunisie ou le Sénégal, mais, *a fortiori,* l'Iran du Shah ou la Syrie. Il s'agit sans doute là d'une réponse à l'agression qu'a représentée de la part de l'État la politique de transformation de la société civile. Mais il ne s'agit pas simplement d'un échec de la laïcité. L'explication la plus intéressante apparaît plus clairement encore dans une autre distinction qui consiste à étudier séparément les États où l'Islam est moniste et ceux où il est pluraliste. En reprenant les définitions proposées par Gramsci à propos de l'hégémonie, il est possible de distinguer l'État strict de l'État intégral, c'est-à-dire le gouvernement et les fonctions économiques et coercitives tout d'abord. Or, sous ce premier aspect, la quasi-totalité des États arabo-musulmans ressemblent beaucoup plus au modèle hégélien qu'à l'État califal du modèle arabo-musulman. Mais il faut également distinguer cet État *stricto sensu* de l'État intégral, c'est-à-dire de cet ensemble complexe de superstructures qui permet l'organisation du consentement des masses à la domination. En effet, pour Gramsci, l'État, *c'est la dictature plus l'hégémonie,* et les deux sphères doivent être complémentaires pour que le pouvoir fonctionne.

Or, sauf à nuancer sur les mécanismes spécifiques de l'articulation entre l'État strict et l'État intégral, parce que la société arabo-musulmane fonctionne bien plus au clientélisme qu'à la rationalité wébérienne et a toujours produit des « Mamelouks de la superstructure », il est possible d'admettre qu'aucun pouvoir, même dans les cas les plus totalitaires, ne fonctionne seulement par la force.

Or, la capacité de convaincre les dominés s'ancre dans une vision du monde relativement homogène fournie par la cosmogonie islamique, dont la diffusion est assurée par des agents qui sont parfois eux-mêmes hostiles à la modernité de l'État. C'est dire que les gouvernements arabo-musulmans n'éprouvent pas de grandes difficultés pour rallier le plus de couches sociales et ainsi assurer leur légitimité puisque le consensus existe dans la société civile autour de l'ordre du Monde tel que le présente l'Islam. La limite dans la manipulation de l'ordre des choses et de la symbolique semble être actuellement, en amont, la laïcité et, en aval, le droit musulman, tout au moins l'application effective de la *šarî*ᶜ*a*.

Les récents exemples égyptiens montrent qu'il y a là une balise : après l'échec catastrophique de l'expérience soudanaise, le parlement égyptien a pu renvoyer aux calendes grecques le débat sur l'application de la *šarî*ᶜ*a* en Égypte. Une des clés spécifiques, détenue par les Islamistes, prend là toute son importance : le pouvoir des religieux s'affirmerait dans les périodes de faiblesse de l'État, et précisément ce n'est pas le cas en Égypte où, depuis l'assassinat de Sadate, les Frères musulmans ont choisi au contraire le profil bas [7].

Par contre, si l'hégémonie est la combinaison de la domination et de la direction, un groupe social doit être dirigeant avant de prendre le pouvoir. En ce sens, comme le référent est unique dans le cas des pays arabo-musulmans, pour que l'hégémonie fonctionne, le discours de l'État doit être un discours sur *l'identité*. Celui-ci révèle généralement la faiblesse cosmologique de l'État : les tenants du discours étatique n'ont pas de projet eschatologique différent de celui formulé par les militants islamistes. La complexité du rapport du politique et du religieux dans ce cas a été d'autant moins perçue que, pendant deux décennies, les observateurs étrangers et les élites au pouvoir, n'ont pas saisi (n'ont pas voulu ou n'ont pas su) le *kitmân* et le *bâṭin* *.

En effet, il me semble que tout ce qui s'est passé dans la société civile – la société civile est le véritable foyer, la véritable scène de toute l'histoire [8], et en particulier l'immense capacité des masses arabes à utiliser tous les registres mis à leur

---

* L'émigration intérieure, la dissimulation et l'ésotérisme.

disposition, auxquels il faut ajouter ceux qu'elles inventent au coup par coup – démontre qu'aucune société n'est en transition, qu'aucune société n'est entièrement contrôlée. Mais par contre, la lutte pour le monopole de la représentation n'intéresse que médiocrement les masses, comme si la politique leur était extérieure.

La distinction entre Islam pluraliste et Islam moniste ne porte pas du tout sur des catégories théologiques mais sur la cohabitation éventuelle entre l'Islam que prône l'État et d'autres formes d'islamité, et plus particulièrement l'exclusion ou non de l'Islam populaire ou les autres formes d'islamité, la mystique, par exemple.

Il est alors possible de classer dans une première catégorie les États qui permettent, tolèrent ou supportent une cohabitation entre l'Islam officiel et des formes différentes de l'Islam. Dans ce cas, les agents de la socialisation ne sont pas uniquement étatiques et l'État priviligie la fonction agrégative par adhésion à partir d'une conception non agressive de l'Islam, sans que cela signifie que l'État fasse des concessions sur le fond. Ainsi, au Maroc, les *Bahis* sont systématiquement pourchassés et condamnés, mais par contre les concessions sont plutôt larges à propos de minorités religieuses, chrétiennes et juives.

Trois États me paraissent caractéristiques de cette situation : l'Égypte, le Maroc et le Koweit.

Dans le deuxième groupe, il y a au contraire exclusion de toutes les autres formes de l'Islam, et plus particulièrement de l'Islam populaire dénoncé comme archaïsme et scorie de l'histoire. La forte présence d'une version étatique de l'Islam implique à la fois un endoctrinement (très net dans les manuels scolaires) et donc une agrégation par unanimisme. Assez curieusement, il est possible de regrouper dans cette catégorie des États aussi différents que l'Arabie Saoudite, l'Algérie, le Pakistan et la Libye.

La comparaison entre l'Algérie et l'Arabie Saoudite semble surprenante, et pourtant j'avais montré pour l'Algérie [9] combien l'Islam réformiste, celui des Ulama nationalistes, avait progressé en même temps que progressait le jacobinisme algérien; la violence des groupes islamistes en Algérie me paraît être la réponse claire à cette caractéristique de l'État algérien moniste à la Janus : un visage jacobin et une face islamique.

Cette alliance entre les réformistes musulmans et les admirateurs de l'État français est effectivement comparable à cette « éthique protestante » que constitue l'alliance entre la dynastie saoudite et la secte wahhabite : les deux cas ont en commun une volonté inébranlable d'unitarisme; certes l'Arabie Saoudite n'a pas de constitution puisque le Coran y pourvoit, mais il ne s'agit pas ici de se placer sur le plan institutionnel; ce qui paraît plus pertinent est le cas où l'État propose un projet de restructuration contrôlée des appareils de production symbolique et, pour ce faire, contrôle la diffusion de la religion, disqualifie et combat l'Islam populaire; tandis que dans d'autres cas, le caractère pluraliste de l'Islam résiste aux assauts d'homogénéisation amorcée par le courant salafi ou par les différents avatars des mouvements laïques : ba'thismes, nassérisme, etc.

Il faut en effet présenter une troisième catégorie d'États : ceux qui inversent l'ordre *dîn – dunyâ – dawla* et qui ont essayé de mettre *dawla* en tête, qui ont développé un projet de laïcisation et, *a fortiori,* de sécularisation de la société civile.

Plusieurs cas de figure existent, mais qui ont tous conduit à l'apparition de mouvements islamistes prenant des formes là aussi comparables.

Les travaux d'Olivier Roy sur l'Afghanistan et un certain nombre de travaux de Christian Coulon, en particulier sur le Sénégal et d'autres [10] sur le Mali et le Niger, pourraient servir de comparaison avec la revivification du système confrérique qui a permis l'extension de l'Islam dans les pays où il y avait une absence relative d'un projet étatique explicite de sécularisation.

L'avènement au pouvoir d'un chef d'État musulman passe là aussi par la renonciation à la laïcité, d'autant plus nécessaire que les coups de boutoir contre celle-ci sont le fait de groupes maraboutiques et de sectes « intégristes » se réclamant du *jihâd* et ayant pratiqué la terreur, en particulier à la fin de l'année

1980 dans la grande métropole de Kano à la limite du Tchad et du Niger.

Les États strictement arabes qui ont essayé d'appliquer un programme de sécularisation, la Tunisie entre 1960 et 1970, la Syrie après la promulgation de la constitution de 1973, et dans une certaine mesure l'Irak néo-ba'thiste, ont tous buté sur le même problème : la refonte du code de la famille. Aucun État n'est allé aussi loin que la Tunisie en ce domaine puisque Bourguiba essaya même de supprimer la pratique du jeûne du Ramadan, en invoquant le dommage subi par l'économie tunisienne et en proclamant comme objectif du *jihâd* le développement économique. La sécularisation entreprise d'une façon relativement agressive par l'État a poussé les acteurs religieux marginalisés à émigrer dans la société civile et à se radicaliser. Il est tout à fait remarquable, dans le cas de la Syrie et de la Tunisie, d'observer à quel point la réinterpréta-tion de l'*émigration* interne a été raccrochée par les militants islamistes à l'émigration du Prophète chassé de La Mecque. C'est dire que la radicalisation de ces militants était inscrite dans le principe même de l'illégitimité de l'opération de laïcisation amorcée en Tunisie, sans que le président Bourguiba n'osât supprimer la référence constitutionnelle à l'Islam, comme ce fut le cas en Syrie. (Il est vrai que, pour de nombreux Musulmans, la secte alaouite au pouvoir n'est pas considérée comme appartenant à l'Islam.) Dans les deux cas, les mouvements islamistes ont donc dû grignoter la société civile *de l'intérieur,* et la confrontation s'est produite à peu près à la même époque, à partir de prêcheurs mobilisant des foules de plus en plus grandes dans les mosquées jusqu'à ce que la répression, féroce et sanguinaire en Syrie, plus for-melle en Tunisie, arrête officiellement la progression du mouvement.

Il semble donc bien que, dans tous les cas, le problème tourne autour du rejet de toutes les formes de changement, d'institution ou de projet suspect d'allogénéité, ou de contami-nation par l'étranger, c'est-à-dire, traduites en termes religieux, toutes les formes d'*impureté* et toutes les formes portant atteinte à l'unité de la communauté musulmane. Dans cette tentative de se retrouver entre soi, la communauté musulmane réinventée coïncide de moins en moins avec l'État-Nation.

La concurrence entre les penseurs islamistes, appuyés par tout le réseau informel des prêcheurs diffusant l'idéologie islamiste, et les idéologues officiels de l'État moderne, implique l'appréhension de la société arabo-musulmane dans les catégories de la pensée coranique à travers lesquelles le projet politique ne pouvait s'imposer que comme contre-modèle étatique. Le discours islamiste a pu se développer à l'époque précise où les idéologies nationalistes et progressistes ne parvenaient pas à sortir de la crise. Aussi la radicalisation du discours islamiste est-elle très nette lorsque l'on compare Hassan al-Banna, ou ses contemporains réformistes nationalistes au Maghreb, à Sayyid Qutb, puis à Faraj surtout; alors que les prêcheurs contemporains se contentent, comme leurs prédécesseurs, de critiquer la moralité des mœurs. Si j'ai répété plusieurs fois que ce phénomène était bien entamé avant la révolution iranienne, celle-ci a joué le rôle précis de révélateur de la pertinence du propos. Elle n'est pas la cause du réveil islamique.

Il ne faut pas oublier que ces petits prêcheurs, dont le modèle est effectivement le cheikh Kischk, ont été formés à l'enseignement religieux par le système orthodoxe et que c'est en puisant dans ce même stock fourni par les orthodoxes qu'ils rejoignent en fait les théoriciens islamistes. C'est dire à quel point la pratique de cette rhétorique du vocabulaire, qui caractérise les clercs de l'Islam, conduit irrémédiablement à l'exaltation des idéaux de justice et d'égalité inhérents à l'Islam tel qu'il est enseigné. Cependant, la vision globalisante ou totalisante d'un projet de société dans lequel l'Islam est une fin en soi ne pouvait que s'opposer à la vision progressiste ou populiste, voire humaniste, de la gauche arabe. La différence s'est jouée sur la capacité des uns et des autres à mobiliser les déshérités, et si l'islamisme radical a convaincu les *mustaḍ-ᶜafīn*, sans doute est-ce parce que, contrairement au socialisme, il n'est pas apparu comme une idéologie importée.

Comme toujours, la réalité est encore plus complexe, puisqu'il existe d'autres clercs, concurrentiels, qui essayent de monopoliser le registre religieux, le registre politique, et les deux à la fois. En effet, dans la société civile, le quotidien est constitué par l'utilisation des deux registres entremêlés et ce sont, à mon avis, *les clercs maîtres du quotidien* qui peuvent l'emporter sur ceux planant dans la normativité sans conséquence. L'État ne peut envoyer d'en haut la pluie et le beau temps... pour paraphraser le Marx du *18 Brumaire.*

La victoire provisoire du nationalisme et du progressisme développementaliste a pu laisser croire à certains que l'eschatologie sécularisée, c'est-à-dire la constitution d'une société moderne à partir de l'État-Nation, allait s'imposer. C'était oublier que, pour des raisons de légitimité historique, les élites, même transculturées, ne pouvaient éviter de puiser dans le stock arabo-musulman et produisaient ainsi les conditions d'une contradiction que d'autres qu'elles avaient les moyens de contrôler sinon de maîtriser.

Le véritable débat se pose alors en ces termes : qui l'emportera des *ummistes** ou des nationalistes?

Il est clair que la réponse est différente selon les cas, depuis le Koweit jusqu'à l'Algérie, mais que personne ne dispose de l'ensemble des éléments qui permettent de répondre à cette question. Cependant, seule la réalisation de l'État-Nation peut intégrer des communautés différentes et il est aisé de constater la difficulté de cette intégration dans des cas aussi typiques que la France aujourd'hui, confrontée à la décentralisation et au pluri-ethnisme, voire au multi-confessionnalisme. Alors, comment tirer les leçons de l'expérience européenne pour la société arabo-musulmane qui est plus facilement unanimiste?

Rien ne permet de soutenir que les mêmes séquences que celles du XIXe siècle européen se dérouleront dans les pays arabo-musulmans aujourd'hui.

Si la crise accentue ces désillusions, la *Umma,* contrairement à l'État-Nation, offre une réponse plus pertinente, y compris en tant qu'Internationale prolétarienne, car pour cer-

---

* Je forge ce mot, néologisme francarabe, à partir de *umma;* il s'agit donc, par delà leur différence, de tous ceux qui préfèrent la communauté musulmane à leur patrie locale.

tains Arabes, il ne reste, selon l'expression triviale, qu'à pleurer sur le passé (*tarahhum ʿalâ'l-mâddî*), face à l'échec de l'Internationale prolétarienne mais aussi de ces mots magiques : nassérisme, nation et unité arabes, socialisme arabe et surtout Palestine. Il ne fait pas de doute en effet, pour beaucoup [11], que la façon dont le Liban s'effondre à travers l'humiliation palestinienne est un tournant radical, qui marque bien la fin d'une époque, à la fois parce que l'image d'Israël est sortie ternie du Liban, et parce que l'incapacité des régimes arabes à prendre la moindre décision a dévoilé leur véritable visage et leur refus de la révolution palestinienne qui est la seule expression du radicalisme arabe, comme alternative au radicalisme islamique. C'est par contre sur le plan de la concurrence internationale que s'opposent les islamistes et les pouvoirs en place.

Les regroupements d'États islamiques

Il est possible ainsi de dater cette espèce de course-poursuite en forme de surenchère selon la technique populaire de la *dlala,* qui oppose les militants islamistes aux États. Les États arabo-musulmans ont saisi le danger et ont cru le pallier en se regroupant, et ce de deux façons : tout d'abord, dans les ligues relativement concurrentielles, puis dans l'Organisation de la conférence islamique. Les regroupements sous la bannière de l'Islam ne sauraient cependant faire oublier les multiples tentatives d'union entre États en fonction de la solidarité idéologique (Égypte et Syrie, Libye et tour à tour tous ses voisins, etc.), à la recherche d'une unité sans cesse contrariée par des intérêts contradictoires et par les grandes puissances (les États arabes du Golfe, les États du front du refus, etc.). Même dans la lutte concrète contre Israël, les États arabes n'ont jamais pu harmoniser leurs pratiques. Aucun accord, qu'il soit maghrébin, c'est-à-dire géographiquement situé, ou de coopération militaire, même à l'occasion des accords de Camp David, ne fut jamais concrétisé. Aussi faut-il s'arrêter un instant sur l'Organisation de la conférence islamique, qui regroupe l'ensemble des pays musulmans, malgré leur disparité politique, idéologique et économique. L'idée de réunir cette conférence avait été émise en 1965 au sommet arabe de Casablanca par le roi Fayçal d'Arabie et le roi du Maroc, mais cette initiative avait été violemment combattue par Nasser. Et, une fois de plus, la date clé pour la compréhension de mon propos est bien le conflit israélo-arabe de 1967 et non pas la révolution iranienne.

C'est, en effet, à cette date-là, que se situe le premier rapprochement sérieux entre l'Égypte et l'Arabie Saoudite.

Mais c'est à l'occasion de l'émoi causé dans le monde arabo-musulman par l'incendie, partiel, de la Mosquée al-Aqsa d'al-Qods (Jérusalem), le 21 août 1969, que se tint à Rabat, du 22 au 25 septembre 1969, le sommet constitutif de ce qui allait devenir l'*Organisation de la conférence islamique* (OCI).

Depuis 1970, une quarantaine d'États * membres de l'OCI se sont réunis quatre fois dans des sommets et une quinzaine de fois au niveau de la conférence des ministres des Affaires étrangères.

L'Organisation est nettement dominée par ceux des États qui contribuent financièrement à son fonctionnement, c'est-à-dire, dans l'ordre, l'Arabie Saoudite, la Libye, les Émirats arabes unis et le Koweit [12].

L'Organisation de la conférence islamique a eu une action très diversifiée dans les domaines culturels, religieux, économiques et financiers, grâce aux ressources des États arabes producteurs de pétrole; mais comme elle s'est donné pour but de faire connaître et de développer l'Islam, il me paraît nécessaire d'insister sur ce point pour montrer en quoi elle est concurrentielle avec les autres ligues islamiques et avec les militants islamistes. En effet, se portant garante du maintien des traditions islamiques telles que les interprètent d'ailleurs différemment les membres dominants, l'Organisation de la

---

* « État » est ici un terme impropre puisqu'un certain nombre d'États membres de la conférence (l'Égypte et l'Afghanistan) ont été « suspendus », tandis que l'OLP, qui n'est pas un État, est membre, et que plusieurs organisations y ont un statut d'observateur, telle la communauté turque de Chypre ou le Front de libération nationale « Moro »...

conférence islamique a créé un certain nombre d'organismes destinés à promouvoir le rayonnement de la foi et de la culture islamiques. Ainsi, la création au Maroc de l'Organisation islamique internationale pour l'éducation, la culture et les sciences, qui publie un bulletin, permet de saisir, à travers son discours parfaitement explicite, les buts et les intentions des promoteurs de cet Islam-là.

La revue trilingue *L'Islam aujourd'hui* [13] publie en particulier, dans son numéro 1, d'avril 1983, des indications devant servir au développement des minorités musulmanes qui me laissent absolument serein sur l'affirmation paradoxale que l'OCI est plus « intégriste » que les mouvements islamistes les plus radicaux.

« En réalité, la Umma islamique entière a commencé comme une minorité réduite à une seule personne, le Prophète (...). Elle s'est par la suite élargie à quelques centaines de personnes, tout en demeurant, plusieurs années durant, une minorité opprimée.

D'autre part, une minorité musulmane peut ne pas réussir à survivre et se trouver vouée à la disparition complète (...).

C'est ainsi que des minorités d'importance très significative ont disparu dans le passé : la communauté musulmane de Hongrie avant la conquête ottomane, la communauté musulmane de Sicile sous les Normands et, beaucoup plus récemment, la communauté islamique de Crète.

(...) Chaque majorité musulmane est en danger permanent de devenir minorité sur son propre territoire si elle se laisse soumettre à des effets de désintégration culturelle et politique. C'est le cas de l'Andalousie musulmane en Espagne.

Dans ce contexte, il convient de souligner que l'effet militaire ne doit jamais être exagéré. Il n'est que le coup de grâce d'un phénomène de désintégration interne de la communauté qui finit par devenir une proie facile à n'importe quelle force conquérante, d'origine externe ou interne, et en général des deux simultanément.

Principes d'action : (...) Le but est d'établir un plan commun des « pays musulmans » qui aiderait chaque minorité musulmane à établir les conditions nécessaires à lui donner une dynamique de « minorité réussie » (...).

Il ne s'agit point – et ceci est essentiel – d'utiliser une minorité ou une autre pour l'intérêt immédiat d'un quelconque « pays musulman » car une telle propension serait extrêmement dangereuse et risquerait la destruction complète de la minorité. Il s'agit au contraire de respecter l'autonomie d'organisation de chaque minorité et de l'aider à devenir un élément actif et respecté dans son propre pays. A la longue, l'intérêt pour tous les pays musulmans est évident, puisque plus ces communautés, minoritaires seront fortes et acceptées dans leur pays, plus elles défendront les intérêts légitimes du « monde musulman » dans leur propre environnement. Il va sans dire qu'une telle évolution n'est possible que si l'identité islamique universelle de la communauté est bien établie.

Stratégie d'action : Puisque la Umma est une et indivisible, chaque fraction de cette Umma est d'une importance primordiale en elle-même. Par conséquent, l'effort doit viser à sauvegarder chaque minorité et à la soutenir dans toute la mesure du possible.

Elle doit, en outre, être divisée en trois étapes, chacune étant absolument dépendante de l'étape précédente. Ces étapes à suivre dans chaque pays sont : l'organisation, l'établissement des institutions islamiques, avec viabilité économique interne, l'établissement de liens de fraternité entre les entités musulmanes minoritaires et majoritaires dans le respect mutuel absolu. »

Il peut paraître tout de même surprenant que tous ceux qui sont prompts à dénoncer la « main de l'étranger » et la liaison entre le terrorisme et l'Islam n'aient pas pensé à demander des éclaircissements aux auteurs de tels propos et à leurs commanditaires; le Maroc, l'Arabie Saoudite et tous les alliés « pétroliers » de l'Occident. D'autant plus que ce type de textes est confirmé implicitement par d'autres qui sont adoptés... à Paris par d'autres organisations filiales. Ainsi, rédigée à l'initiative du Conseil islamique pour l'Europe, la Déclaration islamique universelle des Droits de l'Homme a été adoptée et proclamée par Salem Azzam, secrétaire général de cet organisme, à l'Unesco, le 19 septembre 1981 (voir Annexe IV, p. 353). A moins que, dans les rencontres internationales, l'on ne considère que ce texte n'engage personne... si lecture en a été faite...

Cette Déclaration islamique des droits de l'Homme est pourtant d'une lecture édifiante : elle conforte ma thèse sur la parfaite orthodoxie des islamistes dénoncés comme « intégristes » par ceux-là mêmes qui en sont les auteurs et leurs alliés, myopes ou sourds, occidentaux. Le texte, en effet, définit la conception classique des droits et des devoirs des Musulmans en fonction de la Chari'a et les devoirs et droits, restreints, des non-Musulmans. Les athées bien entendu n'ont aucun droit puisqu'ils sont une non-existence.

Ce texte est un chef-d'œuvre de positivisme candide qui dissimule mal les violations des droits de l'Homme dans les pays arabes, y compris si on le prend à la lettre. Dans l'ouvrage collectif *L'Islam et les Droits de l'Homme*, Paris, Librairie des Libertés, 1984, d'où ce texte est tiré, seul Arkoun, une fois de plus, émet des réserves... Tous les autres auteurs sont au moins apologétiques, certains étant presque crapuleux...

Conférences et ligues

Mais l'Organisation de la conférence islamique est elle-même concurrencée par un certain nombre de ligues islamiques qui sont financées par les États membres eux-mêmes : ainsi, outre la Ligue des universités islamiques et la Ligue des Ulama qui regroupe le plus grand nombre de savants, un certain nombre d'États, en particulier l'Arabie Saoudite et le Pakistan [15], financent ou soutiennent des organisations internationales qui ont leur propre problématique, leur budget, leurs prêcheurs et leurs réseaux, et qui parfois se croisent et se concurrencent, en particulier en Europe et en Afrique noire.

Elles sont toutes fondées sur l'idée de l'obligation de transmettre le Message, d'où leur nom commun : *tablîgh*. Les organisations les plus importantes ont leur siège en Arabie Saoudite : la Ligue du monde musulman à La Mecque, l'Organisation mondiale de la science islamique à Riad, et la Fédération mondiale des écoles arabo-islamiques internationales à Jeddah. D'autres sont à Genève.

Deux caractéristiques justifient la place prépondérante de l'Arabie Saoudite en ce domaine. Tout d'abord, la maîtrise des Lieux Saints lui permet de contrôler le pèlerinage et aucune étude sérieuse n'a été faite, à ce jour, sur les conséquences de celui-ci : il suffit de penser aux millions de pèlerins qui retournent chez eux munis d'un capital symbolique commun. Ils sont à partir de là titulaires du titre de *ḥâjî*, qui dans la hiérarchie implicite de l'imaginaire arabo-musulman, leur ouvre les portes du paradis et leur confère de leur vivant un statut non négligeable [16].

La deuxième caractéristique tient à la richesse de l'Arabie Saoudite, due à la rente pétrolière... et au pèlerinage. Car celui-ci rapporte à l'Arabie des devises en quantités non négligeables puisqu'en moyenne un *ḥajj* laisse 10 000 FF sur place. Cette richesse est, en partie, utilisée dans une sorte d'éthique protestante par le système sectaire du wahhabisme qui entre en concurrence directe avec deux autres organisations, essentiellement en Afrique noire : la Ligue de l'appel islamique, qui a son siège à Tripoli, et le Congrès mondial musulman, qui se tient à Karachi.

En effet, l'Islam s'est surtout développé, depuis les indépendances des États africains, dans les pays du Sahel, où il a progressé au rythme des conversions des chefs d'État, des constructions des mosquées et des pétrodollars.

Toutefois, cette progression s'est faite selon des axes géopolitiques qui mêlaient étroitement d'anciens axes de confréries allant du nord vers le sud (Maroc, Algérie vers le sud via la Tidjaniyya; Libye vers le sud-ouest via la Sanussiya). Mais ces axes croisaient une implantation assez ancienne d'un système maraboutique qui a produit des organisations musulmanes typiques de l'Afrique sahélienne, en particulier le phénomène mouride [17] que nous retrouvons dans l'Islam en France. De plus, ces deux axes principaux ont été traversés d'est en ouest par les ligues « modernes » venues d'Arabie Saoudite et de Libye, le plus souvent par le canal des milliers de pèlerins revenus de La Mecque.

Deux exemples contradictoires permettent de saisir la complexité de cette concurrence : le soutien libyen à certains régimes africains et l'intérêt de la Libye pour le Tchad, car il me semble qu'il n'est pas possible de traiter de ces deux cas d'une façon identique.

Dans le premier cas, le soutien de la Libye à Albert Bernard Bongo, devenu Hadj Omar après que la Libye eut garanti la création d'une banque mixte en 1973, peut être comparé à la conversion de Bokassa, devenu Salah Eddine Ahmed Boukassa, qui accueillit triomphalement le colonel libyen en octobre 1976, ou encore au soutien libyen à l'Ouganda d'Idi Amin Dada.

Il s'agit là d'une attitude islamique opposée à l'impérialisme en tant que tel, mais légitimée par l'extension de l'Islam dans le cadre de la reconstitution d'un immense empire musulman qui irait du Nil jusqu'à l'Atlantique. Or, ce rêve est profondément ancré dans la mémoire des Maghrébins, qui ont été plusieurs fois unifiés au sein de grands empires (fatimide, almohade, almoravide) au cours des siècles.

Le cas du Tchad me paraît plus subtil même s'il s'inscrit dans une stratégie « impérialiste » du colonel Kadhafi. En effet, la Libye actuelle a quelques raisons de ne pas accepter les frontières léguées par la colonisation : en l'occurrence, la France et l'Italie fasciste se sont partagé des territoires, en 1928 et 1929, qui n'étaient pas du tout structurés selon les frontières actuelles. Ce n'est porter atteinte à l'honneur d'aucun Africain que de rappeler ce problème banal du découpage colonial de l'Afrique. En ce qui concerne le Tchad (et la Mauritanie), le colonialisme n'a tenu aucun compte des éléments qui unissaient des populations de grands nomades aux populations sédentaires.

Les oasis du Fezzan ont toujours été l'horizon et la base de repli des *Toubous* dont le chef spirituel, qui résista à la colonisation française, était le père de Goukouni. Par contre, l'autre fraction des *Toubous* était plutôt orientée vers le sud, c'est-à-dire vers le Sahel, et elle a participé, à la même époque, à des expériences de fédération avec le Niger; de plus, certaines factions avaient des liens avec le Soudan. La fluctuation des alliances et des soutiens de Kadhafi – d'abord en la personne du docteur Abba Siddik puis, tour à tour, de Shai, Weddeye, Kefedemi, avant Goukouni, mais toujours contre Hissen Habré, héritier de Rabah, l'émir des croyants du sud – se fit en faveur de la faction des *Toubous* historiquement, culturellement et économiquement liée à la Libye. Et ceci d'autant plus qu'il n'a jamais fait de doute pour Kadhafi que la bande d'Aouzou ainsi qu'un morceau du Niger et de l'Algérie font incontesta-blement partie du territoire libyen. Ce n'est pas pour rien que l'OUA est incapable de régler ce type de conflits. Ils ne peuvent pas s'analyser à travers la seule folie de Kadhafi même si celui-ci se trouve constamment sur la route, non moins impérialiste de la France, toujours tracassée par le vieux rêve saharien...

Il me semble en effet que la véritable tension est celle de la tentation/tentative constante de l'unité et, pour ma part, je préfère, en l'absence d'explications qui dissimulent mal les appétits occidentaux, avancer l'importance du mythe de l'unité, y compris dans la pensée de Kadhafi [18].

La variable géopolitique chez celui-ci le conduit à proposer sans cesse des alliances à ses voisins timorés qui ont sans doute quelques appréhensions face aux appétits du Colonel mais qui ne sont peut-être pas prêts non plus à établir chez eux l'État des masses...

Ce nouvel élan missionnaire ne semble pas tracasser les autorités occidentales polarisées sur les seuls « intégristes ». Alors qu'à mon sens il faut ajouter, non seulement par déduction, mais parce que de nombreux enquêtés me l'ont affirmé, que, pour la plupart des islamistes, la France fait désormais partie du *dâr al-islâm*, puisque l'Islam y est la deuxième religion par le nombre. Il faut lui appliquer le programme de la *nécessité* et de la *conciliation,* prévues, comme la très officielle revue de l' « ISESCO » l'indique dans un article intitulé « Les minorités musulmanes », sous la plume de Monsieur Ali Kettani, Directeur de la Fondation islamique pour la Science, la Technologie et le Développement.

Un programme d'action pourrait être proposé comme suit :

1) Ouverture d'un « Fonds d'aide aux minorités », financé par les « États musulmans », par l'instauration par exemple d'une taxe de 1 % sur les importations.

2) L'action doit être celle de la minorité – une fois organisée – et l'aide ne doit venir qu'en complément d'une action.

3) La « minorité » elle-même doit adopter et trouver les moyens et les méthodes de financement de ses projets, et ce, en réclamant ses droits, en revendiquant l'élimination des lois discriminatoires vis-à-vis des minorités religieuses (ces lois existent pratiquement dans tous les pays), en faisant renaître la Zakat parmi ses membres et en consolidant la coopération entre eux, de façon à créer, chez la communauté minoritaire, à plus ou moins long terme, les conditions de son indépendance vis-à-vis de toute aide étrangère.

4) Le « Fonds d'aide » viserait à (...) accorder des prêts à moyen terme et sans intérêt à chaque « minorité musulmane organisée » pour établir ses institutions islamiques, y compris des projets économiques coopératifs au sein de la minorité (...), encourager « les pays musulmans » à effectuer leurs échanges commerciaux avec les autres pays à travers la minorité musulmane ou, autant que possible, avec sa participation : établir des échanges culturels massifs entre « les pays musulmans » et les minorités en donnant des bourses d'études universitaires aux jeunes, en envoyant les imams, en ouvrant des séminaires éducatifs et, aussi, en encourageant la publication de la littérature musulmane dans des langues différentes.

Ce plan d'action est applicable dans les pays où il existe une certaine liberté de culture et où l'oppression est réduite, comme c'est le cas dans la plupart des pays de l'Europe de l'Ouest, d'Afrique et d'Amérique. Dans le cas des pays où la minorité musulmane n'est pas autorisée à établir ses institutions, où l'Islam est opprimé d'une manière directe et où les Musulmans sont éliminés physiquement et moralement (par exemple : la Bulgarie, l'Albanie quoique les Musulmans y forment la minorité), un plan plus agressif doit être appliqué qui pourrait être fondé sur les actions spécifiques suivantes : faire pression sur les pays considérés, en les informant des sentiments du « monde musulman » envers les persécutions; si cette pression morale ne réussit pas, appliquer des pressions politiques et économiques discrètes; si le résultat demeure négatif, informer les instances internationales et l'opinion publique internationale de la situation de la minorité et des violations des droits de l'homme dont elle est victime.

Quant à l'aide à la création des chaires islamiques dans des pays où il y a une minorité islamique (...), elles ne doivent être soutenues que si elles sont au service de l'Islam et représentent le point de vue islamique. Une vision de l'Islam universel ne peut devenir un jour réalité que grâce à des « minorités réussies ». Le monde musulman est à même de prendre cette voie et de se mettre ainsi au niveau de ses responsabilités envers la Umma et, à travers elle, envers tous les hommes.

Sans trop sortir de mes limites géographiques, je propose d'étudier la France, vue sous cet aspect de Terre de missions... financée par nos meilleurs alliés, le Maroc et l'Arabie Saoudite, et concurrencée par le Pakistan.

IX

L'Islam minoritaire

L'Islam en France ne peut être étudié dans les mêmes conditions que dans les pays arabo-musulmans puisqu'il y est minoritaire. Il se trouve dans une situation qui produit une stratégie totalement différente par rapport à sa situation séculaire d'hégémonie; cette stratégie est nettement définie et détaillée par la tradition arabo-musulmane, reprise point par point aujourd'hui par l'Organisation de la conférence islamique dans les textes cités dans le chapitre précédent. Aussi est-il possible, face à cette situation particulière de l'Islam en France, de soutenir la même thèse qui a été proposée tout au long de cet ouvrage : l'Islam orthodoxe produit le radicalisme islamique par un effet de rétro-action qui tient à sa problématique même; à la fois le soutien aux minorités musulmanes présentes dans les pays impies et la nécessité pour la communauté islamique, qui a commencé comme une minorité, de s'élargir jusqu'à la fin des temps.

C'est dire que le danger le plus grave qui menace les minorités musulmanes est constitué par le risque d'assimilation. Il faut donc traiter de l'Islam en France selon deux types de variables : celles qui ressortissent de l'originalité de l'Islam en position minoritaire et celles qui dépendent des caractéristiques du pays d'accueil, en l'occurrence une France laïque et jacobine.

L'Islam des sous-sols

La communauté musulmane en tant que communauté religieuse ne constitue pas une réalité, pour plusieurs raisons, que j'expliquerai ci-dessous; mais, à partir de la fiction d'une communauté musulmane, il est aisé de comprendre comment un certain nombre d'éléments, qui se sont mis en place dans les vingt dernières années, ont peu à peu bouleversé le paysage français, tout au moins dans certaines villes. L'émergence des revendications musulmanes s'est produite de façon fort différente selon les lieux d'implantation des immigrés, selon leur origine (maghrébine, turque, africaine) et bien entendu, en fonction de la complexité des différentes chronologies migratoires dont le pivot est évidemment l'indépendance de l'Algérie (1962).

Dans un premier temps, l'Islam a été caché, honteux : quelques lieux de prière se sont d'abord développés dans des caves de HLM, dans des sous-sols ou des arrière-boutiques de garages ou de magasins, et si la situation n'est plus tout à fait la même aujourd'hui, quelques incidents récents démontrent que les Français, toutes tendances confondues, ne sont pas près de laisser leurs paysages urbains s'orner de minarets retentissant éventuellement de l'appel du muezzin surtout à l'époque des haut-parleurs à mégawatts [1].

Parallèlement, les communautés musulmanes se sont structurées et ont essayé tant bien que mal de dissocier la catégorie fondamentale du pays d'accueil : la distinction privé/public, bien qu'il soit difficile dans un système juridique de type jacobin de toujours bien distinguer la sphère du privé de la sphère publique. Si le communautaire devient « domestique » ou privé, c'est parce que beaucoup de Musulmans pensent que les Autres n'ont rien à y faire et rien à y voir. Cependant, la législation française en matière de culte et de sécurité dans les lieux publics s'impose à eux, de même que s'imposent à eux les règles du droit privé. Tout ceci ne va pas sans poser de nombreux problèmes : ainsi, au coup par coup, un certain nombre de groupes ou d'individus ont émergé qui, au travers d'un bricolage surprenant, ont essayé de jouer sur la « bipositionnalité » : deux géographies (pays d'origine, pays d'accueil), deux histoires (celle des Musulmans et celle de la classe ouvrière), deux registres (la tradition et la modernité)...

Ce jeu-stratégie bipolaire a conduit à des situations à la fois paradoxales et surprenantes : pour répondre aux défis de la schizophrénie ambiante face à la paranoïa dominante, l'émigré utilisera à la fois plusieurs registres, par exemple le médecin moderne mais aussi les services d'une « marabouta » qui tient le hamman et la boucherie à Aix, tout en ayant sa patente de légitimité à Tlemcen [2].

Émigrés, immigrés et Musulmans

La littérature sur l'émigration en France est absolument monumentale [3].

L'aspect caricatural, à quelques exceptions près, des enquêtes produites par les médias français sur l'Islam en France doit être souligné : ce qui intéresse le plus souvent les journalistes tient à l'immédiateté de l'information alors que, professionnellement, nous choisissons plutôt la connaissance approfondie qui nécessite des années de travail.

Je ne traiterai que du radicalisme musulman en France. Il est, en effet, tout à fait nécessaire d'aborder ce problème qui ne va pas sans poser de nombreuses interrogations, ne serait-ce que la tension entre les exigences de l'Islam minoritaire et de l'État français moderne, qui sont tous les deux en concurrence pour un espace exclusif.

Le problème se pose en effet d'une toute autre manière en France et dans les pays arabo-musulmans, ou mieux dans le Dar al-Islam. En tenant compte, là encore, des variables objectives et subjectives, c'est-à-dire de l'imaginaire des Occidentaux vis-à-vis de l'Orient et de la transplantation de l'Islam au cœur même de l'Europe, tout en précisant que les émigrés se font eux aussi une certaine idée de la France... et de l'Islam « transplanté ». C'est en effet ce point qu'il me paraît nécessaire de souligner ici : l'Islam entre une nouvelle fois dans l'histoire des

populations européennes, mais pour la première fois depuis plus
de dix siècles par une présence physique [4].

« L'Islam entre ainsi pour la première fois dans l'histoire des
populations européennes, même si la proportion relative de ses
représentants reste tout à fait minoritaire dans la population globale
du continent. Mais cela suffit pour que le regard de l'Occident
chrétien sur l'Islam se ramène de l'extérieur vers l'intérieur de ses
frontières. L'Islam transplanté en Europe n'est plus désormais un
simple sujet d'érudition. Il est devenu une réalité collective et
populaire. »

Les émigrés en France ne se confondent pas absolument
avec les Musulmans, et il faut faire allusion ici à d'autres
émigrés pour souligner la tension intégration/assimilation dans
la dialectique de l'État d'accueil.

En effet, la pierre d'achoppement est là : l'État français a
une problématique séculaire qui consiste à proposer systématiquement aux minorités qui se présentent sur son territoire
l'intégration, c'est-à-dire leur assimilation, ce qui revient en fait
à leur demander de disparaître par fusion. Un bon émigré est
un émigré qui disparaît soit en rentrant chez lui, soit en
devenant français, républicain et laïc. Le seul choix qui lui reste
est ensuite de décider s'il préfère être de droite ou de gauche.
Or, l'Islam organise le problème des minorités d'une autre
façon et les Musulmans qui viennent en France ont un
imaginaire et une culture qui rendent quasi impossible leur
assimilation. Les gouvernements préfèrent le mot « insertion »,
sans qu'en soient bien précisées les modalités cultuelles, sinon
les nécessités culturelles et économiques. Il faut donc étudier
cette tension drastique et la traquer dans toutes ses conséquences, car elle ne saurait être résolue par de bons sentiments.

Les émigrés peuvent être étudiés de trois façons : soit par
nationalités, soit en tant que travailleurs, soit en tant que
minorités ethniques, culturelles et cultuelles. Étudier les émigrés en tant que *travailleurs* n'est pas mon propos ici puisque
ce sont les Musulmans qui m'intéressent; mais je ne peux faire
l'économie de préciser ma position dans le flot des publications

qui obscurcissent parfois le débat et, sur ce plan, je voudrais apporter certaines précisions qui sont d'ailleurs autant de jugements.

S'il y a des Musulmans en France, ce n'est pas par hasard et les Français me semblent oublier la célèbre plainte que Molière met dans la bouche de Géronte : « Mais qu'allait-il faire dans cette galère? »

En effet, la France a tiré quelques avantages d'un Empire colonial qui, aujourd'hui, lui renvoie en retour quelques effets récurrents imprévisibles pour tous ceux qui nous ont gouvernés (gouverner, c'est prévoir), confirmant ainsi la Bible commune aux Juifs sépharades « rapatriés » en France suivis d'un flot de Maghrébins et précédés d'une vague de néo-Français, Corses, Maltais, Siciliens, Espagnols, voire anciens Alsaciens... « Les parents ont mangé des raisins verts et les enfants ont eu les dents agacées. »

Par-delà cette boutade de fort mauvais goût méditerranéen, oserai-je rappeler que le flux en provenance du Maghreb correspond à la logique de la mobilisation de la force de travail par le capitalisme et, au risque d'être traité de vulgaire matérialiste stalinien, il me semble qu'il est toujours bon de rappeler que les travailleurs émigrés ont largement contribué à l'expansion économique que la France a connue dans la décennie 1960-1970.

Il est d'autant plus facile de leur enjoindre de rentrer chez eux aujourd'hui, alors que nous n'en avons plus besoin, qu'il existe une grande tradition dans la pensée occidentale de l'opposition entre « classes » et « vertus morales [5] ». Les travailleurs émigrés ont, en effet, la caractéristique d'être des classes et des races visibles, « sales » et donc dangereuses, ce qui facilite le poujadisme xénophobe sur lequel l'équivoque caractéristique de la gauche européenne ferait bien de réfléchir plutôt que de se contenter de dénoncer le « phénomène Le Pen », qui ne tombe certainement pas du ciel.

Or, de récentes études contredisent vivement les propos tenus par certains ministres et non des moindres : non seulement les émigrés ne sèment pas le désordre dans nos entreprises nationalisées, mais, justement pour des raisons religieuses, ils seraient plutôt de bons ouvriers, au point que j'ai proposé de les appeler « stakhanovistes islamiques »; en effet, les travaux de Jacques Barou et de Catherine Wihtel de Wenden [6] démontrent que non seulement ils ne remettent pas en cause le patronat, l'autorité, la direction et les méthodes de gestion des entreprises, mais que, bien plus, l'Islam peut être considéré comme un facteur de régulation sociale. Les revendications pour des lieux de prière et des horaires particuliers ont le plus souvent abouti parce que, sur la chaîne, les travailleurs musulmans anticipaient la productivité de façon « à se faire bien voir ». Il est tout de même surprenant que le patronat ait bien compris, lui, que les entreprises avaient peu à craindre d'une contestation radicale de l'Islam, alors qu'une partie de la gauche a mis en accusation certains ouvriers musulmans sur la foi de mauvais rapports de police; j'ajouterai – *in cauda venenum* – que ceux qui reprochent à la gauche de vouloir donner le droit de vote aux émigrés devraient dormir tranquilles car rien ne prouve que ceux-ci utiliseraient ce droit dangereux... Je suis à peu près persuadé que beaucoup d'émigrés feraient ce que font beaucoup d'ouvriers, c'est-à-dire voteraient à droite.

La catégorie « travailleurs » ne permet pas de rendre compte d'une façon précise de l'éventail des catégories socioprofessionnelles des émigrés. Les quelques tableaux dressés, dans les ouvrages cités, démontrent que cet éventail est assez large et qu'un certain nombre d'individus échappent à toutes les catégories. En effet, les émigrés ont importé en France une caractéristique des sociétés périphériques, qui consiste en un développement exacerbé de l'économie souterraine, des petits métiers, et de l'articulation de rotation professionnelle « tribalo-familiale » : qui peut dire exactement combien sont les épiciers mozabites, djerbiens, soussis, ou les colporteurs maliens, sénégalais, etc.? Et combien ont-ils de neveux pratiquant la noria par substitution d'identités?

En tenant compte de toutes ces remarques, il reste des chiffres globaux : massivement, les *émigrés maghrébins* sont salariés et ouvriers dans le bâtiment et le génie civil, mais, en dix ans, ils se sont de plus en plus qualifiés : le nombre des manœuvres et des OS a diminué, comme le montrent bien les tableaux publiés par les *Temps modernes* [7] :

	1971	1979
Manœuvres	26,7 %	13,4 %
OS	40,1 %	34,5 %
Ouvriers qualifiés	26,8 %	37,9 %
Employés	3,6 %	9,2 %
Agents de maîtrise et techniciens	1,7 %	2,6 %
Cadres	1,1 %	2,1 %

Ce tableau ne prend pas en compte les réfugiés politiques, qui sont pourtant en général des travailleurs intellectuels...

La deuxième façon d'aborder les émigrés « musulmans » consiste à le faire par nationalité. Or, ceci ne permet pas d'établir des catégories plus claires que celles des « travailleurs ». En effet, il me semble que personne ne connaît actuellement le chiffre exact et réel d'une catégorie particulière, inexistante juridiquement mais réelle dans la pratique de ceux qui l'ont : la double nationalité.

Par ailleurs, la liste des émigrés par nationalité ne me paraît pas correspondre à une réalité tangible; ainsi, le nombre des Algériens diminue régulièrement, non parce qu'ils s'en vont mais parce qu'ils deviennent de plus en plus français. C'est à mon avis la justification du fait que, dans les statistiques, il y a plus de Portugais que d'Algériens. Il est clair que les Portugais adoptent peu la nationalité française, pas plus que les Tunisiens et les Marocains. De plus, il est très difficile de décompter dans les populations immigrées les enfants nés en France de parents étrangers. Or, aujourd'hui, plus de 70 % des étrangers vivant en France y résident depuis plus de dix ans.

Dans ces conditions, en prenant beaucoup de précautions, il est possible d'admettre les chiffres grossiers suivants : en 1987, il y avait en France un peu plus de quatre millions de personnes de 123 nationalités différentes, qui se ventilaient dans l'ordre suivant :

860 000 Portugais,   815 000 Algériens,   450 000 Italiens,
445 000 Marocains,   412 000 Espagnols,   195 000 Tunisiens,
118 000 Turcs et 115 000 Africains des États du sud du Sahara.

Si je ne donne pas de référence sur l'origine de ces chiffres,
c'est tout simplement parce qu'ils sont contestés et contesta-
bles.

Il reste donc la troisième catégorie : une approche des
immigrés par la culture ou la religion, parce que en dehors des
associations culturelles ou cultuelles, l'État n'encourage que le
folklore [8] !

Là encore, je ne vais pas rappeler ce que toute la
littérature sur le sujet se plaît à ressasser, d'autant plus que les
uns copient sur les autres. Je prends un exemple : j'ai été le
premier à formuler une proposition hypothétique du nombre
des lieux de culte à Marseille et, en dépit des précautions que
j'avais prises, mes chiffres ont été repris, amplifiés, sanctifiés,
et scientifisés...

Je prétends que personne ne sait quel est le chiffre exact
des Musulmans en France d'autant plus qu'il s'agit là d'une
catégorie équivoque, objectivement et subjectivement. Est-ce
que l'on doit décompter dans les Musulmans Madame Adjani,
ou le tennisman Benhabiles, ou encore les personnes originaires
d'Afrique du Nord, ou celles venant des Comores, ou telle
personne portant un nom arabo-sémitique militant à l'alliance
trostkyste internationale, ou tels hauts fonctionnaires au ministère de l'Intérieur qui portent un nom arabe ou kabyle?

Parmi les Français musulmans, il existe à mon avis trois
catégories : les Harkis, les enfants de la deuxième génération et
les convertis.

Qui peut dire combien de femmes sont converties à l'Islam
par mariage, et combien d'hommes sont venus à l'Islam par la
mystique? Il s'agit pourtant de deux catégories très différentes
et quantitativement non négligeables : à mon avis, cent mille
personnes.

Je mets au défi quiconque de fournir les chiffres exacts de
chacune de ces catégories. Il en va de même pour une
différenciation qui se fonderait sur la culture ou la langue

maternelle [9]. Personne ne fait l'hypothèse qu'un certain nombre d'enfants nés de parents étrangers n'ont plus de culture du tout, tout simplement parce qu'ils n'ont pas la culture, souvent pauvre, de leurs parents analphabètes, peu structurée sur le plan religieux, et qu'ils n'ont pas encore la culture chère à nos Énarques, ou encore moins celle décrite par les tenants de la théorie de la reproduction. Pas plus qu'ils n'ont acquis la culture ouvrière...

Par contre, ils connaissent assez bien Michael Jackson et en ce sens procèdent plus du village mondial que de l'Islam... C'est dire que les minorités culturelles et cultuelles à quelques exceptions près ne constituent ni des ethnies, ni des communautés, sauf deux exceptions : les Turcs et les Mourides sénégalais, qui s'organisent en communautés autonomes.

La communauté... mais ça n'existe pas [10]

Le fait que la France préfère les États aux groupes informels, ajouté à la tradition anti-islamique du Parti socialiste français, place les Musulmans en France dans une situation correspondant à celle des *dhimmî* en pays arabo-musulman.

Il faut ajouter à cette constatation l'ensemble des éléments constitutifs de l'imaginaire des Français : les Croisades, la colonisation, la guerre d'Algérie, l'expédition de Suez, la présence massive des rapatriés, etc.

Cet ensemble fait ressortir d'une façon très aiguë l'insupportabilité de l'établissement d'une communauté musulmane en France, dans une société disponible pour l'aventure xénophobe et prête à entendre les propos imprudents de divers hommes politiques.

Il me paraît douteux en effet que les Chiites, fort peu nombreux en France, puissent organiser la révolte de la classe ouvrière dans l'industrie automobile, alors qu'ils ont tant de mal à expliquer aux immigrés qu'ils ne sont pas hérétiques. Les quelques cassettes traduites en dialectal à Marseille par des étudiants irakiens à destination des immigrés sur le thème « ni chiites ni sunnites, tous musulmans! » n'ont trouvé qu'un écho

paradoxal chez les « béni-gavroches » des quartiers nord :
« Notre Père, donnez-nous notre ration quotidienne, vive le
shit! »

Le problème de financement des communautés musulmanes suscite la même suspicion de la part des Français et des
autorités qui voient constamment la main de l'étranger derrière
toute activité islamique. C'est faire peu de cas d'une pratique
tout à fait banale dans la communauté musulmane qui est la
version islamique du denier du culte : la *zakât.*

Dans tous les cas, que j'ai personnellement vérifiés, les
petites communautés musulmanes utilisent les techniques traditionnelles pour ramasser l'argent destiné à la construction des
mosquées. Toutefois, les quêtes et les dons volontaires sont
réinterprétés par rapport à leur forme dans les pays d'origine :
ziâra (offrandes à l'occasion de pèlerinage); *tizkia* (forme
moderne de l'aumône légale), auxquelles on peut ajouter la
mise à contribution des ligues et des États islamiques, ainsi que
des procédés plus simples : l'utilisation des bénéfices d'une
boutique (librairie, restaurant, épicerie) en faveur de la communauté dans la confusion des genres.

Nous connaissons plusieurs établissements qui constituent
un complexe économico-culturalo-cultuel. Mais si la sainteté
rapporte, elle n'est pas réductible à une trivialité économi-
ciste [11].

En prenant quelques précautions pour ne pas accentuer le
racisme et la xénophobie anti-intégriste, il faut ramener les
éléments constitutifs du radicalisme musulman à de justes
proportions à partir des cas concrets sur lesquels des informations sérieuses peuvent être réunies : il se peut effectivement
qu'il y ait une vingtaine de lieux de culte dans quelques usines
d'automobiles, et il se peut effectivement que ces lieux soient
régulièrement pleins; mais cela représente en tout combien de
personnes?

Si l'on estime qu'il y a environ 26 % d'immigrés dans la
construction automobile et que la moyenne des lieux de culte
permet de réunir une trentaine de personnes, cela représente
environ six cents personnes, soit moins de un pour mille : 25 %
de travailleurs dans l'automobile sur deux millions de travail-

leurs étrangers qui constituent eux-mêmes 9 % de la population active. Il ne me semble pas que le danger intégriste soit là, ou vienne de là [12].

L'exemple d'Aix et de Marseille, que je connais mieux, est encore plus probant : pendant le Ramadan, une des communautés musulmanes organise à Aix des réunions avant et après la prière du Maghreb en attendant la rupture du jeûne. Un certain nombre de travaux y sont effectués : apprentissage du *tajwîd*, commentaire du Coran, avant le repas en commun. Certains soirs de Ramadan, dans un de ces complexes culturalo-cultuels, il y a entre 35 et 60 personnes, dont beaucoup d'étudiants étrangers. Or, Aix compte plus de 10 000 « Musulmans »; ces réunions regroupent donc moins de 1 % de la population potentiellement concernée.

Je ne crois pas là non plus que le danger guette la France; d'autant plus que, la plupart du temps, tous ces gens sont relativement pieux et cherchent à développer les vertus morales propres à l'Islam au point que l'un d'eux me disait : « Va dire à Defferre que s'il nous laissait nous occuper de la jeunesse, il n'y aurait plus de délinquance dans la banlieue marseillaise... »

Cruel dilemme pour l'État monopolistique...

Par ailleurs, certains Musulmans ne sont pas islamistes et ne se sentent pas concernés par une stratégie et une pratique combinant une conception du monde, sa représentation et l'exercice d'une fonction intellectuelle devant déboucher sur l'établissement d'une société fondée sur les valeurs musulmanes. Il me semble au contraire qu'il existe en France une intelligentsia laïque chez les « Musulmans » *que l'on ne trouve plus dans les pays arabo-musulmans d'origine*. Pour elle, la culture et les catégories occidentales sont devenues familières alors que dans leur pays d'origine, elles deviennent impopulaires tandis que l'importance numérique des élites occidentales s'y réduit.

La diversité de la communauté musulmane en France se traduit par plusieurs caractéristiques et, en particulier, par le fait qu'elle n'est pas structurée d'une façon unique. Bien au contraire, les différentes formes prises géographiquement par

les différents groupes tiennent essentiellement à l'absence
d'un corps homogène de savants du type « Ulama » identique à
celui des pays d'origine. Ce facteur est compliqué par la
provenance éclectique sur le plan de la nationalité des
immigrés d'origines sociales fort différentes et, très vite,
lorsque telle ou telle communauté a pu s'organiser localement,
par exemple l'Association cultuelle des Mureaux ou l'Union
islamique des Yvelines, ou telle autre à Marseille, des dissensions sont apparues entre les Marocains, les Africains et les
Français. Ceci à titre d'exemple car, ailleurs, elles sont le fait
des Tunisiens, des Algériens ou des Comoriens. A Lyon et à
Marseille, il existe plus de quarante associations islamiques. La
constitution de petites communautés musulmanes locales se fait
le plus souvent par regroupements de nationalités. Or, l'enjeu
pour celle-ci me paraît être repérable dans la maîtrise des
mosquées.

La mosquée sans minaret

La mosquée, en effet, semble, plus que tout autre espace
symbolique, le lieu de l'identité communautaire de groupes
sociaux qui ne sont pas simplement catégorisables comme
« travailleurs » ou comme « nationaux ». Il faut donc expliquer
rapidement ici quel est l'enjeu que représente une mosquée en
France.
L'Islam est désormais la deuxième religion en France (quantitativement, même si l'on ne décompte que les Musulmans
ayant la nationalité française, et à plus forte raison si l'on y
ajoute l'ensemble des Musulmans qui peuvent être comoriens,
sénégalais... et pas seulement maghrébins). Comment se fait-il
que rien ou pratiquement rien ne soit fait par l'État et les
communes sur le plan de la construction d'édifices religieux,
sur l'installation, partout où il y a des Musulmans, d'écoles
coraniques?... Qu'en est-il de la querelle scolaire envisagée d'un
point de vue non catholique?...
Si la République subventionne tous les cultes, dans la

logique des choses, en Alsace et en Lorraine, elle devrait prendre en charge des imams... Et aucun conseil municipal qui a voté une subvention pour le local de « l'Église adventiste du énième jour », ou d'une « secte » quelconque (car la définition anthropologique de la secte ne satisferait certainement pas les autorités religieuses) ne saurait refuser à un groupe de citoyens de confession musulmane l'autorisation de transformer un garage humide ou une arrière-boutique d'épicerie en lieu décent, ayant pignon sur rue, même sans minaret, pour que le culte dû à Dieu soit rendu dignement... Le législateur se trouve désormais confronté à quelques problèmes qui vont nécessiter, en ce qui concerne les exigences des enfants musulmans de la troisième génération, des travaux juridiques d'une très grande habileté.

Peut-on faire passer un examen le vendredi? Ou faut-il faire des menus spéciaux dans les cantines scolaires? Peut-on interrompre un enseignement en période de Ramadan?...

A moins que la société continue, comme le disait si bien Marcel Mauss, à se payer elle-même de la fausse monnaie de ses rêves en s'imaginant que les émigrés vont massivement rentrer chez eux.

La société française devra, un jour, résoudre ses contradictions; je ne peux qu'apporter un témoignage, à partir de l'enquête effectuée dans la région marseillaise, sur ce qui fait sens pour les Musulmans avec qui je discute et que j'interviewe.

Le deuxième problème tient à ce qu'est la mosquée en soi et ce que signifie *l'absence* de mosquée pour un Musulman, minoritaire, vivant en dehors du Dar al-Islam.

La mosquée est à la fois le lieu de l'identité communautaire et un enjeu entre les Musulmans français et étrangers, et bien plus encore entre les Musulmans étrangers eux-mêmes. A Paris comme à Marseille, la production des biens symboliques et la maîtrise des lieux fait actuellement l'objet de stratégies concurrentielles entre des clercs autonomes et des clercs organisés pour la maîtrise de ce lieu qu'est la mosquée en tant que centre de la communauté musulmane. Car la communauté musulmane en France n'est pas une; je distingue personnellement deux grands clivages qui sont en partie, mais en partie seulement, perçus par les clercs concurrentiels :

– D'une part, des Musulmans étrangers qui sont en émigration ou en exil et dont le projet, souvent mythique, est de revenir en terre d'Islam, ne serait-ce que pour y être enterrés ; à ces Musulmans, quelques prêcheurs disent : « ... Notre devoir est de retourner au pays renverser les despotes car la Fitna suprême se trouve dans le Dar al-Islam divisé par les Musulmans eux-mêmes... », et ceux-là ne manquent pas de références pour justifier leur militantisme, par exemple, ce verset souvent cité (*Coran,* sourate de la Vache, 108 : « Qui est plus injuste que ceux qui empêchent que le nom de Dieu retentisse dans les mosquées et qui travaillent à leur ruine ? »).

– D'autre part, les Musulmans qui ont la nationalité française et qui, eux, entendent tout simplement exiger de la République qu'elle leur permette d'être de bons Musulmans dans le cadre de la législation française qu'ils respectent et qu'ils assument. Ils supportent fort mal l'amalgame grossier reproduit par la presse entre intégristes et terroristes, etc. Pour ces Musulmans français, il s'agit tout simplement, à partir d'associations cultuelles légales, d'obtenir des autorités le droit d'ouvrir des lieux de culte décents et de pouvoir donner à leurs enfants un enseignement religieux qui soit conforme à leurs convictions.

La marginalité culturelle et sociale des émigrés et d'un certain nombre de Français musulmans est à la fois un produit et un facteur du chômage et de la délinquance. Ceci dit avec toutes les précautions que nécessite notre méconnaissance de la réalité. Mais cette marginalité est aussi dialectiquement l'histoire en train de se faire par l'intégration et l'assimilation, ou par la constitution de ghettos et bientôt de groupes sans doute radicaux de « White Muslims »...

Nous avons ainsi interrogé un certain nombre de Musulmans de la région marseillaise sur ce que signifiait pour eux la nécessité d'avoir des lieux de culte à leur disposition autres que ceux que le misérabilisme paternaliste de gauche leur octroyait : en effet, à part les caves et les pièces transformées dans les HLM, il n'est pas possible de concevoir une implantation « neutre » d'une mosquée n'importe où, et c'est cela l'ambiguïté de la mosquée en France hors du Dar al-Islam. La mosquée nécessite un ordonnancement qui la place dans la logique (décrite aux chapitres I et II) de l'ordre du monde musulman [13]. Cette exigence se traduit complètement, dans les interviews à Marseille et à Aix, par une double réponse à propos de la mosquée :

– M. B., ouvrier marocain : « Un Musulman qui ne fait plus la prière, qui n'est plus au contact du sol, avec sa jambe repliée... il est cassé sur une chaise... il ne *sait* plus... »
– T. M., ouvrier algérien : « Je ne vais pas au foyer Sonacotra parce qu'il est *mal orienté*... »
– M. X., Musulman français, d'origine algérienne : « Le foyer Sonacotra n'est pas un lieu digne pour les Musulmans, même si nous sommes tous des *muhâjirîn*... »
– Y. : « Je suis dans la terre de perdition ».

Il est possible de proposer quelques explications sur les conflits d'ambivalence pour les Musulmans qui vivent la transculturation de manière anxiogène. L'anomie précède la réification capitaliste et le retour à l'Islam peut alors éviter l'aliénation. La demande du sacré véhicule un besoin primordial de sécurité, elle est donc un remède à la schizophrénie menaçante, en tout cas, elle fournit un compromis face aux modèles étrangers (allogènes... et alloglottes). Les mutations sociales et – dans le cas des Musulmans en France – la mobilité géographique à plusieurs sas impliquent des mutations dans la conduite religieuse qui n'avaient pas été jusqu'ici bien étudiées [14]. Dans le cas qui me concerne, je constate que l'acteur social a deux types de réponses fort différentes, d'abord le recours à la religion « privée », comme l'a si bien démontré Sossie Andezian dans son enquête sur Aix précisément [15], mais alors se pose une question théorique : l'Islam peut-il être réduit à la « religion privée » ?
Je réponds par la négative au vu de mon questionnaire. Les

réponses sont fermes et unanimes : l'Islam est « *dîn wa-dunyâ wa-dawla...* », religion, monde et État.

La deuxième attitude est celle de la demande de rite. Celle-ci peut également être divisée en deux catégories : les retrouvailles de rites de la société d'origine et surtout à travers quatre d'entre eux : circoncision, mariage, pèlerinage et Aïd el-Adha (rite du sacrifice), enterrement du douar d'origine, c'est-à-dire en Dar al-Islam qui est plus une retrouvaille... post mortem, et pourtant massivement attestée dans l'enquête. Mais la nébuleuse de la tradition musulmane sur ces quatre rites connote plus l'indice de socialité voire de sociabilité dans la référence radicale à la ᶜâyida (coutume paternelle... Freud et le monothéisme...).

Reste la dernière forme de demande de rite qui elle, et elle seule, me semble du domaine de *dîn* (religion), la demande de mosquée. Elle me paraît plus forte encore lorsqu'elle émane de Musulmans français, puisque eux n'ont plus de référents autres que mythiques avec le Dar al-Islam ou le pays d'origine. Ils n'ont plus à déculpabiliser en sanctifiant la loi du Père; ils ont à vivre en tant que Musulmans et en France, ce qui constitue un tout autre projet. Ainsi la modernisation rituelle est facilement admise parce que la tradition est acceptée. Dans le cas des mariages qui se font ici, on assiste le plus souvent à deux mariages : un parfaitement moderne en robe blanche, cortège de voitures qui klaxonnent, etc., et, à quelques heures d'intervalle, un autre, traditionnel, dans les cités, où une jeune fille nous dit dans un quartier d'Aix qu'elle regrette toutefois qu'il n'y ait pas de fantasia avec les chevaux... et le baroud, la poudre des fusils. La génération, dite « deuxième », se sécularise actuellement et se socialise dans le monde moderne, dont elle assume d'ailleurs fort mal les contradictions. Les adolescents en âge de l'être sont actuellement scolarisés dans le système français et stigmatisés par la générosité de ceux qui veulent, au nom de la différence, leur faire apprendre leur langue maternelle ou leur culture d'origine. Ils sont pénalisés de cette différence parce qu'ils n'ont pas, ou plus, la culture originelle et cette contradiction apparaît clairement dans l'enquête que j'ai menée à Marseille. Certains s'essayent à la lecture de l'Islam et des traditions du Coran à partir de la langue française et non pas de l'arabe; d'autres apprennent le latin; tous sont en état de diglossie et rares sont ceux qui maîtrisent bien le français *et* l'arabe. Autrement dit, pour eux, la schizophrénie est devenue la norme[16], l'irréparable est à l'œuvre.

Communauté allogène et société d'accueil

La difficulté paraît venir du fait que la communauté musulmane stabilisée doit aborder un type de négociation avec la société d'accueil. Or, celle-ci est une société de classes alors que la société musulmane est plutôt une société segmentaire; aussi nous assistons à des conflits qui ressemblent à des OPA. La concurrence est rude entre les groupes pour la maîtrise des mosquées, des écoles, des radios, entre les petites communautés bien implantées localement, les représentants des ambassades des pays d'origine et un certain nombre d'associations militantes ou prosélytes telles que je les ai décrites dans le monde arabe; les plus activistes en France semblent être les associations soutenues par le Pakistan, connues sous le double titre de Tablighi ou d'Associations « foi et pratique ». Cependant, même les groupes de militants prosélytes prônent la soumission aux autorités et seuls quelques étudiants du Mouvement de la tendance islamique (tunisien), par exemple, utilisent une problématique radicale, d'ailleurs plus orientée – je tiens à le souligner – contre les autorités des pays d'origine que contre la France. En France, l'Islam minoritaire est, comme les autres religions, plutôt conformiste et beaucoup d'immigrés admettent facilement que « le patron, c'est le patron », que « Dieu le veut » et qu'il ne faut pas trop abuser de la liberté alors qu'ils n'en disposent pas dans leur pays d'origine. Il existe donc dans l'Islam minoritaire en France trois niveaux de structures absolument concurrentielles : de toutes petites communautés s'organisant localement, pratiquement sans lien les unes avec les autres, qui cherchent tout simplement à organiser la vie des Musulmans sur le plan cultuel. Elles éprouvent les plus grandes difficultés à obtenir un statut légal, qu'elles soient françaises ou étrangères, tant la réticence des autorités et surtout des maires est grande.

Le deuxième plan est à la fois local et national : il s'agit des associations mises en place par les États étrangers qui entendent contrôler leurs nationaux; sur ce plan, l'État turc organise sa communauté : elle est entièrement encadrée par des imams nommés par la présidence de la République. Ceux-ci fonctionnent en coordination avec une union d'associations gérée par le représentant des affaires religieuses à l'ambassade. Étant donné les difficultés récentes que la Turquie a connues, le contrôle des associations n'a pas toujours été et est loin d'être complet, à cause de dissensions entre les militants du Parti du salut national et ceux du Parti du mouvement nationaliste. Mais ce cas reste, à ma connaissance, le plus avancé. Les autres États éprouvent plus de difficultés à contrôler leurs nationaux, même s'ils maîtrisent un certain nombre de mosquées.

La France, elle, n'y parvient absolument pas avec les Musulmans français, non qu'elle le souhaite mais parce qu'elle n'en a pas les moyens, et la récente nomination d'un conseiller aux affaires islamiques réglera peut-être le problème à partir de la création d'un « consistoire » musulman ou d'un conseil supérieur islamique.

Le troisième niveau est celui des ligues islamiques qui soutiennent la problématique des minorités musulmanes telle qu'elle est définie par l'orthodoxie islamique. Les immigrés arrivent parfois à leur soutirer quelque argent pour la construction de mosquées, mais il ne faut pas exagérer leur soutien; par contre, elles sont elles-mêmes en concurrence avec les groupes internationaux de la *da‘wa*.

Chacune de ces structures produit des clercs, prêcheurs, imams plus ou moins autonomes.

La concurrence entre tous ces clercs se manifeste essentiellement par une production très différenciée de discours, de prônes, de leçons, de réunions et de petites brochures, soit en arabe soit en français, disponibles dans les librairies, de plus en plus nombreuses, qui diffusent l'ensemble des publications islamiques. Ainsi, on peut se procurer aisément à Marseille et à Paris tous les prônes du cheikh Kischk (en brochures ou en cassettes), mais aussi la traduction de certains ouvrages de Sayyed Qutb, par exemple *Jalons sur la route de l'Islam* (s.l., 1397/1977, International Islamic Federation of Student Organisation, 283 pages).

La différence est patente entre les prêcheurs tels que nous avons pu les étudier, entre tel prêcheur [17] dans la banlieue parisienne en milieu ouvrier et tel autre à Aix-en-Provence : le discours est modulé selon les techniques du *tafsîr* et de la *khotba* classiques en fonction du public, en général dans une langue arabe compréhensible par tous les arabophones (une *koiné*), mais aussi en fonction de la propre intellectualité du prêcheur lui-même. Ce qui me paraît évident est bien l'apparition d'une parole qui n'est plus ni camouflée, ni censurée. Bien au contraire, la plupart des prêcheurs utilisent du matériau classique en se le réappropriant, pour lui donner un sens nouveau, puisque en France ils sont obligés de bricoler dans la mesure où il y a rupture chez les jeunes avec le référentiel classique, alors qu'il y a continuité pour les clercs même semi-savants : aussi telle association de banlieue est-elle dirigée par un « Beur » qui ne sait pas l'arabe. Il en va tout autrement d'associations plus complexes comme l'Association ismaélienne (société d'études ismaéliennes de Nadjmouddine Bammate), ou encore la Tariqa Alawiya du cheikh Bentoumi, héritière d'une longue tradition de « conversionnisme » depuis son origine à Mostaganem au début de ce siècle. Cette confrérie comporte une « zawiya » dans laquelle des « dhikr » en séances mixtes sont organisés, une école et... une banque de données [18]. Il existe par ailleurs plusieurs communautés charismatiques de très haut niveau intellectuel qui ont donné lieu, ces dernières années, à une production islamique en langue française de très grande qualité comme, par exemple, la collection *Sagesse islamique* publiée par les Éditions de l'Œuvre.

C'est dire la complexité de la situation des Musulmans en France, puisque à partir de la même base éthico-morale fondatrice de « la bonne société », l'activisme prosélyte des uns et mystique des autres ne produit pas le même type d'intellectuels.

Les prêcheurs sénégalais, qui, depuis 1977, se sont organisés autour de la revue *Ndigël* et des différentes *dahiras* composent le mouvement islamique des Mourides en Europe, concurrencent en milieu africain les adeptes de la confrérie maghrébine, puissante en Afrique noire, la Tidjanya. Alors que les mystiques touchent essentiellement des milieux intellectuels français.

Logique jacobine et légitimité de la différence

L'État français présente une caractéristique précise sur ce plan : c'est lui qui définit les minorités ethniques ou religieuses à travers leur statut juridique.

Or, pour la première fois dans son histoire, en ce troisième centenaire de la révocation de l'Édit de Nantes, il se trouve confronté à une difficulté non prévue par les textes : comme il n'existe pas d'Église musulmane institutionnalisée, il ne trouve pas en face de lui un interlocuteur valable en la matière. La sécularisation européenne semble originale et unique sur ce plan. Face à cet accident de l'histoire que constitue la république laïque et jacobine, les minorités musulmanes peuvent se permettre de jouer sur tous les registres parce que les sphères de la société et de la culture arabo-musulmanes ne sont pas aussi séparées que celles de la société d'accueil.

C'est dire la complexité que représente pour l'État de droit la réponse éventuelle à la reconnaissance d'une église musulmane de France; celle-ci ne réglerait d'ailleurs pas le problème des minorités religieuses étrangères. La France, même laïque et sécularisée, n'échappe pas à l'absolutisme de la religion d'État qui caractérise l'Occident depuis l'Empereur Constantin et la falsification historique de sa donation, jusqu'à la Réforme. En effet, sur ce plan, il est tout à fait admissible d'utiliser la définition de la violence que donne Weber pour l'appliquer à l'État.

Quelle que soit son attitude à l'égard de l'église catholique, l'État français a toujours entendu conserver le monopole de la violence en s'appuyant historiquement sur la religion catholique romaine comme productrice de l'idéologie de l'altérité : l'Autre n'y est que toléré ou exclu. Les violences qui découlèrent de cette proposition au moment de la Réforme puis de la révocation de l'Édit de Nantes n'ont fait, à travers la sécularisation de l'État, que repousser le problème en faveur de l'hégémonie étatique. L'illégitimité des Témoins de Jéhovah ou des adeptes de Moon n'a rien à voir avec la rationalité jacobine et beaucoup avec l'impensé chrétien définissant les sectes. Autrement dit, pour l'État de droit français, une secte est une Église qui n'est pas reconnue parce qu'elle n'a pas réussi à s'imposer dans un rapport de force, et une bonne minorité est une minorité qui disparaît.

L'État de droit est concrètement contredit dans ses affirmations égalitaristes; par-delà le cas des Gitans [19], comment expliquer alors que le nombre des sectes qui ont pignon sur rue est beaucoup plus important que le nombre des communautés musulmanes qui ont obtenu une reconnaissance, fût-elle dans le cadre de la législation sur les associations?

Une lecture explicative peut être faite à travers deux paradoxes : le premier tient au fait qu'il semblerait que, dans la France du XXe siècle, ce sont les laïques qui prennent en charge le christianisme d'une église catholique non pas sécularisée mais satisfaite de la séparation des Églises et de l'État. Ainsi, le travail de fixation de la *doxa* à l'égard des autres églises, sectes ou minorités religieuses est fait par les tenants de la laïcité et non plus par l'Église catholique elle-même, et ceci au nom de la vérité occidentale et de sa prétention à l'universalisme.

Le deuxième paradoxe me paraît tenir au fait que, lorsqu'un régime se libéralise, les églises de volontaires s'engouffrent dans un créneau (c'est-à-dire les sectes qui n'ont pas encore réussi) et que la reconnaissance des groupes ethniques entraîne, en France, l'affaiblissement de l'État. Le seul cas où la France a accordé un statut particulier à l'Islam – sur le plan du droit privé seulement –, ce fut dans l'Algérie française. Mais dans ce cas, la légitimité de l'occupation d'une partie du Dar al-Islam était en jeu et personne ne voulait accorder les droits civiques aux Musulmans.

Or, le monopole étatique de la violence implique que les acteurs sociaux minoritaires ne peuvent pas être victimes de la violence des particuliers : la liaison entre la Saint-Barthélemy et Le Pen est impensable puisque seul l'État a le droit de réprimer les immigrés ou les petits voyous des grandes banlieues. En retour, l'État assure la sécurité des uns et des autres et empêche l'auto-défense et le lynch. L'État définit le système et produit un *NOUS* sectaire; ainsi, l'État jacobin, ayant succédé à une Église qui définissait elle-même la *doxa,* utilise les mêmes arguments que celle-ci pour sectariser les minorités non orthodoxes. Il est frappant de remarquer que le *rapport Vivien* utilise contre Moon, ou la Scientologie ou les Témoins de Jéhovah les mêmes catégories d'arguments qui ont toujours été employés contre les Juifs, les francs-maçons, les communistes, etc. : ils cherchent à détruire la famille, ils enlèvent les enfants, ils pillent le patrimoine et surtout ils lavent le cerveau..., et de toute façon, ils sont à la solde de l'étranger.

Le pittoresque est que ceci est invoqué dans un pays libéral, pluraliste, dans lequel l'État détient le monopole de l'école et de la télévision. Max Weber pensait à juste titre qu'il n'est pas possible de distinguer sérieusement les hallucinations économiques, politiques ou religieuses... L'État garantit son monopole en organisant les espaces concurrentiels et l'exemple de la querelle scolaire est là pour démontrer que la distribution d'allocations réduites aux minoritaires permet de consolider des minorités concurrentielles. Comme la vie politique française est régulièrement agitée par les soucis électoraux, la distribution de ces allocations produit des effets non négligeables sur les stratégies des partis, des groupes et des acteurs sociaux; mais si l'imbroglio juridique stimule des conflits, l'État en est le plus grand bénéficiaire puisqu'il arbitre ces conflits en fonction des définitions qu'il pose, lui seul, des différentes minorités confessionnelles : l'État seul décide quelle religion peut avoir le statut d'association reconnue.

Or, la crise de l'État-Providence favorise aujourd'hui la concurrence entre les minorités. Aujourd'hui, le problème que soulève la nomination du recteur de la mosquée de Paris montre que la tension peut se renouveler lorsque le rapport de forces amène une nouvelle minorité religieuse en position d'obtenir un statut légal. Celle-ci a d'autant plus de chances de s'imposer qu'elle peut mobiliser un centre extérieur au débat français. Le gouvernement français ne peut pas ne pas tenir compte de l'avis de l'Algérie et de l'Arabie Saoudite dans cette affaire, d'autant plus que, pour des raisons homothétiques, il a des prétentions à la protection des minorités chrétiennes au Moyen-Orient. Mais dans l'Occident pluraliste contemporain, l'État de droit assure l'égalité des citoyens devant la loi et définit ses relations avec les églises, les sectes, et les minorités dont il donne lui-même la définition. Sur ce plan, le rapport Vivien est typique si l'on considère qu'il représente le triomphe de la pensée hégélienne... En effet, l'État laïc inclut le plus souvent l'éthos et même les pratiques du groupe religieux majoritaire, c'est-à-dire ici catholique, dans le droit abstrait et l'on peut soutenir que l'État régule les différents groupes religieux à partir de conceptions césaro-papistes qui n'ont jamais clairement disparu dans la société française même la plus sécularisée.

Face à cette position aggravée par les principes développés par la gauche, qui a constamment été en porte à faux dans son histoire sur le problème des minorités religieuses et culturelles, les États arabo-musulmans cherchent à garder le contrôle de leurs nationaux qui sont aujourd'hui des minoritaires en France. Je formule l'hypothèse que, selon la vieille tradition de protection des minorités de *dhimma,* propre à la pensée juridique arabo-musulmane, un conflit sourd, complique et pour tout dire rend incertaine l'insertion des minorités musulmanes dans le domaine public français.

Il y a là un nœud qu'il faut expliciter.

Un groupe minoritaire religieux qui ne peut pas mobiliser à son profit un État ou une instance symbolique, par exemple une église internationalement puissante, n'a aucune chance de se voir reconnaître des droits ni même d'obtenir la protection de son particularisme. Aujourd'hui, la contradiction est double parce que si l'État moderne a besoin d'un espace exclusif, il est mangeur de minorités par assimilation. Or, la gauche a mis sur pied un projet de décentralisation et de droit à la différence qui implique la reconnaissance de minorités culturelles et cultuelles; si les expériences d'école autonome basque (*Seaska/ikastola*) ne vont pas sans poser des problèmes, comment l'État va-t-il aborder la querelle scolaire vue sous le jour d'une revendication d'autonomie émanant de communautés musulmanes françaises ou allogènes?

Islam/communauté versus société

L'Islam exige un espace homogène et il ne me paraît pas simple d'aborder le problème de la « domestication » de cette religion par un jugement de Salomon plein de raison et d'urbanité qui consisterait à attribuer la sphère du public à César et la sphère du privé à Mohammad. L'exemple des *Black Muslims* américains démontre qu'un État (les USA) pourtant très favorable aux minorités religieuses a refusé d'accorder un statut à une minorité religieuse qui *demandait en même temps* un espace, en l'occurrence un État dans l'Union.

Le cas des Black Muslims me paraît d'autant plus intéressant qu'il présente un certain nombre de caractéristiques qui devraient être éclairantes pour la minorité musulmane en France, tentée par un éventuel détachement du tronc commun de l'Islam. En effet, comme les Black Muslims, les enfants de la deuxième génération ne savent pas bien l'arabe. Or, j'ai expliqué plus haut l'importance canonique de la langue. V. Monteil décrit parfaitement les errements – bibliques – qui se sont produits aux USA [20]. Certains émigrés pensent eux aussi, à tort ou à raison, trouver dans l'Islam une protestation sociale qui traduirait à travers un support religieux leurs difficultés voire leurs impossibilités à s'intégrer; les Black Muslims se sont inventé des prophètes directement inspirés de Dieu (en particulier, Elijah Mohammed), comme l'ont fait les Mourides avec leur fondateur Baba Amadou Bemba [21]. L'identité de situation est constituée par l'immigration et plus particulièrement par l'interprétation que font les immigrés du statut que confère l'Hijra/l'émigration dans l'imaginaire arabo-musulman.

Là encore, l'enquête de terrain a révélé un point parfaitement contradictoire avec l'orthodoxie et le problème de la traduction que j'ai évoqué dans l'introduction de ce travail; tous les Musulmans savent exactement ce que signifie l'Hégire : l'acte qui marque le début de l'ère musulmane lorsque le Prophète dut fuir La Mecque pour se réfugier à Médine. Dans la hiérarchie constitutive de l'imaginaire arabo-musulman, ceux qui ont suivi le Prophète dans cette émigration/fuite, ainsi que ceux qui les accueillirent à Médine, ont un statut privilégié; or, certains de mes interlocuteurs interrogés à Marseille m'ont dit : « Nous sommes tous des *muhâjirîn*... Nous subissons tous le martyre du prophète Mohammad... »

Cette interprétation, qui n'est pas la mienne mais celle qui fait sens pour des acteurs sociaux, m'a valu quelques sarcasmes de la part d'Arabo-musulmans m'accusant de ne rien comprendre [22]...

Mais ce sont les mêmes qui ne manquent jamais une occasion de rappeler les sourates coraniques qui se terminent par des formules du type : « Dieu est le plus savant » ou « Dieu sait et vous, vous ne savez pas »...

Par contre, un certain nombre d'immigrés ou d'enfants d'immigrés appartiennent au village mondial plus qu'à une éventuelle culture d'origine ou à leur future culture d'adoption. Ils ont alors les fantasmes classiques d'une irrésistible ascension qui a constamment falsifié le mythe égalitaire et leurs modèles sont effectivement Eddie Murphy ou Adjani. Par rapport à leurs ancêtres pour qui le « *noir alibi* » était représenté par les boxeurs et les joueurs de saxophone, une étape intermédiaire a été constituée par les héros chinois ou black (« black is beautiful »), du karaté en scope et en couleurs. Le spectacle de Ray Charles saluant le reaganisme triomphant vaut bien celui des athlètes noirs aux jeux Olympiques de 1984, comparé à de précédents jeux où les poings gantés de Noirs s'étaient levés.

Il me semble donc bien que l'itinéraire qui a mené certains des *Black Panthers* sur le chemin de la rédemption islamique est un modèle qui doit fonctionner quelque part dans la tête des Beurs. Certains ne s'y trompent pas lorsque l'on constate toutes les stratégies pour récupérer les diverses « marches... » en France, ces deux dernières années.

Ceci démontre avec plus de limpidité la difficulté des classifications utilisées par les médias : par-delà le modèle, que représentent la speakerine Nadia Samir, le tennisman Tarik Benhabiles, ou le chanteur Karim Kacel, quelle est la religion du groupe « Carte de Séjour[23] » ou de « Rocking Babouche » ?

C'est dire à quel point, par-delà les arguments de droit (nationalité, droits sociaux, droit de vote), la perception des frontières de la communauté musulmane passe par la perception du corps ethnique. Il ne s'agit pas de racisme mais de référence à des racines communes qui, bien que diversifiées, continuent à faire sens. Ainsi, cette jeune Algérienne [24] parlant de sa peau d'Arabe :

« Tu l'as vue ta peau ? Tu seras toujours une Arabe. »

Ici, le geste est intraduisible : Malika, se tire violemment la peau du visage...

Plus ce corps est impénétrable (par les maladies, par la culture ou par la langue, qui représentent l'altérité symbolisée par la femme blanche), plus les individus construisent un entre-soi qui s'oppose fortement à l'entre-nous de l'État-Nation : tout se joue alors sur la sexualité avec l'Autre, et le refus de changer de nationalité par risque d'apostasie se traduit en termes clairs : « Vendeur de ta religion, vendeur de ta mère », en dialectal *beyerbledou, beyerdini* !

Lorsque le groupe est très homogène, comme celui des Mozabites, au point de constituer une véritable communauté, il n'y a pas de gros conflits. Par contre, quand il y a une pénétration modérée (de l'altérité ou de la modernité), le groupe se rend compte qu'il peut encore se défendre ; sa capacité de défense dépend alors des ressources qu'il peut mobiliser à l'extérieur : les Camisards n'ont pas réussi à mobiliser Genève, et les Juifs d'Europe centrale sortis du ghetto n'avaient pas encore d'Etat d'Israël ; ils adhéraient à l'Universel à travers la Franc-maçonnerie et le Marxisme [25].

Dans le cas des Musulmans au contraire, la contradiction tient au fait qu'ils ont trop de candidats à mobiliser : leur État d'origine, l'Islam, l'arabisme, en oubliant l'Internationale prolétarienne. Ainsi, la stratégie de tension de l'Algérie à propos de la protection de ses nationaux illustre parfaitement la complexité du problème et des enjeux, selon que l'on approche les Algériens en France par leur statut, leur nationalité réelle, leur religion effective ou leur déculturation schizophrénique. L'exemple des Black Muslims, des Turcs et des Mourides me laisse penser que, contrairement au discours orthodoxe musulman, il est concevable que se créent, en cette fin du xxᵉ siècle, des églises musulmanes nationales. L'exemple juif en France et quelques tentatives récentes semblent démontrer que certains Musulmans envisagent sérieusement de créer un consistoire islamique français qui serait l'interlocuteur valable de l'État national jacobin.

Le cas de la communauté juive en France me paraît être tout aussi utile pour mon propos que celui des Black Muslims; en effet, dans la période glorieuse de la République, les Juifs français ont globalement suivi l'itinéraire que décrit Katz pour ceux de l'Europe centrale.

En 1935-1940, l'extrême droite puis Vichy vont leur rappeler brutalement qu'ils ne sont pas de « vrais Français ». Depuis l'holocauste et toute la thématique ambiguë qui s'ensuivit, les Juifs de France ont connu deux transformations majeures : d'une part, la création de l'Etat d'Israël constitue pour eux la possibilité de mobiliser un centre étranger. Et, d'autre part, le deuxième événement paraît plus utile encore pour la comparaison que j'amorce : la communauté juive française s'est trouvée modifiée profondément par l'arrivée des Juifs nord-africains après les indépendances maghrébines. Or, aujourd'hui, grâce à une étude récente [26] qui n'est pas susceptible d'être révoquée en doute pour antisémitisme ou antisionisme, nous avons quelques informations fort utiles pour la comparaison proposée : le premier point porte sur la définition, comme pour les Musulmans, à partir de laquelle il est possible de savoir qui doit être catalogué dans la catégorie « Juifs ».

Trois chiffres sont fournis : 535 000, 600 000 à 700 000, et l'ouvrage précise que la règle halachique (on est juif par sa mère) ne se retrouve pas dans les comportements, que les mariages mixtes représentent près du tiers et que les « Juifs » font beaucoup moins d'enfants qu'autrefois. Le rabbinat est très inquiet de ce fait, d'autant plus que 53,5 % des Juifs ne mettent jamais les pieds à l'office, bien que 49 % des couples issus de mariages mixtes fassent circoncire leurs fils. Les chiffres sur la pratique religieuse sont, eux aussi, surprenants et vont à l'encontre des mythes : à Paris, seulement 8 % des Juifs vont à la synagogue pour le Shabat, 22 % seulement pour Kippour. Mais 90 % en province. La fréquentation des synagogues pour le Shabat ne dépasse pas 40 % en province.

Si j'interprète ces chiffres dans le sens de la comparaison, il ressort à l'évidence que le rabbinat est inquiet parce que l'intégration républicaine progresse. En ce sens, la comparaison portant sur la fréquentation des lieux de culte par les Musulmans laisse apparaître qu'elle est beaucoup plus faible, mais par contre que les mariages mixtes sont moins nombreux. Il y a là quelques contre-vérités qui sont battues en brèche, mais qui ne sauraient s'effacer devant un propos à la fois provocateur et mathématiquement vérifiable : si toute la population musulmane et juive potentielle allait brusquement à la mosquée ou à la synagogue, il faudrait, devant l'afflux débordant dans les rues, envisager la création de plus d'un millier de lieux de culte dans les villes de province et d'une petite centaine à Paris... Alors, il n'est peut-être pas neutre de publier la (même) photo montrant des Musulmans faisant la prière dans une rue de Marseille.

A partir de cet ensemble de points de vue, un certain nombre de problèmes se posent qui ne seront pas résolus par décret : certains pourront être aménagés et d'autres vont poser des problèmes dramatiques, en particulier à travers trois exemples : le droit privé, l'implantation des mosquées et le statut de « communauté ».

Deux contradictions majeures paraissent constituer l'amont de la première difficulté soulevée par l'application d'un droit privé. La première est objective au sens le plus matéria-

liste du terme : la démographie française est en baisse et le
capitalisme a besoin de force de travail, et peut-être que le
problème de la population « active » (le « qui paiera nos
retraites? ») ne sera pas résolu aussi simplement que certains
font semblant de le croire, par l'informatique. Mais cette
contradiction est rendue encore plus complexe par une contradiction idéologique qui tient aux principes caractéristiques de
la gauche : elle doit en effet à la fois combattre l'exploitation
des travailleurs, fussent-ils immigrés, par les capitalistes et tous
les propriétaires, mais en même temps elle affirme le principe
que la France est une terre d'asile qui propose au monde entier
de bénéficier des droits inhérents à la personne humaine dont
elle est le chantre. Or, si la plupart des minorités se sont
jusqu'ici glissées dans le moule de cette générosité en adhérant
à l'État de droit, la minorité musulmane propose une alternative insupportable pour la logique jacobine sur les deux plans de
la sphère du privé, par l'application d'un droit particulier, et de
la sphère du public par la représentation sur des bases
particularistes et non pas générales : l'existence de liste de
candidats musulmans est, en ce sens, une première depuis des
siècles!

Ainsi, l'État de droit se trouve au bout de sa propre
logique : en vertu de la reconnaissance du droit à la différence
et dans le cadre de la décentralisation, il doit reconnaître un
droit d'héritage spécifique, la polygamie, et le droit à une
éducation séparée; à moins que, comme c'est le cas en
Belgique, il accepte de financer le personnel cultuel qui remplit
des fonctions culturelles. Qui peut imaginer de confier des
enfants français de confession musulmane à des professeurs
d'arabe issus de l'université d'al-Azhar qui enseigneraient
l'instruction civique?

Il me semble que la République n'est pas prête à cette
alternative.

Les règles du droit privé étant, apparemment, générales et
impersonnelles, elles structurent une société privée qui est, en
fait, essentiellement « chrétienne » en ce qui concerne les
rapports hommes/femmes/enfants et l'appropriation privative
des biens. Le droit musulman envisage les choses un peu

différemment et les travaux de Madame Costa-Lascou [27] démontrent les difficultés auxquelles se heurtent les magistrats français en attendant que le législateur en soit saisi.

La tension maximale porte évidemment sur les femmes et les enfants, et si l'on ajoute au ressentiment colonial le « machisme » ethnique, il est clair que la République est mise en danger sur le point précis où elle proclame la nécessité de l'assimilation.

La représentation politique va en être modifiée dans les prochaines années puisque, dans de récentes élections, un certain nombre de Musulmans français se sont présentés sous cette étiquette-là.

Ce phénomène serait relativement sans impact s'il ne se produisait pas au moment où Basques et Corses posent le problème de l'unité de la République, alors que la communauté arménienne a des revendications spécifiques sur un autre terrain. Ainsi, force est de constater que les minorités peuvent jouer sur plusieurs registres mais ne sont pas prêtes à céder en échange sur ce qui fait leur spécificité. Bien au contraire, au fur et à mesure que l'État patauge dans les contradictions d'un droit qu'il produit, l'affirmation de l'entre-soi face à l'altérité et à l'assimilation s'exacerbe.

De la communauté à la nouvelle citoyenneté

Une distinction qui me paraît pertinente tient à l'immobilisation des immigrés : il existe une immigration relativement fixée qui n'est plus mobile, à la recherche du travail, dont les enfants sont français et qui, ayant décidé de rester en France, a sans doute décidé de s'adapter aux conditions exigées pour cela. Il n'en va pas du tout de même des groupes en transit, pour qui la France n'est qu'un lieu de passage, et là encore, le cas des Mourides et des Turcs semble patent. Il existe cependant une différence entre les Turcs et les Mourides. Ceux-ci pratiquent un Islam très ouvert, ils prêchent en ville, ils s'exposent comme les Mormons ou les Témoins de Jéhovah; à Beaubourg, par exemple, ils chantent, discutent et répondent aux questions des passants; ils utilisent d'ailleurs une très bonne technique ressemblant, sans qu'il y ait de contacts, à celle utilisée par les sectes prosélytes protestantes américaines. Aussi, le nombre des convertis français au mouridisme n'est-il pas négligeable [28], y compris parmi la population antillaise.

La fin de la migration provisoire de main-d'œuvre et l'implantation irréversible de population allogène posent le problème de la citoyenneté d'une façon nouvelle : l'idée de citoyenneté implique l'appartenance à la communauté. Le conservatisme régional, culturel ou religieux s'oppose à l'éloge du progrès technique et de la modernisation dans une alternative impraticable, puisque la société et la conception du monde qui en assurent la cohérence ne peuvent demeurer latentes (le progrès étant mouvement), sauf à adopter une attitude schizophrénique tendant à éviter l'éclatement de la société au prix de l'écartèlement du sujet. C'est, pour le moment, ce qui se produit en France; les jeunes « Musulmans » ne savent plus très bien à quel Saint se vouer!

Par contre, les candidats (politiques et/ou religieux) sont nombreux pour essayer d'en tirer profit sur le plan électoral : la campagne électorale de 1986 l'a démontré et de récents débats au Parlement ont prouvé que les élus ne sont pas à l'aise avec le problème de la nationalité, entre autres. L'ensemble des éléments constitutifs de l'imaginaire des Français fait ressortir d'une façon très aiguë l'insupportabilité de l'établissement d'une communauté musulmane à statut dérogatoire en France. Il est vrai que la pérennité du contrat fondateur de la réalité étatico-nationale est en cause et qu'il va falloir affronter cette épreuve autrement que par l'invective ou les bons sentiments.

La politique nationale et cette appartenance produisent un certain nombre de rôles sociaux à travers lesquels chaque citoyen adhère à l'idéologie de l'ensemble social dans lequel il s'insère. Ainsi, en France, la citoyenneté, la nationalité et l'identité culturelle sont superposées. Avec l'implantation définitive d'une immigration tentée par le modèle de citoyenneté française apparaît la possibilité d'une multiplication des références culturelles et nationales. Ce phénomène se produit au moment où émergent, sur la scène politique française, des revendications d'identité communautaire non territoriale fondées sur la reconnaissance de caractères jusque-là refoulés, soit à travers des cultures régionales, soit à travers des différences plus particularistes (prisonniers, homosexuels, micro-mémoires, etc.). Or, l'État français fonctionne selon deux logiques dont la cohérence est contradictoire : une logique du droit à l'expression et du droit à la différence qui tend à reconnaître la légitimité des particularismes, et une logique du refus des clivages qui tend à affirmer l'égalité des chances pour compenser les handicaps sociaux ou culturels. Chaque individu a ainsi la possibilité d'exprimer son identité à travers un espace social aménagé dans la sphère privée de l'existence individuelle et familiale. Mais, par ailleurs, la sphère publique de l'action politico-étatique ne reconnaît les individus que sur leurs compétences fonctionnelles et non pas sur leur identité fondamentale. Bien plus, la sphère du public ne tolère pas l'érection de ces identités en communautés susceptibles de devenir partenaire social [29]. Il reste donc à certains le choix entre l'exil, la folie ou la transgression de la religion du Père. Pour le moment, peu y sont disposés.

CONCLUSION

DU MESSIANISME RÉVOLUTIONNAIRE
A L'APOCALYPSE

> « On attendait le Royaume et c'est l'Église qui
> est venue. »   (Cabet)

La force des choses m'a conduit, peut-être, à des résultats
auxquels la société française est réticente et peu réceptive. Il
me reste alors à mal vivre l'expérience du reniement, puisque
l'enfantement est achevé :

> « Il nous faut célébrer les amphidromies du nouveau-né et,
> véritablement, faire courir en cercle tout autour notre raisonnement
> pour scruter si, à notre insu, ce ne sera pas un produit indigne qu'on le
> nourrisse mais rien que vent et fausseté [1]... »

Les phénomènes se dérobent, et voir ce qui ne se voit pas
nécessite une phénoménologie. Croire que la vérité sort toute
nue du puits relève « de la fausse évidence d'un bon sens
poujadiste qui établit un équivalent entre ce qui se voit et ce qui
est [2] ».

Derrière la lénifiante évidence du bon sens, il y a des
mythes qui structurent l'occultation du message idéologique.
Or, l'utopie est là, la forme dynamique du mythe : la Cité
idéale conçue comme une incantation catharsistique. Sur ce
plan, la république laïque est aux antipodes de la *Umma-cité*.
Or, pour Bloch [3], une utopie est un projet de méta-religion de
l'espérance qui se présente non comme un état final réifié et
immuable mais comme un processus ouvert et dialectique

d'apprentissage social; ici, comment vivre ensemble en tant que Musulmans face à un monde sécularisé, hostile.

Il ne s'agit en rien d'une utopie mécanique fondée sur la croyance que des structures juridiques permettent d'élaborer la Cité. Les positivistes et *fuqahâ'* juristes redondants y ont cru et ont démontré leur incapacité, tout au long des siècles, sur ce point.

Il s'agit alors d'une utopie qui ne conçoit de solutions qu'en termes de justice et d'équité. Or, ces termes constituent l'une des valeurs fondamentales proposée par l'Islam (*al-adâla*). Il s'agit donc d'un mythe stimulant, d'incitation. L'utopie est alors la projection de ce qui devrait être, ce qui serait déjà si l'Autre n'était pas venu perturber l'harmonie. D'où la valeur de témoignage pour une Communauté, dont le destin ne se pose qu'en termes de *salut* ou de *perdition*, et qui a toujours balancé entre la Prophétie et l'Histoire. Cette incantation catharsistique est, me semble-t-il, essentielle – même si elle est occultée – dans les trois religions monothéistes et le marxisme qui en est l'héritier : elle se manifeste dans la dialectique de la Jérusalem céleste/terrestre – et le jeune Engels peut s'écrier (sans rire... c'est un écrit de jeunesse m'a-t-on appris...) :

« La conscience de soi de l'humanité, le nouveau Graal autour du trône duquel les peuples se rassemblent pleins d'allégresse... Telle est notre tâche; devenir les chevaliers de ce Graal, ceindre l'épée pour lui et risquer joyeusement notre vie dans la dernière guerre sainte qui sera suivie du Royaume millénaire de la liberté [4]. »

Comme je l'ai souligné plusieurs fois, la Cité idéale n'est pas à faire puisqu'elle existe avec les Rachidun.

Aussi les islamistes ne situent-ils pas ce Royaume de justice, sauf à préciser qu'il n'est pas tel État-modèle. Les prolétaires ont pu croire qu'il s'agissait de l'URSS, parce qu'ils n'avaient pas lu Marx; comme les Juifs ont oublié Hesse [5]. En effet, tout ce qu'il y a de mission sociale et d'héritage prophétique encore actif dans le monde juif et dans le marxisme (seuls composants leur conférant une quelconque importance), Moïse Hesse en annonce la venue loin de la

Palestine et Marx en fixe la présence dans une sphère totalement étrangère à l'Orient : pour eux, Sion se trouvait « partout où le règne animal social s'effondre et où la diaspora prend fin : celle de tous les exploités [6] ».

En récupérant le discours sur les *mustaḍa'fîn*, l'islamisme radical exprime une structure profonde de l'Islam : les aspirations religieuses latentes et orientées vers l'égalitarisme avec pour corollaire la consultation *(šûra)*, qui n'est pas la démocratie parlementaire à l'anglaise. Il s'agit ni plus ni moins que de refuser la conversion hégélienne : il n'est pas nécessaire de séculariser la religion en sacralisant l'État [7]; il faut et il suffit d'annoncer le Royaume :

> « Le monde de la foi n'annonce que les premières lueurs de l'Apocalypse et c'est dans l'Apocalypse même qu'il trouve son ultime mesure, le principe méta-politique, voire méta-religieux, de toute révolution, l'irruption de cette liberté qui appartient aux enfants de Dieu [8]. »

La lutte des classes, comme l'avait pressenti Engels, ne débouche sur la révolution que lorsqu'elle peut se présenter en termes religieux : les victimes de la « colère de Dieu » élucident le sens de l'Histoire. Le but de l'islamisme radical est bien terrestre : créer un royaume égalitaire qui mette à bas la morgue des possédants. La misère consciente de ses causes devient levier révolutionnaire : l'islamisme radical est l'exigence du Royaume, et le Royaume, qui est de ce monde, est un monde autre, la tâche à accomplir par l'homme. Sa construction passe par la dénonciation des fonctionnaires cléricaux des Écritures et des princes, leurs serviteurs.

Avec sa traduction de la Bible, Luther avait donné au mouvement plébéien et paysan une arme puissante. Avec les cassettes, les prêcheurs islamistes ont porté partout le *tafsîr*, le commentaire des textes jusque-là réservé aux clercs redondants *(fuqahâ')*.,.. et Müntzer peut s'écrier dans un sermon [9] :

> « Le Christ ne dit-il pas : Je ne suis pas venu vous apporter la paix, mais l'épée? Mais qu'allez-vous (princes saxons) en faire?

L'employer à supprimer et à anéantir les méchants qui font obstacle à l'Évangile, si vous voulez être de bons serviteurs de Dieu. Le Christ a très solennellement ordonné (Saint Luc, 19, 27) : saisissez-vous de mes ennemis et étranglez-les devant mes yeux... Ne vous objectez pas ces fades niaiseries que la puissance de Dieu le fera sans le secours de votre épée; autrement dit, elle pourrait se rouiller dans le fourreau. Car ceux qui sont opposés à la révélation de Dieu, il faut les exterminer sans merci, de même qu'Ezéchias, Cyrus, Josias, Daniel et Elie ont exterminé les prêtres de Baal. Il n'est pas possible autrement de faire revenir l'église chrétienne à son origine. Il faut arracher les mauvaises herbes des vignes de Dieu à l'époque de la récolte. Dieu a dit (Moïse, 5, 7) :

Vous ne devez pas avoir pitié des idôlatres. Détruisez leurs autels, brisez leurs images et brûlez-les, afin que mon courroux ne s'abatte pas sur vous! »

Effrayé par la révolte dont il avait semé les graines, Luther s'unit aux bourgeois, aux princes, à la noblesse et au clergé contre « les bandes paysannes pillardes et tueuses » et s'écrie :

« Il faut les mettre en pièces, les étrangler, les égorger en secret et publiquement, comme on abat des chiens enragés! C'est pourquoi, mes chers seigneurs, égorgez-les, abattez-les, étranglez-les, libérez ici, sauvez là! Si vous tombez dans la lutte, vous n'aurez jamais de mort plus sainte! »

Or, plusieurs siècles après cette redoutable supplique, voici que l'Orient retentit tout entier de semblables cris. Est-ce que l'histoire se renouvelle en bégayant et en bissant la farce, comme disait Marx à propos de Napoléon III? Car, fatalement, un certain nombre de questions viennent à l'esprit qui peuvent se résumer ainsi : Abou Dhabi est passé en vingt ans de 4 000 à 400 000 habitants... ou si l'on préfère, malgré des changements qui n'ont pas d'équivalents dans l'histoire, le surprenant reste la présence de noyaux perdurables dans le seul champ religieux.

Deux types de logique sont en compétition et s'articulent dans des lieux où s'opèrent les processus de transformation que d'aucuns nomment le développement, d'autres la modernité [10]. Un premier type de logique réunit les logiques nationales, régionales (arabe) et confessionnelle (islamique) pour la domination intérieure. Ensemble, elles s'opposent à l'autre type de logique : celle de la domination extérieure, économique, sociale et culturelle. Et bien souvent, le débat sur l'identité [11] n'est que le signe de l'impossibilité de s'intégrer à la rationalité mondiale. Les contraintes extérieures produisent les émeutes de la faim à Khartoum ou Tunis et Casablanca, parce que la rationalité du FMI produit ce que les experts appellent le « risque-pays ».

Alors que l' « État moderne » contrôle l'ensemble des moyens de production et des allocations, il ne semble pas contrôler la logique de la société civile : les belles-mères « qoraychites » ont perverti la rationalité économique par la maîtrise de stratégies matrimoniales peu conformes à la logique des facultés où sont allés se former leurs futurs gendres. Comment s'étonner alors que les « citoyens » utilisent l'État à des fins familiales, tribales ou segmentaires, comme l'on voudra. Belle revanche sur l'anthropologie voyeuse, sur le regard de l'Autre !

L'anthropologie contemporaine avait pourtant bien analysé les conditions dans lesquelles les déséquilibres intervenus à l'intérieur des sociétés pré-capitalistes les ont jetées dans un processus de complexification des structures sociales incontrôlable. De Pierre Clastres à Levi-Strauss, nombreux sont les auteurs qui soutiennent que l'apparition du déséquilibre a entraîné la formation du surplus et une plus grande segmentation dans la répartition des tâches consécutives au processus de spécialisation qui aboutit *in fine* à la coercition et à l'apparition de l'État.

Cette complexification a produit une différenciation entre les individus, qui ont peu à peu émergé de collectivités de taille réduite fondées sur l'homogénéité culturelle ; mais l'émancipation générale des individus impliquée par la nouvelle division du travail s'est accompagnée d'un déplacement des régulations et des arbitrages sociaux et a été souvent suivie d'un déplacement géographique.

Cet immense mouvement à la fois social et physique a

complètement transformé les formes de sociabilité, les modes de conflit, et leur régulation. Ce procès est historiquement lié à la modernisation du mode de production capitaliste, mais en même temps, il a produit une idéologie matérialiste dans laquelle Dieu abandonne l'homme et délaisse la nature. Cette absence de Dieu dans un monde voué à la malfaisance par son retrait a entraîné l'impossibilité de tout espoir eschatologique : l'Histoire a un moment semblé pouvoir remplacer l'élucidation de cette fatalité mais elle s'est rapidement transformée de théologie en téléologie insensée – au nom de quoi renoncer au monde présent s'il n'est de monde autre?

S'il n'est un monde autre, au nom de quoi construire un monde présent qui ne nous sera donné que lorsque l'histoire sera achevée?

Par-delà l'Islam – quelle que soit sa forme, orthodoxe ou pas –, le problème que je me pose, après vingt-cinq ans de réflexion, est le suivant : quelle(s) relation(s) existe(nt) entre le monothéisme, l'universalisme et le dogmatisme. Il me semble que ni les Iroquois, ni le taoïsme [12] n'ont produit ce type de dogmatisme qui semble caractériser les trois religions monothéistes. Peut-être parce que, issues d'une même Révélation, elles proposent une eschatologie unique et univoque.

Mais, dialectiquement, elles ont produit également tous les messianismes révolutionnaires. Car, malgré la vive sympathie que j'éprouve pour Clastres [13], trop tôt disparu, je ne crois pas à l'angélisme anthropologique : les sociétés traditionnelles étaient relativement fixistes – figées en statuts prescrits, sans grande mobilité sociale.

C'est donc par l'Apocalypse que je veux terminer, puisque après tout j'écris pour mes concitoyens et non pas pour les Arabes, ni pour les Musulmans, qui n'ont que faire de mes analyses.

Les trois religions monothéistes rappellent aujourd'hui, dans un concert unanime, que la piété et la maîtrise de soi commencent par l'observance des traditions, et si l'on en croit les unes et les autres, Satan se trouve à la fois dans le despotisme et dans la dépravation des mœurs, que les islamistes nomment « occidentalisation ». Le pape Jean-Paul II a dit clairement aux quatre coins du monde que la permissivité ne rend pas heureux et que la grande tentation, celle de l'Est et des idéologies contingentes, ne peut conduire qu'à des déboires infernaux.

Je n'affirme pas que Khomeyni ne dit pas autre chose, simplement parce que j'avoue être peu sûr de ce qu'affirme réellement l'Imam, mais, en tout cas, les islamistes eux ne disent pas autre chose et ceci peut être traduit en termes théoriques, non ambigus.

La conception apocalyptique conduit à une vision dualiste du monde mauvais, à détruire, et à une vision transcendaliste du Royaume à venir. *Plus l'Histoire devient catastrophique, plus le Royaume de Dieu est proche.*

Cette conception qui dévalorise le temps présent établit une distinction radicale entre le pouvoir exercé par des hommes et la seule souveraineté (celle de Dieu), entre la bestialité des empires du monde et l'humanité rédemptrice du droit de Dieu, entre la barbarie de l'oppresseur et la patience du persécuté dans la fidélité à Dieu, entre les larmes et la Résurrection en Dieu... Les Chrétiens un peu au fait de leurs écritures [14] et les marxistes lecteurs d'Ernst Bloch (mais, y en a-t-il encore?) devraient percevoir toute la force de ce propos.

Jean-Paul II déclarait au Pérou, début février 1985 :

« Ne permettez aucune tentative de sécularisation de votre vie religieuse ni aucune implication de celle-ci dans des projets socio-politiques qui doivent lui rester étrangers. Et n'oubliez pas non plus de témoigner de l'actualité du projet intégralement chrétien dans la société et le monde aujourd'hui... Ainsi, vous devez éviter ce qui pourrait faire penser qu'il existe dans l'Église une double hiérarchie et un double magistère... Ne soyez jamais véhicule d'incertitude mais de la certitude de la foi. Transmettez sans cesse la Vérité que proclame l'Évangile. Non aux idéologies qui passent... »

Le Pape a conclu son message en invitant à « travailler sans trêve à la promotion de l'homme et à sa libération du péché et de l'injustice. Voilà un texte qui n'est pas très éloigné de ce que soutiennent les penseurs musulmans les plus radicaux, en particulier dans le refus explicite des idéologies modernes et dans la liaison entre le péché et l'injustice.

Dans le judaïsme (Livre de Daniel) comme dans le christianisme, la littérature apocalyptique est celle des hommes opprimés qui doivent combattre la Bête.

Or, pourquoi l'application de la prophétie aux événements historiques ne serait-elle pas aussi légitime pour l'Islam? « Ceux qui sont opprimés aujourd'hui (tous les *mustaḍᶜafûn*) régneront mille ans avec le Ressuscité... »

Car, au fond, il ne s'agit ni plus ni moins que de re-penser le contenu de l'espérance finale à partir de la seule question qu'elle pose : pourquoi les individus, en prenant parti pour l'universalisme, acceptent-ils de se sacrifier pour une société?

L'Europe a imaginé l'universel mais, ce faisant, elle a évacué la sensibilité spécifique parce que le modèle occidental s'est construit à partir du rationnel et non pas de l'imaginaire. Proposer la transgression de ce modèle universel est subversif [15] parce qu'il est impensable, pour un Occidental, de dialoguer avec le mystère du Monde sans essayer de le comprendre. Alors que pour un Oriental il n'y a pas de mystère du Monde puisqu'il vit à l'intérieur de l'ordre du Monde.

Alors, Apocalypse now?

La marque de ce bon vieux Conrad est bien la seule chose qui manque au film de Coppola. Lui avait compris l'apocalypse – sans besoin de Wagner : qui dira jamais la différence entre un Exocet, fabriqué par la classe ouvrière française et vendu à un régime non respectueux des Droits de l'Homme, et un camion « kamikaze » conduit par un Fidaï portant le bandeau noir au front, « Allah Akbar »?

J'ai bien peur que, face à l'ivresse de la mort, à la logique du camion chiite, à celle de l'Exocet, la rationalité stratégique soit impuissante. Le moment est venu où les deux Grands sont désarmés face à l'atomisation de sociétés dominées par Israël et Syrie interposés qui, à force de manipuler leurs patrons et leurs clients, ont créé les conditions, par-delà l'autonomie relative des acteurs secondaires, de l'errement, de la perte du sens, du chaos. Les Grecs inventèrent, contre le désordre, le Logos... L'acte fondateur de l'Islam fut une sortie : l'Hégire revient à quitter Babylone, La Mecque idolâtre, qui étouffait l'Appel libérateur. Les Muhajirun, qui suivirent le Prophète, donnaient ainsi à l'Histoire un sens, celui d'une ouverture vers les horizons d'un monde à conquérir jusqu'à la fin des Temps, rééditant une fois encore la première sortie, l'exode fondateur des trois religions monothéistes : celle d'Ibrahim al-Khalil (Abraham) [16], quittant Ur, la Cité totalitaire, puis recevant le pacte *(mîthâq)* passé avec Dieu, pour aller vers la Terre promise, vers le Royaume... Aujourd'hui, nombre de Musulmans se retrouvent dans ce « signe de piste » [17]... Tout dépend maintenant de l'intensité de l'Attente...

NOTES

INTRODUCTION

1. Olivier ROY, *L'Afghanistan, Islam et modernité politique*, Paris, Le Seuil, 1985, 322 p.

2. Maxime RODINSON, *La fascination de l'Islam*, petite collection Maspéro, 1980, en réponse à E. Said.

3. Bernard LEWIS, *Comment l'Islam a découvert l'Europe*, Paris, La Découverte, 1984, 342 p. Cf. également sous la direction de Francesco GABRIELLI aux éditions Bordas, *Histoire et civilisation : Islam en Europe; Arabes et Turcs en Occident.*

4. Mircea ELIADE, *L'épreuve du Labyrinthe* (entretiens avec Claude-Henri Rocquet), Paris, Belfond, 1978, p. 169.

5. Il existe des études comparées sur des points précis, par exemple Roger ARNALDEZ, *Trois messagers pour un seul Dieu*, Paris, Albin Michel, 1983, ou encore Denise MASSON, *Monothéisme coranique et monothéisme biblique, Doctrines comparées*, Paris, Desclée de Brouwer, 1976.

6. Pour le détail des faits et des chronologies islamiques, cf. J. BURLOT, *La civilisation islamique*, Hachette, 1982.

7. Mais le Christ a un statut très complexe, surtout chez Ibn Arabi. J'y reviendrai à propos du Mahdi *infra*. Cf. Michel CHODKIEWICZ, *Le Sceau des Saints. Prophétie et Sainteté dans la doctrine d'Ibn Arabi*, Paris, Gallimard, NRF, 1986.

8. C'est l'exemple même de la difficulté qu'éprouvent les sciences sociales à aborder la logique interne de la théologie : le mot *élection* produit un contresens à propos du peuple juif, sa prétention orgueilleuse, sa particularité qui l'isole parce qu'il est détenteur de la promesse de l'Unique qui vaut pour tous. Or le mot utilisé en hébreu *(segulah)* ne signifie pas « peuple élu ». Le peuple juif est un peuple à part parce que le Créateur l'a chargé d'un *trésor précieux*, qui est une surcharge, la prophétie pour les Nations. Il est don *séparé, sacré*, d'où la racine hébraïque Q.D.CH, que l'on retrouve en arabe dans le nom de Jérusalem *al-Qods*, La Sainte.

9. Comme nous y invite Mircea ELIADE, « Les religions », *RISS*, volume XXIX, n° 4, 1977, pp. 665-678.

10. Mohamed ARKOUN, *Pour une critique de la raison islamique,*

Paris, Maisonneuve et Larose, 1984, p. 57, « Qu'est-ce que la modernité », et réponse p. 155 de *Lecture du Coran*, même éditeur, 1982.

11. Ali ABD al-RAZAK, *Al-Islâm wa uṣûl al ḥukm*, extraits in Anouar ABD al-MALEK, *La Pensée arabe contemporaine*, Paris, Le Seuil, pp. 68-70. Cet ouvrage, *L'Islam et les principes gouvernementaux*, est paru en Égypte en 1925.

12. Marcel GAUCHET, *Désenchantement du monde*, Gallimard, 1985. Il ne traite pas de l'Islam. Cette citation ne signifie en rien que j'adhère à sa méthode, qui me paraît difficile à suivre.

13. Il n'est pas possible aux chercheurs de se contenter des arguments que leur opposent les croyants sur l'impossibilité d'appréhender le phénomène religieux. Mais en retour le chercheur se doit d'exposer clairement les quelques définitions minimales sans lesquelles il ne saurait construire un objet préhensible. Aussi je propose d'admettre comme définition de la religion en général la formule suivante : « un système de croyances et de pratiques relatives au sacré qui produisent des conduites sociales et qui unissent dans une même communauté l'ensemble des individus qui y adhèrent ». A quelques variantes près, il s'agit là, de la définition minimale sur laquelle existe un consensus entre savants. Cf. Guy MICHELAT, Michel SIMON, *Classe, religion et comportement politique*, Paris, FNSP, 1977, pp. 265 et 267.

14. Cf par exemple la très explicite interview de M. Arkoun à Yves Lacoste dans le numéro spécial d'*Hérodote* (n° 35), 4ᵉ trimestre, *L'Islam et les Islam's*, pp. 19-34. *Ibidem*, pour la suite des références à Arkoun.

15. S'il s'agit bien d'un Islam *radical*, en arabe le mot est plus fort encore avec au moins quatre sens : *efficace* et remède salutaire *(najiᶜ)*, *solution* radicale *(taṣfiya)*, mesure ou *épreuve* radicale *(tadbîr, tajrîb)* et enfin *ultime (niᶜîy)*. Pour ajouter à la complexité, je signale que ᶜ*Irâq* signifie « racine » et que la racine grammaticale, le radical, se dit *aṣl*; or c'est à partir de celui-ci que s'est construit le sens moderne d' « authenticité », *aṣâla*.

16. Cornélus CASTORIADIS, *L'institution imaginaire de la Société*, Paris, Seuil. Pierre BOURDIEU, « Le Pouvoir symbolique », *Annales*, 1977, p. 405 s. Pierre BOURDIEU, « Les modes de domination », *ARSS* (2-3), 1976, pp. 122-132, et « Le Pouvoir symbolique », *Annales*, 2, 1972. G. Duby a précisé cette même articulation pour le cas de l'imaginaire dans le féodalisme, et Gramsci a montré comment s'articulaient religion et idéologie à travers le concept d'hégémonie.

17. Sur ce point d'ailleurs, dans la *Guerre des paysans*, Engels a ouvert une piste qu'utilisera largement Ernst Bloch par la suite dans les deux tomes de son *Principe Espérance*. En effet, les attaques contre l'Église catholique peuvent être analysées comme des attaques contre le système féodal : « Toutes les doctrines révolutionnaires et politiques devaient être en même temps et principalement des hérésies théologiques; pour pouvoir toucher aux conditions sociales, il fallait leur enlever leur caractère sacré. » De la sorte, Engels éclaire le contenu social des hérésies par la monopolisation du champ idéologique par la religion, et il présentera tantôt des mouvements de contestation de l'orthodoxie comme réactionnaires, dans le cas de l'hérésie vaudoise, tantôt les mouvements messianiques comme de véritables mouvements révolutionnaires, c'est le cas typique de Müntzer.

Le Moyen Age avait fait de toutes les autres formes de l'idéologie des subdivisions de la théologie. Pour provoquer la tempête sociale, il fallait présenter les intérêts des masses nourries de religion sous un déguisement religieux.

18. Si Müntzer veut créer un Royaume *autre*, celui-ci ressemble tellement à la conception dominante que Luther n'éprouve aucune difficulté théologique pour écraser la révolte des paysans.

19. A quelques exceptions près : celle de LAOUST, *Revue des études islamiques*, XLII/I-1979, repris en 1985 par la Librairie orientaliste Paul Geuthner. Celle d'ARKOUN dans son *Introduction au Coran*, Garnier-Flammarion, n° 237.

20. Ce qui infirme une thèse de Durkheim qui soutenait que toute religion se manifeste dans une Église.

21. La *sunna* comprend en effet : en amont, le Coran, en aval, la tradition du Prophète et celle des Compagnons immédiats, des quatre premiers califes et des « suivants immédiats ». Les Musulmans qui acceptent cet ensemble sont donc des traditionnistes ou sunnites.

22. Le mot en arabe étant *mutakallim*, mais eux-mêmes récuseraient ma traduction! Ce type de clerc pratique l'apologétique.

23. Ainsi l'œuvre d'Ibn Arabi, le plus grand des Maîtres, est régulièrement interdite en Égypte, en Arabie Saoudite et en d'autres régions.

24. Si l'on en juge par la petite centaine étudiée, avec une certaine sympathie, dans un ouvrage très classique, le *Kitâb al-milal wa'l-nahal* d'Abou Fath Muh. b. al-Karim al-Shahrastani. J.-C. VADET, *Les dissidences de l'Islam*, Paris, Geuthner, 1984.

25. H. LAOUST, *Pluralismes dans l'Islam*, Geuthner, Paris, 1983. Cf. également un auteur qui dénonce l'impropriété du terme d'*orthodoxie* à propos de l'Islam : G. MAKDASI, *L'Islam hanbalisant*, Paris, Geuthner, 1983.

26. M. ARKOUN, *L'Humanisme arabe au Xe siècle*, Paris, Vrin, 1982.

27. D'où le sens des affiches : « c'est tous les jours Achoura... transformons tout lieu en Kerbela »... Mais les journalistes traduisent rarement les calicots.

28. Bien entendu, l'Imam Khomeyni n'a jamais prétendu être l'*Imâm*! Il est *tuteur jurisconsulte* et *pasteur*.

29. Dans l'imaginaire collectif des Arabo-Musulmans, la hiérarchie des héros des premiers temps de l'Islam continue à faire sens aujourd'hui à travers des mots puissants comme *šâhid* (martyr), *mujâhid* (moudjahid) combattant du jihad, *fîdâ'i* (volontaire individuel), que ce soit dans la guerre de libération en Algérie ou dans les combats palestiniens. Le cavalier portant le *lithâm* renvoie à la fois aux premiers temps de l'Islam et aux grandes dynasties comme les Almoravides et les Almohades. Cf. J.-L. CHARNAY, *Principes de stratégie arabe*, Paris, L'Herne, 1984. Peu importe qu'il y ait eu, et qu'il y ait encore, manipulation de la jeunesse iranienne dans le conflit Iran-Irak (à supposer que la jeunesse française de 1914 ne l'ait point été!). Ce qui importe, c'est que les combattants ont vu sur le front le cavalier masqué *(al-fâris al-mutalaththam)* conforme à la geste islamique, de même que tous les Marocains assurent avoir vu Mohammed V dans la lune lors de son exil.

30. Il ne fait pas de doute en ce sens que l'Islam est révolutionnaire et

bouscule les règles arabo-bédouines, par exemple en établissant la possibilité d'héritage de la femme ou de la fille. Mais depuis quatorze siècles, la société arabe a inventé toutes sortes d'expédients pour contourner la Loi.

31. Plusieurs ouvrages donnent des tableaux corrects de la généalogie des dynasties et des « sectes ». Cf. par exemple, Maxime RODINSON, *Mahomet*, Paris, Seuil Poche, coll. P., 1961, 1967, et BURLOT, *op. cit.*, p. 261.

L'ouvrage de base reste H. LAOUST, *Les schismes dans l'Islam*, Paris, Payot.

I. – Le coran comme praxis

1. Cette problématique est en partie celle proposée par Arkoun dans sa préface au Coran de Kasimirski, p. 23, de l'édition 1970, Garnier-Flammarion. Mais on la retrouve également chez d'autres auteurs à propos d'autres religions.

M.I. MARROU, *Théologie de l'Histoire*, Seuil, 1968. G. DURAND, *L'imagination symbolique*, PUF, 1964. M. ELIADE, *Aspects du mythe*, Gallimard, 1963.

2. Comparaison osée ou iconoclaste ? Sauf pour ceux qui admettent que l'arène est un lieu clos où le rituel organise le sacré, et que le « ruedo » est orienté comme une mosquée...

3. J'utilise le mot francarabe « sourate » au singulier, alors qu'il est un pluriel en arabe, et « sourates » pour le pluriel. *şûra/şûrât* – le mot signifie aussi « sentier », ce qui n'est pas sans intérêt.

4. La traduction de « Allah » par « Dieu » pose problème, *al-ilâh* signifiant la divinité, et la profession de foi *(chahada)* peut se comprendre plus subtilement : « Il n'y a point de divinité et pourtant LUI. » Cf. le chapitre suivant.

5. Ce qui pose un problème épistémologique de taille : la pertinence du modèle wébérien de type idéal du « clerc légitime de la gestion des biens du salut » et de la constitution du champ religieux.

6. A. MIQUEL, *Usuma Ibn Mùnquidh : Kitab al-I'tibàr*, Paris, Collection orientale de l'Imprimerie nationale, 1983 (Des enseignements de la vie, souvenirs d'un gentilhomme syrien), nouvelle édition, 1986.

7. Sur la vie du Prophète, l'ouvrage le plus accessible en français est aussi des plus sérieux : M. RODINSON, *op. cit.* La vie du Prophète est décrite par une série d'ouvrages *(sîra)* souvent apologétiques, dont les versions les plus anciennes sont celles de Ibn Hisham, Ibn Ishaq ou Wakidi (milieu IXᵉ s.) et la plus célèbre celle de Tabari (début Xᵉ s.).

8. Le mot est de J.-P. Charnay. Arkoun utilise, lui, « idéo-structure » : ARKOUN, *Le Coran, op. cit.* p. 15.

9. Fanatisme : locution francarabe tirée d'un mot utilisé par la mystique : le *fanâ* est l'extinction dans l'Un.

10. Soumission : *islâm* signifie paix avec Dieu par l'acceptation de Sa volonté.

11. Daryush SHAYEGAN, *Qu'est-ce qu'une révolution religieuse*, Paris, Les Presses d'Aujourd'hui, 1982, p. 227.

12. Ce temps est bien exprimé dans le texte coranique par la particule *idh*, « quand », qui ponctue, hors de toute suite chronologique, les interventions de Dieu condensées dans la durée d'un instant d'où jaillit la vérité hors de la temporalité. Cf. R. ARNALDEZ, *Trois messagers, op. cit.*, p. 21.

13. Sur l'ésotérisme musulman, il existe de bons ouvrages en français, par exemple M. LINGS, *le Soufisme*, Le Seuil, et de bonnes traductions des grands auteurs mystiques tel Ibn Arabi.

14. J.-J. WALTER, *Psychanalyse des rites. La face cachée de l'Histoire des hommes*, Denoël, 1977.

15. P. 135 de *L'Illusion historique et l'espérance céleste*, Berg International, 1981.

16. Car... les voies du Seigneur passent parfois par des voix qui clament dans le désert. Cf., sur *takfîr wa hijra*, Gilles KEPEL, *Le Prophète et le Pharaon*, Paris, La Découverte, 1984, et sur les tenants théologiques et... psychanalytiques du désert, mon article « Écritures saintes, désert, monothéisme et imaginaire » dans « Collectif du CRESM », J.-R. HENRY Editeur, *L'Imaginaire colonial*, CRESM, *Actes-Sud*, 1985.

Mohammed fut berger. Et s'il a parcouru le désert en caravane, *il habite la ville*; mais le Coran s'adresse au Bédouin et le Paradis promis est l'envers du désert *(fî jennâti'l-naᶜîm)*. Sous d'éternels ombrages, au bord d'une eau douce courante, sans parler des « houris » et des éphèbes (s. LVI, v. 1-56)..., le Prophète a l'habitude de se retirer au désert, parfois un mois, dit la *sîra*, et c'est d'ailleurs dans la grotte de Hira, au Mont Nur, qu'il reçoit, par l'intermédiaire de l'Archange Gabriel, la révélation de la première sourate qui deviendra la sourate XCVI, celle de la Création.

17. Expression de Jeanne Favret, à propos de la Kabylie.

II. – DE L'UNICITÉ DE DIEU A L'UNITÉ DE LA COMMUNAUTÉ MUSULMANE

1. En fait, le titre arabe est plus subtil : « Rappel à l'intelligent, avis à l'ignorant ou au paresseux, à l'indifférent. » « *Dhikra al-ᶜâjil wa tanbîh al-ghâfil.* » Cf. une traduction récente par R. KHAYAM, Paris, Phébus, 1977. La première traduction, due à G. DUGAT, est parue à Paris en 1858.

2. La *sakîna* est la présence de Dieu manifestée par sa gloire. *Coran* XLVIII, 4; IX, 26, etc. Si le Coran a retenu que l'Arche contenait la *sakîna* (*Coran* II, 248), ailleurs c'est cette même *sakîna* qui assure la victoire des combattants musulmans (*Coran* IX, 40; XLVIII, 18, etc.).

3. Thora de l'exil/Thora de la rédemption, *bâṭin/ẓâhir* : « ésotérisme/exotérisme ».

4. Christian JAMBET, *La logique des Orientaux. Henri Corbin et la science des formes*, Paris, Le Seuil, 1983, p. 46.

5. Cf., pour un exposé classique qui eut une influence déterminante au XXᵉ s., la *Risâla al tawḥîd*, du Cheikh Mohammed Abdou, dont il existe une

bonne traduction parue en 1965 à la Librairie Orientaliste Paul Geuthner, sous le titre *Exposé de la religion musulmane*. Il existe également toute une littérature plus mystique. Cf. la traduction de Chodkiewicz, par exemple, d'Awbad al-Din Balyani, *Épître sur l'unité absolue*.

6. Même dans des circonstances dramatiques. Ainsi le journal Cairote *al-Ahrâm* a publié les arguments des ᶜulamâ' d'Al-Azhar et ceux du groupe qui assassina Sadate alors que ses membres étaient en prison en attente d'être exécutés. Voir *infra*, chapitre VII.

7. Comme je l'ai montré dans mes chroniques diplomatiques de l'*Annuaire de l'Afrique du Nord (AAN)*, publication annuelle du CRESM (Aix) depuis 1962, éditée par le CNRS.

8. Un proverbe court dans différentes versions à travers le Maghreb et le Machreq : « moi, contre mon frère ; moi avec mon frère contre mes cousins ; moi avec mes frères et mes cousins contre tout le monde ».

9. Hassan HANAFI, « L'Islam révolutionnaire », *Peuples méditerranéens* (21), oct./déc. 1981, p. 12.

10. Entendue ici comme ce qui fait sens pour les acteurs et non pour l'observateur extérieur, car, après tout, la nature et l'Histoire n'ont jamais obéi à la logique d'Aristote ; pourtant celle-ci est bien maîtrisée par les Arabes... ils nous l'ont transmise.

G. CHALIAND, J.-P. RAGEAU, *Atlas stratégique, géopolitique des rapports de forces dans le monde.* Fayard, 1983, J.-P. CHARNAY, *Principes de stratégie arabe*, L'Herne, 1984.

Magazine littéraire, juin 1984, Géopolitique et stratégies, les nouvelles cartes du monde. Ou encore *Hérodote*, nº spécial « Géopolitique des Islams », nº 35, 1984.

11. Kadhafi n'est ni intégriste (encore qu'il ait limité l'Islam au seul *Qor'ân*), ni fou. Mais il occupe l'ensemble du champ de production de biens symboliques légitimes.

Or, il a été contesté en 1984 sur ce plan précis : il voulait laïciser le statut de la femme, ce que les « Musulmans » ne supportent guère.

12. Ainsi, la nouvelle religion considère le crime comme affectant la communauté tout entière (verset 35 de la sourate V).

13. Les Africains islamisés, comme les Noirs américains, manifestent les velléités de prendre quelque distance avec les Arabes sur ce plan (voir le dernier chapitre). De fait, les Arabes ne sont plus en majorité dans le *dâr al-islâm*, puisque à titre anecdotique les Musulmans indonésiens sont, à eux seuls, plus nombreux.

14. Cf. l'ordre des prophètes dans la chaîne du schéma proposé en introduction. L'Islam distingue par ailleurs les envoyés, les missionnés et les prophètes. Ainsi, David pour les Musulmans n'est pas seulement roi mais aussi messager *(rasûl, nabî...)*.

15. Je ne citerai, à titre d'exemple, que quelques extraits de l'une des nombreuses sourates invoquées exprimant la hiérarchie à partir du partage du Butin, la sourate LIX, versets 6 à 10 :

« Tout ce que Dieu a fait qu'il en revienne de butin à Son messager, mais Dieu, Lui, donne à Ses messagers autorité sur qui Il veut, tandis que Dieu est capable de tout. Tout ce que Dieu a fait qu'il revienne de butin à Son messager, des habitants des cités, cela, alors, appartient à Dieu et au messager et aux gens de la parenté et aux orphelins et aux pauvres et à l'enfant de la route, afin que cela ne reste pas dans le cercle des riches d'entre vous : aux émigrés besogneux qu'on a expulsés de leurs demeures et de leurs biens tandis qu'ils recherchaient, de Dieu, grâce et agrément, et qu'ils portent secours à Dieu et à Son messager, ceux-là sont les véridiques. A ceux qui avant ceux-ci se sont installés dans le pays et dans la foi, qui aiment ceux qui émigrent vers eux, et ne trouvent dans leurs propres cœurs aucun besoin de ce dont ils ont eux-mêmes, même s'il y a pénurie chez eux; et à ceux qui viendront après eux en disant : Seigneur, pardonne-nous, ainsi qu'à ceux de nos frères qui nous ont devancés dans la foi. »

16. Bruno ÉTIENNE, *Les problèmes juridiques des minorités européennes au Maghreb*, Paris, CNRS, CRESM, 1968. Laurent et Annie CHABRY, *Politique et minorités au Proche-Orient. Les raisons d'une explosion*, Maisonneuve et Larose, Paris, 1984. Mais aussi Georges CORM, *Le Proche-Orient éclaté*, Paris, Maspéro. Ou encore Albert HOURANI, *Minorities in the Middle East*, Oxford University Press, Londres, 1947.

17. Sur cette période, voir les travaux de Watt et de Maxime RODINSON, *Mahomet, op. cit.*

18. Cf. mon article dans le *Dictionnaire des œuvres politiques*, Paris, PUF, 1986 (Chatelet/Pisier/Duhamel).

19. *La révolution à l'heure de l'Islam*, p. 114.

20. Le *mukhtasib* est un personnage classique et familier, mi-*censor moris*, mi-garde champêtre, dans l'imagerie populaire.

III. – LA NATIONALISATION DU PROGRÈS

1. J'avais essayé de démontrer ce processus, qui fit que jamais les masses ne se mobilisèrent pour les révolutions agraires, dans un ouvrage collectif : *Problèmes agraires au Maghreb*, Bruno ÉTIENNE *et al.*, CNRS, CRESM, 1977, 320 p. Voir également Mustapha KHAYATI, « Contributions servant à rectifier l'opinion du public sur la révolution dans les pays sous-développés », *Internationale situationniste*, n° 11, octobre 1967, p. 41 s.

2. Voir la très belle et percutante introduction de DUVIGNAUD, *Nomades et vagabonds*, Paris, 10/18, 1975.

3. Nous avons, avec un certain nombre de spécialistes du Sahara, développé largement toute cette problématique dans un ouvrage collectif sous la responsabilité de P.-R. BADUEL, *Enjeux sahariens*, CRESM/CNRS, 1984, 442 p.

4. *La Syrie d'aujourd'hui*, ouvrage collectif édité par A. RAYMOND, CNRS.

5. Robert ILBERT, « Politiques urbaines. Le Caire à la recherche d'un modèle », *Les politiques urbaines dans le Monde Arabe*, Métral Editor, Études sur le monde arabe, EMA I, Maison de l'Orient, Lyon, 1985, p. 250.

6. Al-Ghazali, 1058-1111, théologien, philosophe, conseiller du prince, jurisconsulte autour d'ouvrages classiques de « science politique ». Il enseigna à Bagdad et essaya de concilier le soufisme et l'orthodoxie. Laoust a publié une magnifique « politique » de Ghazali en français, Alger, SNED, 1971.

7. On comparera ce schéma – et l'évolution qu'il produit – avec celui que nous avions proposé, avec J. Leca, dans AAN, 1973, p. 74 :

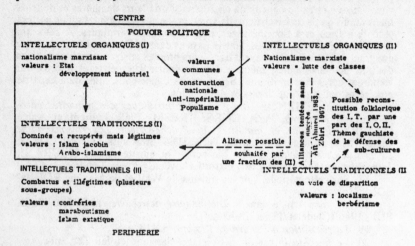

8. Il y a quelques pages admirables dans le *Principe Espérance*, tome II, d'Ernst BLOCH, à propos du sionisme, du socialisme et des utopies millénaristes et révolutionnaires, que feraient bien de méditer les révolutionnaires arabes.

9. Jean LACOUTURE, *Quatre hommes et leur peuple. Sur-pouvoir et sous-développement*, Paris, Le Seuil, 1969.

10. Christiane SOURIAU, *Femmes et politique autour de la Méditerranée*, Paris, L'Harmattan, 1980.

11. En prenant toutes les précautions d'usage en matière de résultats quantifiables à partir d'un questionnaire aussi complexe que celui que j'ai utilisé, d'autant plus qu'une partie des réponses à ce questionnaire étaient inutilisables; en particulier, mon échantillon ne comporte pas assez de femmes et plus particulièrement pas assez de femmes rurales et analphabètes, pour des raisons évidentes.

12. On se reportera aux nombreuses et pertinentes études conduites par des femmes, dans notre ouvrage collectif *Le Maghreb musulman*, Christiane SOURIAU *et al.*, CRESM/CNRS, 1979.

13. Toutefois une lecture différente est possible, comme celle de J. KRISTEVA dans *Histoires d'amour*, Denoël, 1983.

14. Voir la préface de F. Colonna à la réédition de l'ouvrage d'Émile MASQUERAY, *La formation des cités*, Aix, Edisud, 1983 (Coll. du CRESM, « Archives maghrébines »).

15. Voir des textes très précis sur ces sujets dans Anouar ABDELMA-

LEK, *La pensée politique arabe contemporaine*, Paris, Le Seuil, 1970, pp. 61 s.

16. Il s'agit de l'obligation absente *(al-fariḍa al-ghâ'iba)*, absente parce que le Coran ne donne pas ce sens précis au jihad, qu'il soit intérieur ou extérieur.

Voir mon article dans *Pouvoirs* (13), 1983 : « Les régimes islamiques ». Cf. G. KEPEL, *op. cit.*

17. Thèse tirée du *Kitâb iḥyâ ᶜulûm al-dîn*, tout simplement parce que je préfère Ghazali à Mawardi et à Ibn Tayamiyya; il a, à mon sens, mieux intégré la dialectique *bâṭin/ẓâhin*.

IV. – L'ISLAMISATION DE LA MODERNITÉ

1. Cf. C. SOURIAU, *L'Islam maghrébin, op. cit.*, les *faṭwa* déclarant Khomeyni hérétique. J'ai même trouvé à Marseille un petit groupe essayant de contrebalancer cet effet néfaste à partir de quelques cassettes sur le thème : « ni Chiites, ni Sunnites, tous Musulmans », à destination des émigrés. Mais le chiisme éprouve quelques difficultés à se banaliser ainsi.

2. Sophie BESSIS, *La dernière frontière. Les tiers mondes et la tentation de l'Occident*, J.-C. Lattès, 1985.

3. B. GELLNER, J. WATERBURY, B. ÉTIENNE et al., *Patronage and Clientelship in Mediterranean Societies*, Londres, Durckworth, 1977.

4. Pour un essai de formalisation en ce sens, voir le travail de Michel Seurat sur Tripoli du Liban et à propos de la Syrie, *Les politiques urbaines..., op. cit.*

5. Pris au sens de la double légitimité de la tribu/famille fondatrice et du marchand, idéalisée dans un renvoi mythique à la grandeur des marchands de La Mecque dont la famille du Prophète serait le paradigme.

Les Beni Qoraych en effet, surent tirer partie de la sainteté par la gestion du sanctuaire *(al-kaᶜba)* de La Mecque et des foires qui s'y tenaient à l'occasion des pèlerinages.

6. Voir le numéro spécial de la revue *Tiers-Monde*, 1985, sur les émigrés dans le golfe.

7. Voir, *infra*, le chapitre sur le discours, et pp. 193 s.

8. Bruno ÉTIENNE, « L'Algérie montreur de conduite du tiers monde », dans *Algérie, cultures et révolution*, Paris, Le Seuil, 1977.

9. Voir, *infra*, le chapitre sur la concurrence des clercs, et de bons exemples donnés par O. ROY, *op. cit.*, à propos de l'Afghanistan. Pour l'Iran, cf. HOURCADE, *Hérodote, op. cit.*

10. *Al-bank al-lâribawî fî'l-islâm.*

11. O. CARRE, *Lecture révolutionnaire du Coran par S. Qutb, Frère musulman radical*, Paris, Presses FNSP-Éd. du Cerf, 1984.

12. Traute WOHLERS-SCHARF, *Les banques arabes et islamiques*, Paris, OCDE, 1983.

B.A. OUDET, « Les banques islamiques : simple curiosité ou modèle pour les banques d'investissement? », *Le Monde*, 20 novembre 1984, 24.

Kane AMADOU, « Qu'attendre du système financier islamique? », *Le Monde diplomatique*, février 1985, p. 29.

13. N.A. SALEH, *Unlawful Gain and Legitimate Profit in Islamic Law*, Cambridge University Press, 1986.

14. « Salut, ô mon pays! » et « ma patrie arabe! ».

15. Voir le texte dans Anouar ABDELMALEK, *op. cit.*, p. 62.

16. Bruno ÉTIENNE, *Les problèmes juridiques des minorités, op. cit.*

17. C'est la thèse parfaitement démontrée par Tosy, en particulier à propos de la *munâzara*, fictive, entre le Roi et Yassine. M. TOSY, *Champ et contre-champ politico-religieux au Maroc*, Thèse d'État de science politique sous ma direction, Aix, 1984.

18. H. SANSON, « Le statut de l'Islam en Algérie », *le Maghreb musulman, op. cit.*, p. 105.

19. Voir les chapitres suivants : il ne s'agit pas d'un mouvement structuré mais d'une nébuleuse.

20. Un des (nombreux) textes de Yassine, traduit par M. Tosy, publié dans notre ouvrage, déjà cité, pp. 253-254. Cf. un extrait de sa Rissalat, dans *Su'âl*, numéro spécial, n° 5, avril 1985, p. 151.

21. Dans notre ouvrage collectif cité, *Le Maghreb musulman*, p. 75.

22. Est-il utile de rappeler que l'Islam progresse partout, et surtout en Afrique noire francophone? Cf. COPANS, *Les marabouts de l'arachide*, le Sycomore, 1980, et Ch. COULON, *Le marabout et le prince*, Pedone, 1981, et la suite de son œuvre citée.

23. C'est-à-dire 1400 de l'Hégire, et l'attaque de la mosquée de La Mecque, que je décrirai *infra*.

24. Yadh BEN ACHOUR, « Islam perdu, Islam retrouvé », dans *Le Maghreb musulman, op. cit.*, p. 75. Cf. également Abdelqader ZGHAL, dans le même ouvrage, *op. cit.*, p. 63, et Paul PASCON, *ibid.*, p. 403.

25. *Revue des Sciences religieuses* (4), pp. 323-338.

26. Certains se sont même greffés sur d'anciens ordres religieux. Tosy a proposé d'appeler « néo-turuquisme » ce phénomène. Sur les confréries, la littérature est abondante même en français.

27. *Utopies et marxisme*, Payot, 1976, pp. 255-259. « La guerre des paysans » se trouve dans MARX et ENGELS, *Sur la religion*, Paris, Éd. Sociales, 1972, pp. 58-59, juste avant un autre texte admirable d'Engels sur le livre de l'Apocalypse de saint Jean.

28. Voir la Revue de la presse égyptienne, « Pas d'université française ».

29. *Al-ṭâghût* est le nom donné au despote, aux faux dieux et à tout ce qui est adoré à la place de Dieu.

V. – L'APPEL OU LA DAᶜWA COMME DISCOURS POLITIQUE

1. Kepel a décrit cette Khotba dans son livre et, dans le numéro spécial d'*Esprit*, un cas identique en France.

2. Dans ce chapitre, qui leur doit beaucoup, lorsque j'écrirai « nous », il s'agira de notre expérience commune et non pas d'un pluriel de majesté.

3. *Encyclopédie de l'Islam*, nouvelle édition, pp. 173 s.

4. Voir Denise MASSON, p. 592, et GARDET, p. 445, car *al-munkar* est quelque chose de plus subtil encore.

5. I. GOLDZIHOR, *A^c azz mâ yurlab : le livre d'Ibn Toumert,* Alger, 1903, Introduction p. 88, phrase attribuée à Ghazali, confirmée par Laoust dans *La Politique, op. cit.,* pp. 128 et 274.

6. Les exemples de constitution ou de renversement d'empires par la *da^c wa* et le mahdisme sont suffisamment nombreux dans l'histoire arabo-musulmane pour qu'il ne soit pas nécessaire d'y insister ici. Sur les Qarmates, cf. *Sou'al,* I, décembre 1981, pp. 71 s. Ils avaient enlevé la pierre noire de La Mecque... en 930. Je reviendrai sur les événements de La Mecque en 1979.

7. Kischk en est le modèle, mais nous pouvons citer des dizaines de cas : Abdelfattah Mourou et Rachid Ghannouchi en Tunisie, Yassin au Maroc. Cf. la revue *Grand Maghreb,* qui a consacré plusieurs numéros à « *l'intégrisme* » en 1984 et 1985. F. Burgat, en particulier, a publié des traductions inédites de Ghannouchi.

8. J. BERQUE, *L'Islam au défi,* Paris, Gallimard, 1980, p. 166.

9. Yassine se veut actuellement le porte-parole du courant islamiste marocain. Dans sa revue *al-Jamâ^c a,* il a publié sur dix numéros une sorte de programme des islamistes où on retrouve une référence à « Signes de piste » de Sayid Qutb. Ce progamme est intitulé : « La voie prophétique ».

10. Terme complexe qui désigne une gamme étendue de réactions émotionnelles consécutives à l'audition de la musique, allant de la délectation intellectuelle et de la douce émotion jusqu'à l'extase. « Musique de l'Islam », *Encyclopaedia Universalis,* p. 464.

11. Il est *possible* de traverser l'Égypte pharaonique *sans voir* l'Égypte actuelle. D'ailleurs, comme je l'ai entendu, en avril dans l'avion qui me ramenait du Caire, dit par un touriste qui avait « fait » le Mexique, la Russie, etc. : « Le Caire, c'est sale, et d'ailleurs, il n'y a rien à voir sauf le musée... »

12. Ma dernière expérience de ce type m'a conduit du Sinaï au Caire dans un bus plein de bédouins et de militaires, grâce auxquels j'ai plus appris qu'en interviewant des « officiels » égyptiens...

13. Il existe plusieurs codes qui permettent rituellement de situer l'appartenance à des ordres religieux précis.

14. Ici encore, Tosy, Kepel et moi.

15. Cf. CARRE, *op. cit.,* et son article et le mien dans *RESP* (4), août 1983, volume 33, pp. 680, 705-706 et 720.

16. J'utilise la distinction proposée par Kenneth Pike, en 1954, dans l'*emic approach* : l'analyste contrôle sa propre représentation à la lumière des réponses des autochtones/indigènes, de la même façon que le linguiste contrôle sa représentation des règles grammaticales à la lumière des jugements portés sur le discours grammatical par ceux qui parlent.

L'*etic analysis* suppose au contraire que l'étude de la culture, de l'idéologie et du discours peut être menée *indépendamment* des significations qu'ils peuvent revêtir du point de vue de ceux qui les pratiquent.

17. Sur la prédication à d'autres époques, cf. *Prédication et propagande au Moyen Age — Islam-Byzance-Occident,* Colloque organisé par G. MAKDISI et J. et D. SOURDEL, Paris, PUF, 1983.

18. Initiée par Weber et développée par P. Bourdieu.

19. Cette référence au calvinisme n'est pas simplement parochiale et personnelle. Je pense, en effet, que la diffusion de la Bible en français, grâce à l'imprimerie (innovation technique de l'époque), fut la « chance » des protestantismes comme la cassette enregistrée est aujourd'hui l'arme des islamistes. (Nous avons, avec M. Tosy, exposé comment le système fonction-. nait, transnationalisé à travers le *dâr al-islâm* – en passant parfois par... Amsterdam). Cf. *le Maghreb musulman, op. cit.*

20. G. Kepel m'a aidé pour interviewer le cheikh Kischk et a lui-même étudié une *khotbatype* de Kischk.

Le même type d'enquête a été effectué avec Tosy au Maroc et F. Burgat en Tunisie,

21. Tosy et moi, à partir de la problématique citée de Weber/Bourdieu.

22. *Bulletin de liaison* (CERI), 1, janvier 1983. C. Coulon montre comment, en Afrique, c'est dans l'Islam que les conduites populaires trouvent leur arsenal symbolique pour traduire les attentes subalternes face à l'État. Mais cette nouvelle attente ne s'est produite qu'après l'effondrement des autres perspectives du possible.

23. Cf. le schéma de la page 110 et note, même page.

24. Nous avons donné, avec Tosy, de nombreux exemples de ce type de discours, dans *le Maghreb musulman* en 1979, *op. cit.* Cf. également mon article « La vague islamiste », *Pouvoirs,* 12, 1983.

25. M. FOUCAULT, *L'ordre du discours,* Paris, Gallimard, 1970, p. 12.

26. A.-J. GREIMAS, *Sémantique structurale,* Paris, Larousse, 1966.

27. J. BERQUE, *Dépossession du monde,* Paris, Le Seuil, 1964, pp. 99-100.

28. J'écris « jeune » volontairement car il s'agit ici de passer à l'État hégélien, ce qui est fort complexe lorsqu'on possède une mémoire d'Empire. En ce sens, la difficulté est plus grande pour le Maroc que pour l'Algérie laminée par la France, et insurmontable, sans violences, pour l'Arabie Saoudite non occupée mais pervertie par l'Occident depuis la rente pétrolière.

29. Le plus célèbre de ses romans est publié en français : *Un substitut de campagne en Égypte,* Paris, Plon, 1974 (Terre Humaine). T. al-Hakim, qui a 85 ans, a fait une partie de ses études en France et a écrit plus de cent ouvrages dont beaucoup sont lus au Maghreb et pas seulement en Égypte. Il a souvent été engagé dans de graves polémiques avec les Ulama, toujours sur le problème de la modernisation. Pour une lecture efficace de la presse égyptienne, cf. *Revue de Presse,* Aix-en-Provence, Le Caire, CEDEJ, CEROAC.

30. P. BOURDIEU, « Le pouvoir symbolique », *ibid.,* p. 409.

31. K. MARX, *L'idéologie allemande,* Paris, Éd. Sociales, 1968, p. 97.

32. D. GRIL, « Le personnage coranique de Pharaon d'après l'interprétation d'Ibn Arabi », *Annales islamologiques,* t. XIV, 1978, pp. 37-57.

33. Titre d'un ouvrage publié par le « cerveau » du groupe qui assassina Sadate, étudié par G. Kepel. On peut aussi traduire *al-farîda al-ghâ'iba* par l'impératif occulté.

Ici encore, le mot clé tourne autour de *ghâ'ib* : perdu, étranger, occidentalisé deviennent synonymes!

34. Hallaj est un des martyrs de l'Islam « mystique », connu en France à

travers l'œuvre de Massignon. Mais il en est d'autres plus anonymes et peut-être plus représentatifs pour mon propos. Massignon a tiré Hallaj vers la martyrologie chrétienne, voire christique, ce qui n'est ni neutre, ni gratuit.

35. En France, un effort vient d'être fait dans un excellent numéro de *Su'al*, avril 1985. Mais la gêne transpire même à travers les meilleures analyses, par exemple dans la revue *Peuples méditerranéens* (nº 21).

36. Seul le Maroc connaît un véritable système de multipartisme, mais je n'ai pas réussi à explorer à fond la variable pluripartisme/monorite et monopartisme/pluririte. Je suis sûr qu'elle doit être féconde. Le Maroc est massivement malékite, mais l'Égypte est pluri-confessionnelle. Il y a là un indice à creuser.

37. En France, les œuvres de Kischk ont été tirées en 300 000 cassettes par une maison d'édition parisienne.

38. A. MEDDEB, « Du Maghreb », *Les Temps modernes*, octobre 1977, p. 33... « pâles réformistes, salafistes, nationalistes, cohorte des petits-fils perdus de la Nahda... »

Par ailleurs, Medded est un essayiste et romancier, bilingue, merveilleux, dans l'œuvre duquel on peut trouver mille et une clés.

39. Cf. *Le Maghreb musulman, op. cit.*, pp. 365 s., par exemple, les textes des *fatwâ*.

40. Cf. l'article de G. KEPEL dans *L'Histoire* (26), septembre 1980, et l'article de G. DELANQUE dans l'*Encyclopédie de l'Islam*.

41. Cf. Allal al-FASSI, *Défense de la foi islamique*, Casablanca, imprimerie Eddar al-Baïda, 1977. Mais aussi, pour comparer les textes : Anouar ABDELMALEK, *La pensée politique arabe contemporaine*, Paris, Le Seuil.

42. Une fois encore, J.-F. CLEMENT, TOSY et moi, dans *Islam et politique* et *Le Maghreb musulman*.

Cf. notre note, p. 245, *op. cit.*, et pp. 249 s., *ibid.* : « Le profil type d'un islamiste ».

43. Série parue dans *Le Monde* du 6 au 8 décembre.

44. Cf. mon article « Problèmes de la recherche en islamologie », dans le collectif du CRESM, *Islam et politique*, éditions du CNRS, 1981.

45. Cf. la préface de M. RODINSON au livre de Lewis, cité plus bas, et dans celui-ci, les pages 170-186, pour une vue synoptique de tous ces mouvements.

46. *Le Maghreb musulman, op. cit.*, p. 57.

47. Encore qu'il distingue les 4 *fitna* constitutives de la rupture : 1) 41/661, 2) 61/680, 3) la révolution abbasside, et 4) 194/809 la persécution (*op. cit.*, p. 227). Par rapport à la conception du temps que j'évoquais plus haut, les deux premiers *désordres* correspondent bien à la mort d'Ali et au martyre de Hussein.

48. Un des amis prêcheurs d'origine syrienne dit à un étudiant marocain qui l'agresse à propos de la « cause sacrée » de la Palestine occupée par « les forces sionistes et impérialistes de la réaction antiprogressiste et anti-révolutionnaire, etc. : « Pourquoi? Mais ton roi, qui se prétend Amir al-Muminin, t'a-t-il donné un fusil pour libérer la Palestine? T'a-t-il seulement donné un fusil? Il aurait bien trop peur que tu commences par libérer ton peuple, que tu t'en serves pour tuer le tyran impie... »

VI. – DU JIHAD AU TYRANNICIDE

1. *Fanâ'* dans la mystique musulmane correspond à l' « *extinction en Dieu* ». En ce sens, saint Jean de la Croix est un fanatique... Un autre sens est : annihilation de la conscience de soi.

2. La téléologie qui consiste à prendre la fin pour une démonstration ou une tautologie comme base de démonstration a été remise en évidence comme procès, dans un autre contexte, par l'École de Francfort, et singulièrement par Adorno et Horkheimer.

3. J. BERQUE, *Ulama fondateurs et insurgés au Maghreb : XVIIIᵉ siècle,* Sindbad, Paris, 1982, p. 37.

4. Il existe plusieurs traditions dans l'Islam orthodoxe en ce qui concerne le *Mahdî,* mais qui prennent des formes différentes selon les époques et les lieux ; ainsi, selon plusieurs traditions, le Christ lui-même reviendra sur terre à la veille du Jugement dernier, au moment où auront lieu les événements catastrophiques qui doivent signaler l'approche de la dernière heure du Monde : selon certaines versions, le Christ descend sur terre pour tuer *al-Dajjâl,* l'Antéchrist ; selon d'autres versions, Jésus aide le *Mahdî* à tuer *al-Dajjâl,* et il existe une version (marocaine) forgée au moment du rejet de l'almohadisme (cf. AGNOUCHE, *op. cit.,* pp. 51, 159, 171) qui soutient « qu'il n'y a d'autre Mahdi que Jésus, fils de Marie, esprit de Dieu ». Sur ce sujet, cf. Denise MASSON, *op. cit.*

5. Saint Matthieu lui-même prévient les Chrétiens : le désert en est plein.

6. J'ai même eu vent d'un Mahdi local qui s'était levé dans les Bibans (Algérie) en 1970-1971...

7. Cf. par exemple Abdelatif AGNOUCHE, *Contribution à l'étude des stratégies de la légitimisation du pouvoir de l'institution califienne : le Maroc musulman idrisside à nos jours,* thèse de droit, Université de Casablanca, 1985.

8. Sauf... un fils qui vécut trois ans dont la mère fut Marie la Copte.

9. Les théologiens sont fort divisés car la Bible ne nomme pas le fils sacrifié. Aussi s'accusent-ils mutuellement d'avoir falsifié les Écritures. Cf. la remarquable analyse d'Arnaldez sur ce point précis, *op. cit.,* p. 23.

10. Abd-Assalam YASSINE, *La Révolution à l'heure de l'Islam,* Marseille, mai 1981, pp. 15 et 16.

11. A. LAROUI, *L'État dans le monde arabe contemporain, éléments d'une problématique,* Université Catholique de Louvain, Centre de recherches sur le Monde Arabe Contemporain, Cahier n° 3, 1980.

12. Cf. CHARNAY, « Stratégie arabe, absolus collectifs et efforts individuels », à propos de la hiérarchie des maîtres de la violence et des contempteurs de la foi musulmane qui préconisent le crime de sang, *op. cit.,* p. 7 et s.

13. Cf. un exposé très clair en quelques pages dans CHARNAY, *op. cit.,* pp. 12 et 59.

14. *Ahl al-kitâb* ou « Gens du Livre », avec qui est passé le pacte de *dhimma* (protection) décrit plus haut.

15. G. KEPEL, *op. cit.,* p. 194, à propos de l'ouvrage de Faraj : *al-farîda al-ghâ'iba.*

16. Cf. l'article très critique (et assez orthodoxe) du Révérend Père Anawati, à propos de l'ouvrage de Faraj, dans *MEDEO*, tome 16, 1983, p. 291.

17. Si je cite Yassine, c'est afin que chaque lecteur francophone puisse vérifier dans cet ouvrage traduit par *Yassine* lui-même.

18. Comme je l'ai montré dans les *Temps Modernes*, numéro spécial sur l'émigration, avril 1984.

19. C'est à la suite des propositions de Mohamed Arkoun que M. Tosy s'est livré à cette analyse dans sa thèse : cf. son tableau, p. 205.

20. Revendiqué par exemple par la Turquie, l'Algérie, la Tunisie, la Syrie, mais appliqué d'une façon originale : la religion étant gérée par l'Etat et soumise à lui.

21. Le R. P. Sanson avait proposé pour l'Algérie la formule : « l'Islam règne mais ses clercs ne gouvernent pas ».

B. CUBERTAFOND, « Algérie », *Contestation en pays islamiques*, Paris, CHEAM, 1984, pp. 31-62.

22. J. LECA, « L'hypothèse totalitaire dans le tiers monde, les pays arabo-musulmans », G. HERMET, *Le totalitarisme, du concept aux incarnations*, Economica, 1984.

23. C'est la presse française qui a titré ainsi; faut-il répéter qu'aucune alliance entre pays musulmans ne peut apparaître comme étant « contre-nature » à aucun Musulman?

24. *Ibid.*, p. 348.

25. L'archange Azrafil sonnera la trompette et, ce jour-là, le cataclysme sera terrible.

Cf. *Coran*, XXII, 1-2; LXXX, 33-37; XXXVI, 53-56-59.

26. Bernard LEWIS, *Les assassins. Terrorisme et politique dans l'Islam médiéval*, préface de M. Rodinson, Paris, éditions Complexe. Traduit de l'anglais par Annick Pelissier. Le titre original me paraît plus net : *Radical Sect in Islam.*

27. L'assassinat par les agents syriens de l'ambassadeur de France Paul Delamare a été clairement démontré, mais nié à la fois par la Syrie... et par la France.

28. C'est le cas de Georges Ibrahim Abdallah, porteur d'un passeport algérien, assassin présumé de Yacov Barsimentov, et du Lieutenant-Colonel Ray. Mais j'ai écrit ce texte presque deux ans avant que les Français soient informés sur la famille Ibrahim... et sa dissidence du groupe de Georges Habache, c'est-à-dire de l'extrême gauche « chrétienne » palestinienne.

VII. – LES ASSOCIATIONS ISLAMISTES

1. Jean LECA, « Pour une analyse comparative », *RESP*, 1977. B. BADIE, *Le développement politique*, 1984, et *Culture et politique*, Paris, Economica, 1983.

2. Le « nous » renvoie ici essentiellement à Tosy, Gilles Kepel et moi. Olivier Roy a démontré le même phénomène pour l'Afghanistan et Hourcade pour l'Iran.

3. Même dans les cas les plus « laïcs », comme en Syrie et Irak.

4. Je dois remercier ici plus particulièrement Nicole Catan, qui m'a aidé dans la collecte de certains matériaux.

5. Mohamed SELHAMI, « J'ai rencontré les hommes suicides », *Jeune Afrique*, n° 1203, janvier 1984, pp. 40-51.

6. Olivier CARRE et Gérard MICHAUD, *Les Frères Musulmans*, Gallimard-Julliard, 1983.

7. Extraits de la revue des Frères syriens *al-Nazir*, cité par *Peuples Méditerranéens*, n° 21, oct./déc. 1982, pp. 71-72.

8. Josette ALIA, *Le Nouvel Observateur*, 12 mars 1979, pp. 53-55. J.-P. PERONCEL-HUGOZ, *Le radeau de Mahomet*, Paris, Lieu commun, 1981. V. S. NAIPAUL, *Crépuscule sur l'Islam*, Albin Michel, 1981.

9. J.-F. CLÉMENT, *Islam et politique au Maghreb, op. cit.*, p. 60, et *al-Assas*, n° 53, juin 1983.

10. A. ZGHAL, « Le retour du sacré et la nouvelle demande idéologique », *le Maghreb musulman en 1979, op. cit.*, p. 43. Cf. également P. VIEILLE et Z. DHAOUDI, dans *Peuples Méditerranéens*, n° 21, déjà cité.

11. O. ROY « Intellectuels et Ulama dans la résistance Afghane », *Peuples Méditerranéens*, 21 oct./déc. 1982, p. 139. Depuis cet article, son livre est paru. Cf., pour la Tunisie, la composition du MRI, et *infra*, au Moyen-Orient, également, la catégorie *muhandis*, « ingénieur ».

12. Dans O. CARRE et C. BRIÈRE, *Islam guerre à l'Occident*, Autrement, 1983, pp. 137-138.

13. Bensalah MAIDANI, « Les islamistes progressistes », *Lamalif*, n° 144, décembre 1982.

14. O. ROY, *op. cit.*, p. 144.

15. B. ÉTIENNE, « Hegel, l'État, le Droit et Marx », *Revue de la recherche juridique : droit prospectif*.

16. H. HANAFI, *ibid., Peuples Méditerranéens*, p. 12.

17. Pris au sens exposé par E. BLOCH, dans le *Principe Espérance*, tome II.

18. Le Prophète dit dans un *hadîth* tenu pour authentique : « Ma communauté se divisera en 73 sectes *(firqa)*. Une seule sera sauvée et 72 autres iront en enfer. »

19. Sauf bien entendu dans un autre sens; les cinq statuts légaux sont l'obligatoire, l'interdit, le recommandable, le répréhensible, le licite et le blâmable.

20. Liste et détails en annexe.

21. Cf. *Le Maghreb musulman, op. cit.*

22. Tiré d'un texte bilingue : *Études Arabes*, « Courants actuels dans l'Islam. Les FM ». Pontificio Instituto di Studi Arabie Islamici. Cf. le credo des FM dans Anouar ABDELMALEK, *op. cit.*

23. Cf. un excellent article de Hain Ravanno dans *Libération*, 30 juillet 1986; on oublie toujours que Ghaza est une « enclave » de 600 000 personnes quasiment parquées.

24. Mon sujet exclut par définition les mouvements politiques et militaires palestiniens laïcs.

25. Tosy, Képel, Étienne.

26. Sur celui-ci, *Su'al*, numéro spécial déjà cité.

27. Olivier ROY, *op. cit.*, p. 11.

28. Cf., dans la *Revue 15/21*, Tunis, 1984, la gauche islamique, et le dossier consacré à ce sujet dans la revue *Outrouhat*, Tunis, 1983, n° 2, et 1984, n° 5 et 6.

29. Cf. *Su'al, op. cit.*, p. 135, à propos du cheikh Soltani, et CUBERTAFONDS, *op. cit., Contestations...*

30. Cf. Christiane SOURIAU, dans *Le Maghreb musulman, op. cit.*, pp. 348-349, et J.-C. VATIN, dans *Islam in the Political.*

31. Sur cette affaire, cf. *Su'al, op. cit.*, p. 56, et sur le groupe *Takfîr wa'l-hijra*, Kepel, *op. cit.*

32. ANAWATI, *MIDEO, ibid.*

33. Mohammed TOSY, « Du tyrannicide à la Munadara : les voix islamiques du refus », *Bulletin de liaison du CERI*, n° 3, septembre 1984, Modes populaires d'action publique. Pour le texte de la controverse, cf. le Bulletin du CEDEJ/CEROAC, Revue de la presse égyptienne, Aix.

34. Cf. l'exemple du jugement suscité par les propos de Khomeyni dans un *fatwa* au Maroc donné dans *Le Maghreb musulman, op. cit.*, pp. 365 s.

35. Le raisonnement peut s'appliquer à la FINUL.

36. Cf. le colloque de Lyon, à l'occasion duquel Mongin a rappelé quelques dures réalités. Sur ce Proche-Orient comme Far-West de la pensée anthropologique, il faut lire un excellent article paru dans l'*Annuaire du tiers monde*, 1979, d'Albert BOURGI et Pierre WEISS, « Les baladins du Monde occidental : la presse française et la guerre au Liban (1975-1978) », pp. 237-244.

37. M. SEURAT, *ibid.*, et une thèse comparable pour le cas du Yémen, P. LABAUNE, *RFSP* (4), vol. 31, août 1981.

38. B. ÉTIENNE, « Pour en finir avec le mode de production féodal », *Revue marocaine de droit*, n° 4, 1979.

39. En 1860, les Druzes massacrent les Chrétiens, l'Émir Abdelqader s'interpose et la France intervient...

40. *Les complots libanais*, Paris, Berger, 1978. *Liban, la cinquième guerre du Proche-Orient*, Paris, 1983.
CORM, *op. cit., supra.*

41. Cf. le remarquable travail de Seurat sur Tripoli.

42. Cf. le texte traduit dans *Les Cahiers de l'Orient* (2), 1986, p. 248, et annexes *infra.*

43. J'ai cru comprendre que l'un des Frères Mussawi était venu plusieurs fois en France (avec quel passeport ?) négocier (avec qui ?)...

44. Cf. une liste acceptable, crédible, dans *Les Cahiers de l'Orient*, cité pp. 264 s.

45. Sur celle-ci, cf. le dossier du *Monde* n° 123, juin 1985.

46. Je tiens mes informations de personnes qui ne souhaitent pas être nommées (un Marocain et un Syrien qui ont participé à l'attaque, et un Saoudien), de quelques informations dans une revue d'obédience iranienne, *Achâhid* de mars 1982, et d'un article dans la revue algérienne *al-Djeich*, n° 200, janvier 1984.

VIII. – LA CONCURRENCE POUR L'EXPANSION DE L'ISLAM

1. Sur celui-ci, cf. les bonnes pages d'Ali MERAD (pp. 77 s.) dans *L'Islam contemporain*, QSJ, n° 2195, PUF.

2. B. HOURCADE, « Iran : révolution islamique ou tiers-mondiste? », *Hérodote* (36), janvier 1985, p. 238.

3. HANNAFI, *in Peuples méditerranéens*, n° 21, *op. cit.*

4. Abdallah LAROUI, *op. cit.*

5. C. CAHEN, dans *Studia Islamica*, 1958 et 1959, « Mouvements populaires et autonomisme urbain dans l'Asie musulmane au Moyen Age ».

6. *Op. cit., supra*, mais si je suis redevable à Tosy, il n'est pas responsable de mes errements et de mes interprétations.

7. Philippe Cardinal soutient même (*Libération*, 6 mai 1985) que c'est avec l'accord de Telemsani, leader des FM, que le Parlement a pu glisser l'affaire aux oubliettes.

8. K. MARX, *L'Idéologie allemande, op. cit.*, p. 97.

9. B. ÉTIENNE, *L'Algérie, op. cit.*

10. O. ROY, *L'Afghanistan, op. cit.*

Ch. COULON, *Le Marabout et le prince*, Paris, Pedone, 1981, et *L'Islam et l'État*, PUF, 1982.

G. NICOLAS, « Le carrefour géo-politique nigérian et les axes islamiques sahélo-ginéens », *Hérodote*, Géopolitique des Islams, n° 35, 1984, p. 54.

11. Par exemple, *Su'al*, n° 3, pp. 3-6, et dans le même numéro, l'interview d'Ahmad Sadeq Saad.

12. Cf. le dossier établi par la revue *Maghreb Machreq*, n° 89, juillet-août-septembre 1980.

13. *L'Islam aujourd'hui* (revue trilingue français-arabe-anglais), n° 1, jumada II 1403 H/avril 1983, Rabat, Maroc, pp. 105 et s. On peut y lire la description d'une stratégie agressive (le mot est utilisé explicitement p. 111) qui doit être appliquée par les minorités islamiques.

14. Cf. mon analyse sur ce sujet dans *l'Islam et les relations internationales*, Aix, Édisud, 1986, ainsi qu'un ouvrage étrange : BOUBKER JALAL BENNANI, *L'Islamisme et les Droits de l'Homme*, Éd. de l'Aire, Lausanne, 1984.

15. Cf. liste dans Ali MERAD, *op. cit.*, pp. 118-119. Les ligues missionnaires indo-pakistanaises existent depuis la fin de la guerre de 1914-1918!

16. Il existe par contre une remarquable étude sur les aspects mystiques essentiels du pèlerinage due à Charles André GILIS, *La doctrine initiatique du pèlerinage à la Maison d'Allah*, Paris, les Éditions de l'Œuvre, 1982, Collection *Sagesse islamique*, 330 pages. Mais il s'agit là d'un Islam très sophistiqué en prise directe avec l'Akabarisme, pensé et initié par Ibn Arabi dont l'œuvre est suspecte et parfois même condamnée par les orthodoxes.

17. Cf. Donald B. CRUISE O'BRIEN, *Saints and Politicians. Essays in the Organisation of a Senegalese Peasant Society, African Studies Series*, Cambridge University Press, 1975. De même, *The Mourides of Senegal*,

Oxford, Clarendon, Londres, 1971, et COULON et COPANS, *op. cit.*
18. Cf., sur celle-ci, les travaux de Bleuchot, Monastiri et Burgat au CRESM, et par exemple *Hérodote*, n° 36, *op. cit.*, pp. 83-104.

IX. – L'ISLAM MINORITAIRE

1. *Le Canard Enchaîné* a publié un dessin sous-titré « Allah Akbar : il a la sono de Johnny Hallyday ».
2. Sossie ANDESSIAN, « Pratiques féminines de l'Islam en France », *Archives de sciences sociales de religion*, n° 55/1, 1983, pp. 53-66.
3. L'ouvrage le plus récent sur le plan économique est celui publié dans la collection du CRESM sous la responsabilité de Talha LARBI, *Maghrébins en France : Émigrés ou Immigrés? AAN*, 1981, CNRS, 1983, 425 pages.
Cet ouvrage fait le point sur la question actuelle, mais j'ai par ailleurs participé à deux publications :
Le numéro spécial des *Temps modernes* sous la responsabilité de Samir NAIR, avril/mai 1984, n° 452-3-4, « L'immigration maghrébine en France, les faits et les mythes », et un numéro spécial d'*Esprit,* mai 1985.
Les Nord-Africains en France, Magali MORSY *et al.,* publication du CHEAM, Paris, 1985.
La bibliographie est tellement importante qu'elle fait l'objet d'un traitement par ordinateur à la bibliothèque de l'IREMAM, publiée en partie sous forme de répertoire bibliographique avec 2 500 références.
4. F. DASSETTO et A. BASTENIER, *L'Islam transplanté,* p. 56, Édition EPO, Anvers, 1984.
5. Cf. « L'Haleine des faubourgs », n° spécial de la revue *Recherches,* n° 29, décembre 1977. Ce que la bourgeoisie européenne disait, au XIXe, de la classe ouvrière alcoolique et vérolée, face aux vertus de la paysannerie, correspond, mot pour mot, à ce que pense aujourd'hui la classe ouvrière des travailleurs émigrés.
6. Cf. les *Temps Modernes, op. cit.,* et le numéro spécial, d'*Esprit,* déjà cité.
7. *Op. cit.,* p. 2185.
8. Cf. l'étude préparée pour l'UNESCO par Albert BOURGI, J.-P. COLIN et Pierre WEISS, « L'exercice des droits culturels en France ».
9. La langue maternelle est définie par les textes officiels comme celle du pays où est né l'enfant : donc on devrait enseigner à la majorité des enfants dits de la deuxième génération... le français et non l'arabe! Par contre, que dire alors du kabyle...? En 1980, près d'un million, soit 8 % des effectifs totaux des élèves, sont étrangers : 10 % des effectifs du primaire public, 5,7 % des effectifs du secondaire public, 2,8 % des effectifs du 2e cycle long. Les chiffres des effectifs du « privé » sont inconnus; or, certains Musulmans préfèrent le « privé confessionnel » à la laïque!
10. Le mot « communauté » a un sens très précis dans la sociologie contemporaine, qui est satisfaisant pour les Musulmans : il s'agit à la fois d'une « Gemeinschaft » et de la communauté musulmane tout entière (Umma).
11. Cf. *Le Maghreb Musulman, op. cit.,* à propos des Saints (Marabouts) que j'avais étudiés dans une typologie comportant essentiellement des

variables symboliques, pp. 275 et s. Gilles Kepel prépare un ouvrage sur l'Islam en France et nous travaillons ensemble à une analyse comparative de Paris, Lyon, Marseille.

12. Encore une fois, il me paraît venir des États alliés « sûrs » de l'Occident : l'Arabie Saoudite, le Maroc, le Pakistan, etc., qui contrôlent les prêcheurs et les imams. L'imam actuel de la grande mosquée de Marseille, recherché et condamné par l'Algérie, est toléré par l'Amicale des Algériens...

13. Que j'ai représenté par une série de schémas dans *Les Nord-Africains en France, op. cit.*

14. Sauf dans de fort belles thèses universitaires, entre autres K. Bouguerra, Khalil Jamal, A. Mrabet, etc.

15. Outre sa thèse, un bon article dans la revue *Archives des SSR*, n° 35/1, 1983.

16. G. DELEUZE et F. GUATTARI, *L'Anti-Œdipe*, Paris, éd. de Minuit, 1972. Ils nomment « schizo-analyse » une théorie de désir axée autour des notions d'État et de société, à comparer avec la norme « pharaon » dans leur *Schizophrénie et capitalisme...*

17. Je ne donne jamais de nom; mais de plus, je falsifie les indications depuis les expulsions, consécutives à la bombe de la gare Saint-Charles, alors que, dans ce cas précis, il n'y avait aucune liaison entre les militants expulsés et cet attentat.

18. La vie et l'œuvre du cheikh Ahmad al-Aloui a été décrite par Martin Lings et a donné lieu à tout un mouvement de conversions dans cette catégorie particulière de spiritualistes, que l'on peut qualifier de « guénoniens », en partie représentés par la revue *Études traditionnelles* et M. Valsan.

19. Seuls nationaux à ne pas avoir le droit de vote, *sauf* s'ils sont *fixés.*

20. Vincent MONTEIL, « La religion des Black Muslims », p. 601.

21. Cf. M. C. DIOP, *La confrérie mouride, Organisation politique et mode d'implantation urbaine,* thèse.

22. Un politologue l'a encore mieux compris et exprimé : R. DRAI, *La sortie d'Égypte, l'invention de la liberté,* Fayard, 1986, p. 326.

23. Cf. Yahia DJAFRI, « La chanson miroir de l'immigration », dans *les Nord-Africains en France, op. cit.,* p. 97. Sheheb et Kassel disent que l'autre langue est oubliée : « Tu chantes en kabyle sur Sheila, en Français, tu dis c'est du Neruda »...

24. M. ÉTIENNE et DELESTAING, *J'ai rendez-vous avec la mer,* Éd. Alinéa, Aix, 1984.

25. Cf. Jacob KATZ, *Hors du ghetto. L'émancipation des Juifs en Europe (1770-1870),* Paris, Hachette, 1984.

26. *La population juive en France, socio-démographie et identité,* CNRS et Université Hébraïque de Jérusalem, 1985, 436 pages, sous la direction de Doris BENSIMON et Sergio della PERGOLA.

27. AAN, *op. cit.*

Les Temps modernes, op. cit.

28. Daniel FERRAT, *la Confrérie des Mourides en France,* Mémoire IEP d'Aix à propos d'Amadou Guy Pépin, ou de Pascal, et son interview de Donald Cruise O'Brien.

29. C'est le sujet qu'a traité l'Association française de science politique en 1986, à Aix-en-Provence. Je vais publier en septembre un numéro des *Temps modernes* sur ce sujet.

CONCLUSION

1. J.-P. VERNANT, *Mythe et pensée chez les Grecs*, Paris, Maspero, 1965, tome 1, p. 163.

2. R. BARTHES, *Mythologies*, Paris, Le Seuil, 1970, p. 88.

3. Mon collègue DRAI, *op. cit.*, p. 332, donne une plus belle explication encore : « Ex-ode... sortie des systèmes..., idéologies..., théologies du pouvoir. »

4. MEGA, I, 2, pp. 225 s., et BLOCH, *op. cit.*, p. 87.

5. Le sionisme débouche sur le socialisme ou ne débouche sur rien... E. BLOCH, *Le principe espérance*, tome 2, p. 201.

6. *Ibid.*, p. 193 et p. 87.

7. Cf. M. CAMAU, dans *Islam et politique au Maghreb, op. cit.*, pp. 221 et s.

8. Frédéric HARTWAG, dans *Utopies et Marxisme selon Ernst Bloch*, Payot, 1976, pp. 255-259.

9. *Écrits politiques de Thomas Münzer*, commentaire de Carl Heinrichs, Halle, 1950, pp. 23 s.

F. ENGELS, « La guerre des paysans », dans Karl MARX et Friedrich ENGELS, *Sur la religion*, Paris, Éditions sociales, 1972, pp. 98-120.

10. « Développement, économie, rationalité ne sont que quelques-uns des termes que l'on peut utiliser pour désigner ce complexe d'idées et de conceptions dont la plupart restent non conscientes... qui ont dominé et formé la vie, l'action et la pensée de l'Occident depuis six siècles, et moyennant lesquelles l'Occident a conquis le monde et l'aura encore conquis même s'il doit être matériellement vaincu. » C. CASTORIADIS, « Réflexions sur le développement et la rationalité », *Esprit*, mai 1976, p. 902.

Cf. également F. POUILLON, *L'Anthropologie économique, courants et problèmes*, Paris, Maspero, 1976.

11. A. MAROUN nomme ce mal *l'estrangement* dans « Un Islam crispé », *Esprit*, janvier 1980, p. 33.

12. Encore... Cf. J. LEVI, *Dangers du discours (Stratégies du pouvoir, Chine, IV-IIIᵉ siècles avant J.-C.)*, Éditions Alinéa, Aix, 1985.

13. Par-delà ses écrits sur les Indiens guaranis, je préfère *La Société contre l'État*, et le débat avec J. W. Lapierre.

14. Cf. Une brochure remarquable que j'ai utilisée, *Lumière et vie*, n° 160, « Écriture apocalyptique », nov.-déc. 1982.

15. Quelques occidentaux ont été fustigés pour avoir osé poser cette problématique, par exemple, au colloque de Cordoue, ou de Standford. Mais aujourd'hui, ce débat est moins illégitime depuis que des savants comme Levy-Leblond et d'autres ont posé le problème. Cf., par exemple : Jean-Pierre DUPUY, *Ordres et désordres. Enquête sur un nouveau paradigme*, Paris, Le Seuil, 1982, ou H. ATLAN, *A tort et à raison. Intercritique du mythe et de la science*, Paris, Le Seuil, 1986.

16. Cf. la même problématique développée pour le judaïsme, dans DRAI, *op. cit.*

17. Titre d'un des ouvrages de S. Qutb.

GLOSSAIRE DES MOTS ARABES

Pour la commodité de la lecture j'ai gardé certains mots dans leur graphie française quand elle est banalisée, quitte à les répéter à leur place dans leur translitération, quand je les classe par racine. Les mots arabes ayant le plus souvent plusieurs sens, j'indique le sens général et celui que j'ai utilisé. La traduction est toujours contestable.

âdât : les usages
ahl : les gens
  ahl al-da^cwa : les Prédicants. *ahl al-ḥall wa'l-^caqd :* ceux qui ont le pouvoir de lier et délier. *ahl al-ḥadîth :* les gens de la tradition des dits du Prophète. *ahl al-kitâb :* les gens du Livre (Juifs-Chrétiens). *ahl al-sunna :* les gens de l'orthodoxie
^cajamî : le non-arabe, l'^cajam
^câlim : pluriel 'ulamâ, francarabe *Oulemas*, savants musulmans
^camal : l'action, et sigle du mouvement; voir la liste des mouvements
amîr : (titre) Commandeur; al-Mumimin, des croyants
^câmma : classe populaire, masse
^canṣar : nom donné à ceux qui accueillirent le Prophète à Médine
^caql : raison
awqâf (pluriel de *waqf*): biens de main morte; *habūs*, au Maghreb
ayâtollâh : la preuve de Dieu (titre)
ba^cth : résurgence
bâṭin : caché; adj. *bâṭiniyya*
bay^ca : allégeance
bayt al-ḍîf : salon où l'on reçoit les invités

bilād : pays
ch *
chiite : de *šī°a*, parti (d'Ali)
dā°î : missionnaire
dâr : maison; *dâr al-islâm*, la maison de la soumission à Dieu
da°wa : appel
dawla : État, dynastie
dhimma : pacte
dhimmî : gens de la *dhimma*
dîn : religion
dlala : (dialectal maghrébin) vente aux enchères
dunyâ : le monde
fanâ' : annihilation de la conscience de soi, extinction en Dieu
faqîh : juriste (pluriel : fuqahâ')
fard (al-farîda) : obligation
    fard °ayn : obligation collective
    fard kifâya : obligation personnelle
al-fâris al-mutalaththam : le cavalier masqué
fatwa : consultation/réponse juridique
fidâ'î : isolé, acte seul.
fikr : pensée
fiqh : droit
firqa : section, secte, fraction
fisq : rupture
fiṭâyîn : chevaliers
fîtna : désordre
ghayba/ghorba : absence
ghinâ' : chanson
ḥadîth : dits du Prophète
ḥajj : pèlerinage
ḥaqîqa : la vérité
ḥaqq : le Réel-vrai (Dieu)
ḥaraka : mouvement
ḥarb : guerre
ḥijâb : voile
hijra : Hégire
ḥisba : censure des mœurs

---

* Tous les mots arabes commençant par le son « ch » sont trans-
litérés *š*.

hiyâl : ruse juridique

ḥizb : parti

ḥorm : enceinte sacrée

ḥukm : pouvoir, jugement

ᶜibâdât : obligations

iḥsân : devoir de bienveillance

ijmaᶜ : consensus

ijtimâᶜ : rassemblement

al-ilâh : la divinité

ᶜilm : savoir, science

imâm : conducteur de la prière, responsable spirituel de la communauté

imâma : gouvernement spirituel de la Communauté

imân : foi

iqṭāᶜ : fief

iṣlâḥ : réforme

islâm : soumission à la volonté de Dieu, paix... avec Dieu ou sa Communauté

islâmiyya : adjectif de « Islam »

istiḍᶜâf : faiblesse

istiḥsân : approbation

istiqlâl : indépendance

istiṣlâḥ : refonte

ittijâh : direction

jâhîliyya : période anté-islamique

jamᶜ : (racine verbale) rassembler

jamâᶜa : groupe

jâmiᶜ : mosquée

jamîᶜa : université (englobante)

jihâd : le combat *mujâhid* : combattant pour Dieu

jiziya : tribut

kaᶜba : lieu où se trouve la pierre noire de La Mecque

kafara : (l'impiété) renier Dieu

kâfir : impie, mécréant, cf. *takfîr* : ôter le titre de *muslim* à un Musulman qui a renié sa foi, Dieu.

kalām (calame) : (le verbe) théologie, dialectique théologique – *mutakallim*, théologien du *kalâm*

khalîf (calife) : successeur du Prophète (califat : *khilâfa*)

khâṣṣa : élite

khâṭib : prêcheur, cf. *khoṭba*

khoṭba : prône, prêche

kitâb : le livre
kitmân : émigration intérieure, dissimulation
madhhab : école jurisprudentielle, improprement appelée « rite »
maḥakma : tribunal
mahdî : l'attendu, l'orienté
maᶜrîfa : la connaissance
masjid : mosquée, lieu de prière
mawâlî : clients, convertis (*mawlâ :* singulier)
meddah : (au Maghreb) barde, conteur
mektub : trivial francarabe qui signifie « c'est écrit »
mîda : pièce pour l'ablution rituelle
mihrâb : niche indiquant la direction (cf. *qibla*)
minbar : chaire à prêcher
mi'râj : ascension
moghaznis : agents du Maghzen au Maroc
mu'adhdhin (muezzin) : celui qui fait l'appel pour la prière
muᶜâmalât : les relations sociales
muftî : celui qui fait la *fatwa* (consultation)
muhâjirûn : émigrés (*muhâjir*, sing.)
mujâhid : cf. *jihâd*
mujtamaᶜ : la société
mulk : pouvoir politique
mu'min : croyant
munâẓara : controverse
munkar : blâmable, pris au sens de Mal
murâbaḥa : forme de paiement comptant
muslimûn : les soumis, musulmans
mustaḍᶜafûn : opprimés
mutaṣawwif : celui qui marche sur la voie mystique
mu'tazilites : philosophes du IXᵉ siècle *(al-mu'tazil)*
nabî : Prophète missionné – *nabawî :* prophétique
nafs : âme, souffle
nahḍa : mouvement de la Renaissance arabe (XIXᵉ-XXᵉ siècle)
najᶜa : sauvetage.
naskh : abrogation
nubuwwa : le message prophétique
qâri' : lecteur/récitateur
qods : Saint; *al-Qods*, un nom de Jérusalem
qibla : direction de la prière
quṭb : le pôle
râbiṭa : ligue

al-rašîdûn : « les biens inspirés », nom donné par la tradition aux quatre premiers califes

rasûl : Envoyé par Dieu, missionné

risâla : lettre

rûḥ : souffle, âme

sâ⁰a : l'heure

šahâda : profession de foi (*šahada :* il atteste, il confesse)

šâhid : martyr de la foi, celui qui confesse

saj⁰ : prose rimée

sakîna : présence de Dieu (calme absolu)

ṣalât : prière rituelle

šarî⁰a : loi islamique

šaykh (cheikh) : ancien, maître (titre); pluriel : *šuyûkh*

sîrât : biographies du Prophète

siyâsa : politique

ṣulḥ : conciliation

suluk : voie, chemin

sunna : « orthodoxie »

šûra : consultation

ṣurat al-arḍ : la configuration de la terre, le nombril, l'axe du monde

tafsîr : commentaire

tajdîd : le renouveau

ta⁰jîr : le crédit-bail

tajwîd : psalmodie, orthoépie

takfîr : excommunication

ṭâleb : étudiant/enseignant, pluriel : *ṭolba*

tanzîma : les réformes modernes

taqiya : dissimulation, état de piété irréprochable

taqlîd : imitation

ṭarîqa : voie, règle (pluriel : *turûq*)

tartîl : lecture

taṣawwuf : mystique

tawḥîd : Unité

ta'wîl : herméneutique

turâth : legs

uṣûl al-dîn : fondements, principes de la religion, une des disciplines enseignées dans les université islamiques

wahhabisme : doctrine d'Ibn Wahhab, unitarisme

walâya : ascension vers Dieu

waṭan : patrie
yawm : le jour
ẓâhir : exotérique; *ẓahra* (adjectif) : visible
zâᶜim : leader
zakât : aumône légale, purification
zâwiya : le coin, couvent

SITUATION RELIGIEUSE
DANS LES ÉTATS ARABES

États	Nombre d'habitants en millions	Pourcentage d'étrangers	Religion et rite
ALGÉRIE	20/25		Sunnite, malékite, minorité ibadite.
ARABIE SAOUDITE	9/10	44 % (4 millions)	Sunnite, wahabiste, minorité chiite.
BAHREIN	0,35/0,38	36 %	Dynastie sunnite, majorité chiite.
ÉGYPTE	40/42		Sunnite, importante minorité chrétienne.
ÉMIRATS ARABES UNIS	1,5 (?)	80 %	Sunnite, forte population étrangère, de nationalités et religions fort différentes : Indiens, Palestiniens, etc.
IRAK	13		Pouvoir sunnite, mais majorité chiite.
JORDANIE	3/4	60 %	Sunnite (problème palestinien) chrétiens.
KOWEIT	1,2 + 1,35		Sunnite, minorité chiite.

États	Nombre d'habitants en millions	Pourcentage d'étrangers	Religion et rite
LIBAN	3 (?)		Plus de Libanais au Brésil qu'au Liban! 18 confessions *.
LIBYE	3		Sunnite.
MAROC	20/?		Sunnite, malékite, une toute petite minorité juive.
OMAN	1,6		Sunnite, mais une secte ibadite gouverne; révolte dans le Dhofar.
QATAR	0,2/0,35?	80 %	Sunnite, minorité chiite, nombreux étrangers.
SOUDAN	13		Sunnite, secte des Ansars (mouvement mahdiste).
SYRIE	8		Sunnite, minorité alaouite au pouvoir.
TUNISIE	6		Sunnite, malékite.
YEMEN DU NORD	6/7		Sunnite, mais secte zéidite au pouvoir.
YEMEN DU SUD	2/1,5		Sunnite, seul régime « marxiste » de cette région.

On notera que les chiffres de populations sont imprécis; ils sont même secret d'État dans certains cas. Au Maghreb, la quasi-totalité de la population est sunnite-malékite, alors que le Machrek est très diversifié. Ainsi, les Alaouites et les Zéidites sont des « sectes » issues du tronc commun chiite au cours de l'évolution historique. C'est bien sûr la relation au chiisme iranien qui pose problème aux gouvernements en place.

---

* Le mot « confession » est vague; de plus, les Druzes et les Alaouites sont-ils des Musulmans? Les Musulmans pensent que non; l'anthropologue pense qu'ils l'ont été historiquement...

ANNEXE II

LES MUSULMANS DANS LE MONDE NON ARABE

Les Musulmans sont en majorité absolue en Afghanistan, au Bengladesh, en Indonésie, en Iran (97 % de Chiites), au Pakistan (75 % de Sunnites), en Turquie, aux Commores, à Djibouti, en Gambie, en Guinée, en Mauritanie, au Mali, au Sénégal et en Somalie.

Ils sont presque majoritaires en Éthiopie, au Niger, au Nigeria, en Sierra Leone, en Malaisie, et de fortes minorités existent en Côte-d'Ivoire, en Haute-Volta, et... en URSS.

Il faut comprendre, dans ce cas, l'importance pas simplement symbolique du pèlerinage à La Mecque. Des millions de Musulmans de toutes races, venant depuis l'Extrême-Orient jusqu'à l'Afrique atlantique, se retrouvent dans une même communion autour de la Kaaba, mais surtout repartent dans leurs pays respectifs chargés d'un capital symbolique de légitimité qui, à notre avis, a beaucoup plus de prégnance sur la réalité des sentiments des populations que l'impact du... droit international et du développement discutés dans une capitale occidentale.

Tous ces Musulmans rentrant chez eux avec le titre de Haji vont produire dans leur environnement et donc sur leur gouvernement des inputs qui justifient le classement que je propose.

Les États arabes dominant les instances internationales proprement arabo-musulmanes, la typologie proposée (pp. 249-252) ne concerne pas tous les États musulmans, mais seulement les États arabes plus l'Iran et la Turquie.

LE *JIHÂD* DANS LE CORAN
LE HADITH DE LA *DAᶜWA*

N.B. La traduction peut être contestée.

S. 9, V. 29.

Combattez ceux qui ne croient pas en Dieu, au jour dernier, qui ne considèrent pas comme illicite ce que Dieu et son Prophète ont déclaré illicite, ainsi que ceux qui, parmi les gens des Écritures, ne pratiquent pas la religion de la vérité, jusqu'à ce qu'ils paient, humiliés, et de leurs propres mains, le tribut.

S. 9, V. 41.

Bondissez légers et lourds, et menez le combat avec vos biens et vos personnes, dans le chemin de Dieu. Cela est votre intérêt, si vous le comprenez.

S. 8, V. 39.

Combattez-les jusqu'à ce qu'il n'y ait plus de luttes doctrinales (guerre civile, désordre civil) et qu'il n'y ait pas d'autre religion que celle de Dieu. S'ils cessent Dieu le verra.

S. 2, V. 216.

Le combat vous est prescrit et cependant vous l'avez en aversion. Peut-être avez-vous de l'aversion pour ce qui est un bien pour vous et de l'attirance pour ce qui est un mal pour vous. Dieu sait et vous ne savez pas.

S. 9, V. 111.

Dieu a acheté aux Croyants leurs personnes et leurs biens contre le Paradis qui leur est réservé. Ils combattront au service de Dieu, tueront et seront tués. C'est là une promesse certaine dont Dieu s'est imposé la réalisation dans le Pentateuque, l'Évangile et le Coran. Et qui est plus fidèle dans ses engagements que Dieu! Réjouissez-vous du marché que vous avez conclu avec Lui. C'est une réussite parfaite.

S. 9, V. 123.

Ô Croyants! Combattez les infidèles qui sont près de vous. Qu'ils trouvent en vous de la rudesse! Et sachez que Dieu est avec ceux qui le craignent.

S. 3, V. 169.

Ne croyez surtout pas que ceux qui ont été tués au service de Dieu soient morts. Pas du tout! Ils sont vivants. Ils sont pourvus de tout auprès de leur Seigneur.

S. 3, V. 157, 158.

Et si vous êtes tués ou si vous mourez au service de Dieu, c'est une rémission des péchés et une miséricorde divine plus précieuse que tout ce que vous pouvez amasser; si vous mourez ou si vous êtes tués, c'est toujours devant Dieu que vous serez rassemblés.

S. 8, V. 17.

Vous ne les avez pas tués (vos ennemis). C'est Dieu qui les a tués. Lorsque tu portes un coup, ce n'est pas toi qui le portes, mais Dieu qui éprouve ainsi les Croyants par une belle épreuve. Dieu entend et sait tout.

S. 2, V. 217.

Ils t'interrogeront sur le point de savoir si l'on peut faire la guerre pendant le mois sacré. Dis : « La guerre, pendant ce mois, est une énormité. Mais, détourner les gens du service de Dieu, de la foi en Dieu et en la Mosquée Sacrée, et chasser les occupants * de ce lieu, est encore plus grave aux yeux de Dieu. Les luttes doctrinales sont pires que la guerre. S'ils le peuvent, ils ne cesseront de vous combattre jusqu'à ce qu'ils vous aient détournés de votre religion. Ceux d'entre vous qui abjureront leur religion mourront infidèles et leurs œuvres en ce monde et dans l'autre auront été vaines. Ils sont les damnés qui resteront éternellement en Enfer. »

S. 9, V. 5.

Lorsque les mois sacrés seront expirés, tuez les infidèles partout où vous les trouverez. Faites-les prisonniers! Assiégez-les! Placez-leur des embuscades! S'ils font amende honorable, célèbrent l'office de la prière et payent la dîme, laissez-les poursuivre leur chemin! Dieu est clément et miséricordieux.

S. 8, V. 67.

Aucun Prophète n'a pu faire de prisonniers sans avoir procédé à des massacres sur la terre. Vous recherchez les biens de ce monde alors que Dieu veut vous faire gagner le Paradis. Dieu est puissant et sage.

---

* Le Prophète et ses compagnons.

S. 47, V. 35.
Ne faiblissez pas et ne demandez pas la paix quand vous êtes les plus forts et que Dieu est avec vous! Il ne vous privera pas des conséquences de vos œuvres.

S. 8, V. 69.
Disposez de ce qui est licite et bon dans le butin que vous avez fait. Craignez Dieu. Dieu est clément et miséricordieux.

S. 8, V. 41.
Si vous croyez en Dieu et à ce que Nous avons révélé à Notre Serviteur le jour où a été faite la distinction * et où les deux groupes se rencontrèrent **, sachez que sur le moindre butin que vous aurez fait, un cinquième revient à Dieu, au Prophète, à ses proches, aux orphelins, aux pauvres et aux voyageurs. Dieu est tout-puissant.

S. 59, V. 8.
Le butin revient aux émigrés pauvres qui ont été écartés de leur pays et de leurs biens, et qui recherchaient, avec la grâce et l'agrément de Dieu, le triomphe de Dieu et de son Prophète. Ceux-là sont les croyants sincères.

HADITH 34

Ce hadith est la base du discours des islamistes sur l'obligation de la *daᶜwa*.

D'après Abou-Saïd al-Khoudri – qu'Allah soit satisfait de lui! – qui dit: J'ai entendu le Messager d'Allah – qu'Allah le bénisse et lui accorde le salut! – s'exprimer en ces termes:

« Celui d'entre vous qui voit une chose répréhensible, qu'il la redresse de sa main; s'il ne le peut, que ce soit en usant du langage; s'il ne le peut, que ce soit en la réprouvant dans son for intérieur: c'est là le moins qu'on puisse exiger de la foi. »

Ce Hadith est rapporté par Mouslim.

---

* Entre le bien et le mal, l'erreur et la vérité.
** Les Musulmans et les incroyants.

DÉCLARATION ISLAMIQUE UNIVERSELLE
DES DROITS DE L'HOMME

Rédigée à l'initiative du Conseil Islamique pour l'Europe, et proclamée le 19 septembre 1981, à Paris, dans les locaux de l'Unesco, par M. Azzam, Secrétaire général du Conseil Islamique.

N.B. Les parties en gras et les explications entre crochets sont de l'auteur.

Introduction

L'Islam a donné à l'humanité un code idéal des droits de l'homme il y a quatorze siècles. Ces droits ont pour objet de conférer honneur et dignité à l'humanité et d'éliminer l'exploitation, l'oppression et l'injustice.

Les droits de l'homme, dans l'Islam, sont fortement enracinés dans la conviction que Dieu, et **Dieu seul**, est l'Auteur de la Loi et la Source de tous les droits de l'homme. **Étant donné leur origine divine**, aucun dirigeant ni gouvernement, aucune assemblée ni autorité ne peut restreindre, abroger ni violer en aucune manière les droits de l'homme conférés par Dieu. De même, nul ne peut transiger avec.

Les droits de l'homme, dans l'Islam, font partie intégrante de l'ensemble de l'ordre islamique et tous les gouvernements et organismes musulmans sont tenus de les appliquer selon la lettre et l'esprit dans le cadre de cet ordre.

Il est malheureux que les droits de l'homme soient impunément foulés aux pieds dans de nombreux pays du monde, y compris dans des pays musulmans. Ces violations flagrantes sont extrêmement préoccupantes et éveillent la conscience d'un nombre croissant d'individus dans le monde entier.

Je souhaite que cette *Déclaration des Droits de l'Homme* donne une puissante impulsion aux populations musulmanes pour rester fermes et défendre avec courage et résolution les droits qui leur ont été conférés par Dieu.

La présente *Déclaration des Droits de l'Homme* est le second document fondamental publié par le Conseil Islamique pour marquer le commencement du XVᵉ siècle de l'Ere Islamique, le premier étant la *Déclaration Islamique Universelle* annoncée lors de la Conférence Internationale sur le Prophète Mahomet (que Dieu le bénisse et le garde en paix) et son Message, organisée à Londres du 12 au 15 avril 1980.

La *Déclaration Islamique Universelle des Droits de l'Homme* est basée sur le Coran et la Sunna et a été élaborée par d'éminents érudits et juristes musulmans et des représentants de mouvements et courants de pensée islamiques. Que Dieu les récompense de leurs efforts et les guide sur le droit chemin.

Salem Azzam,
Secrétaire général.

« O Hommes, Nous vous avons créés [des œuvres] d'un être mâle et d'un être femelle. Et Nous vous avons répartis en peuples et en tribus afin que vous vous connaissiez entre vous. Les plus méritants sont, d'entre vous, les plus pieux. »

(Les Appartements 49,13)

Préambule

Considérant que l'aspiration séculaire des hommes à un ordre du monde plus juste où les peuples pourraient vivre, se développer et prospérer dans un environnement affranchi de la peur, de l'oppression, de l'exploitation et des privations est loin d'être satisfaite;

Considérant que les moyens de subsistance économique surabondants dont la Miséricorde Divine a doté l'humanité sont **actuellement gaspillés**, ou inéquitablement ou injustement refusés aux habitants de la terre;

Considérant qu'Allah (Dieu) a donné à l'humanité, par Ses révélations dans le Saint Coran et la Sunna de Son Saint Prophète Mahomet, un cadre juridique et moral durable permettant d'établir et de réglementer les institutions et les rapports humains;

Considérant que les droits de l'homme ordonnés par la Loi Divine ont pour objet de conférer la dignité et l'honneur à l'humanité et sont destinés à éliminer l'oppression et l'injustice;

Considérant qu'en vertu de leur source et de leur sanction divines, ces droits ne peuvent être restreints, abrogés ni enfreints par les autorités, assemblées ou autres institutions, pas plus qu'ils ne peuvent être abdiqués ni aliénés;

En conséquence, nous, musulmans,

a) **qui croyons en Dieu** Bienfaisant et Miséricordieux, Créateur, Soutien, Souverain, seul Guide de l'Humanité et Source de toute Loi;

b) **qui croyons dans le Vicariat** (Khilafa) de l'homme qui a été créé pour accomplir la Volonté de Dieu sur terre;

c) qui croyons dans la sagesse des préceptes divins transmis par les Prophètes, dont la mission atteint son apogée dans le message divin final délivré par le Prophète Mahomet (la Paix soit avec Lui) à toute l'humanité;

d) qui croyons **que la rationalité en soi, sans la lumière de la révélation de Dieu**, ne peut ni constituer un guide infaillible dans les affaires de l'humanité ni apporter une nourriture spirituelle à l'âme humaine et, sachant que les enseignements de l'Islam représentent la quintessence du commandement divin dans sa forme définitive et parfaite, estimons de notre devoir de rappeler à l'homme la haute condition et la dignité que Dieu lui a conférées;

e) qui croyons dans l'invitation de toute l'humanité à partager le message de l'Islam;

f) qui croyons qu'aux termes de notre Alliance ancestrale avec Dieu, nos devoirs et obligations ont priorité sur nos droits, et que chacun de nous a le devoir sacré de diffuser les enseignements de l'Islam par la parole, les actes et tous les moyens pacifiques, et de les mettre en application non seulement dans sa propre existence mais également dans la société qui l'entoure;

g) qui croyons **dans notre obligation d'établir un ordre** islamique :

    i) où tous les êtres humains soient égaux et aucun ne jouisse d'un privilège ni ne subisse un désavantage ou une discrimination du seul fait de sa race, de sa couleur, de son sexe, de son origine ou de sa langue;

    ii) où tous les êtres humains soient nés libres;

    iii) où l'esclavage et les travaux forcés soient proscrits;

    iv) où soient établies des conditions permettant de préserver, de protéger et d'honorer l'institution de la famille en tant que fondement de toute la vie sociale;

    v) où les gouvernants et les gouvernés soient soumis de la même manière à la Loi et égaux devant elle;

    vi) où il ne soit obéi qu'à des ordres conformes à la Loi;

    vii) où tout pouvoir terrestre soit considéré comme un dépôt sacré, à exercer dans les limites prescrites par la Loi, d'une manière approuvée par celle-ci et en tenant compte des priorités qu'elle fixe;

    viii) où toutes les ressources économiques soient considérées comme des bénédictions divines accordées à l'humanité, dont tous doivent profiter conformément aux règles et valeurs exposées dans le Coran et la Sunna;

    ix) où toutes les affaires publiques soient déterminées et conduites, et l'autorité administrative exercée, après consultation mutuelle *(Shura)* entre les croyants habilités à prendre part à une décision compatible avec la Loi et le bien public;

    x) où chacun assume des obligations suivant ses capacités et soit responsable de ses actes en proportion;

    xi) où personne ne soit privé des droits qui lui sont garantis par la Loi, sauf en vertu de ladite Loi et dans la mesure autorisée par elle;

xii) où chaque individu ait le droit d'entreprendre une action juridique contre quiconque aura commis un crime contre la société
dans son ensemble ou contre l'un de ses membres;

xiii) où tous les efforts soient accomplis

(a) pour libérer l'humanité de tout type d'exploitation, d'injustice et d'oppression, et

(b) pour garantir à chacun la sécurité, la dignité et la
liberté dans les conditions stipulées, par les
méthodes approuvées et dans les limites fixées
par la Loi;

Affirmons par les présentes, en tant que serviteurs d'Allah et membres de
la fraternité universelle de l'Islam, au commencement du XVᵉ siècle de l'ère
islamique, nous engager à promouvoir les droits inviolables et inaliénables de
l'homme définis ci-après, dont nous considérons qu'ils sont prescrits par
l'Islam.

I. – DROIT A LA VIE

a) La vie humaine est sacrée et inviolable et tous les efforts doivent être
accomplis pour la protéger. En particulier, personne ne doit être exposé à des
blessures ni à la mort, sauf sous l'autorité de la Loi.

b) Après la mort comme dans la vie, le caractère sacré du corps d'une
personne doit être inviolable. Les croyants sont tenus de veiller à ce que le
corps d'une personne décédée soit traité avec la solennité requise.

II. – DROIT A LA LIBERTÉ

a) L'homme est né libre. Aucune restriction ne doit être apportée à son
droit à la liberté, sauf sous l'autorité et dans l'application normale de la
Loi.

b) Tout individu et tout peuple a le droit inaliénable à la liberté sous
toutes ses formes – physique, culturelle, économique et politique – et doit être
habilité à lutter par tous les moyens disponibles contre toute violation ou
abrogation de ce droit. Tout individu ou tout peuple opprimé a droit au
soutien légitime d'autres individus et/ou peuples dans cette lutte.

III. – DROIT A L'ÉGALITÉ
ET PROHIBITION DE TOUTE DISCRIMINATION

a) Toutes les personnes sont égales devant la Loi [Chari'a] et ont droit à
des possibilités égales et à une protection égale de la Loi.

b) Toutes les personnes doivent recevoir un salaire égal à travail égal.

c) Personne ne doit se voir refuser une possibilité de travailler ni subir
une discrimination quelconque ni être exposé à un plus grand risque physique
du seul fait d'une différence de croyance religieuse, de couleur, de race,
d'origine, de sexe ou de langue.

IV. – DROIT A LA JUSTICE

a) Toute personne a le droit d'être traitée conformément à la Loi, et seulement conformément à la Loi.

b) Toute personne a non seulement le droit mais également l'obligation de protester contre l'injustice. Elle doit avoir le droit de faire appel aux recours prévus par la Loi auprès des autorités pour tout dommage ou perte personnels injustifés. Elle doit également avoir le droit à se défendre contre toute accusation portée à son encontre et obtenir un jugement équitable devant un tribunal judiciaire indépendant en cas de litige avec des autorités publiques ou avec toute autre personne.

c) Toute personne a le droit et le devoir de défendre les droits de toute autre personne et de la *communauté* [Umma] en général *(Hisbah)*.

d) Personne ne doit subir de discrimination en cherchant à défendre ses droits privés et publics.

e) Tout musulman a le droit et le devoir de refuser d'obéir à tout ordre contraire à la Loi, quelle que soit l'origine de cet ordre.

V. – DROIT A UN PROCÈS ÉQUITABLE

a) Personne ne doit être jugé coupable d'un délit et condamné à une sanction si la preuve de sa culpabilité n'a pas été faite devant un tribunal judiciaire indépendant.

b) Personne ne doit être jugé coupable avant qu'un procès équitable ne se soit déroulé et que des possibilités raisonnables de se défendre ne lui aient été fournies.

c) La sanction doit être fixée conformément à la Loi, proportionnellement à la gravité du délit et compte tenu des circonstances dans lesquelles il a été commis.

d) Aucun acte ne doit être considéré comme un crime s'il n'est pas clairement stipulé comme tel dans le texte de la Loi.

e) Tout individu est responsable de ses actions. La responsabilité d'un crime ne peut être étendue par substitution à d'autres membres de sa famille ou de son groupe qui ne sont impliqués ni directement ni indirectement dans la perpétration du crime en question.

VI. – DROIT A LA PROTECTION
CONTRE L'ABUS DE POUVOIR

Toute personne a droit à la protection contre les tracasseries d'organismes officiels. Elle n'a pas à se justifier, sauf pour se défendre des accusations portées contre elle ou lorsqu'elle se trouve dans une situation où une question concernant un soupçon de participation de sa part à un crime pourrait *raisonnablement* être soulevée.

VII. – DROIT A LA PROTECTION
CONTRE LA TORTURE

Aucun individu ne doit subir de torture mentale ou physique, ni de dégradation, ni de menace de préjudice envers lui ou quiconque lui est apparenté ou cher, ni d'extorsion d'aveu d'un crime, ni de contrainte pour accepter un acte préjudiciable à ses intérêts.

VIII. – DROIT A LA PROTECTION
DE L'HONNEUR ET DE LA RÉPUTATION

Toute personne a le droit de protéger son honneur et sa réputation contre les calomnies, les accusations sans fondement et les tentatives délibérées de diffamation et de chantage.

IX. – DROIT D'ASILE

a) Toute personne persécutée ou opprimée a le droit de chercher refuge et asile. Ce droit est garanti à tout être humain quels que soient sa race, sa religion, sa couleur ou son sexe.
b) Al Masjid Al Haram (la maison sacrée d'Allah) à La Mecque est un refuge pour tous les musulmans.

X. – DROIT DES MINORITÉS

a) Le principe coranique « Il n'y a pas de contrainte dans la religion » doit régir les **droits religieux des minorités** non musulmanes.
b) Dans un pays musulman, les minorités religieuses doivent **avoir le choix, pour la conduite de leurs affaires** civiques et personnelles, entre la Loi islamique et leurs propres lois [c'est-à-dire religieuses].

XI. – DROIT ET OBLIGATION DE PARTICIPER
A LA CONDUITE ET A LA GESTION
DES AFFAIRES PUBLIQUES

a) Sous réserve de la Loi, tout individu de la communauté *(Umma)* a le droit d'exercer une fonction publique.
b) Le processus de libre consultation *(Shura)* est le fondement des rapports administratifs entre le gouvernement et le peuple. Le peuple a également le droit de choisir et de révoquer ses gouvernants conformément à ce principe.

XII. – DROIT A LA LIBERTÉ DE CROYANCE, DE PENSÉE ET DE PAROLE

a) Toute personne a le droit d'exprimer ses pensées et ses convicitons dans la mesure où elle reste dans les limites prescrites par la Loi. Par contre, personne n'a le droit de faire courir des mensonges ni de diffuser des nouvelles susceptibles d'outrager la décence publique, ni de se livrer à la calomnie ou à la diffamation, ni de nuire à la réputation d'autres personnes.

b) La recherche de la connaissance et la quête de la vérité sont non seulement un droit mais un devoir pour tout musulman.

c) Tout musulman a le droit et le devoir de se protéger et de combattre (dans les limites fixées par la Loi) contre l'oppression **même si cela le conduit à contester la plus haute autorité de l'État**.

d) Il ne doit y avoir aucun obstacle à la propagation de l'information dans la mesure où elle ne met pas en danger la sécurité de la société ou de l'État et reste dans les limites imposées par la Loi.

e) Personne ne doit mépriser ni ridiculiser les convictions religieuses d'autres individus ni encourager l'hostilité publique à leur encontre. Le respect des sentiments *religieux* des autres est une obligation pour tous les musulmans.

XIII. – DROIT A LA LIBERTÉ RELIGIEUSE

Toute personne a droit à la liberté de conscience et de culte conformément à ses convictions religieuses.

XIV. – DROIT DE LIBRE ASSOCIATION

a) Toute personne a le droit de participer à titre individuel et collectif à la vie religieuse, sociale, culturelle et politique de *sa communauté* et de créer des institutions et organismes destinés à prescrire ce qui est bien *(ma'roof)* et à empêcher ce qui est mal *(munkar)*.

b) Toute personne a le droit d'essayer de créer des institutions permettant la mise en application de ces droits. Collectivement, la communauté est tenue de créer des conditions dans lesquelles ses membres puissent pleinement développer leur personnalité.

XV. – L'ORDRE ÉCONOMIQUE ET LES DROITS QUI EN DÉCOULENT

a) Dans leur activité économique, toutes les personnes ont droit à tous les avantages de la nature et de toutes ses ressources. Ce sont des bienfaits accordés par Dieu au bénéfice de l'humanité entière.

b) Tous les êtres humains ont le droit de gagner leur vie conformément à la Loi.

c) Toute personne a droit à la propriété de ses biens, individuellement ou en association avec d'autres. La nationalisation de certains moyens économiques dans l'intérêt public est légitime.

d) Les pauvres ont droit à une part définie de la prospérité des riches, fixée par la Zaka, imposée et collectée conformément à la Loi.

e) Tous les moyens de production doivent être utilisés dans l'intérêt de la communauté *(Umma)* dans son ensemble, et ne peuvent être ni négligés ni mal utilisés.

f) Afin de promouvoir le développement d'une économie équilibrée et de protéger la société de l'exploitation, la Loi islamique interdit les monopoles, les pratiques commerciales excessivement restrictives, l'usure, l'emploi de mesures coercitives dans la conclusion de marchés et la publication de publicités mensongères.

g) Toutes les activités économiques sont autorisées dans la mesure où elles ne sont pas préjudiciables aux intérêts de la communauté *(Umma)* et ne violent pas les lois et valeurs islamiques.

XVI. – DROIT A LA PROTECTION DE LA PROPRIÉTÉ

Aucun bien ne pourra être exproprié si ce n'est dans l'intérêt public et moyennant le versement d'une indemnisation équitable et suffisante.

XVII. – STATUT ET DIGNITÉ DES TRAVAILLEURS

L'Islam honore le travail et le travailleur et ordonne aux musulmans de traiter le travailleur certes avec justice, mais aussi avec générosité. Non seulement il doit recevoir promptement le salaire qu'il a gagné, mais il a également droit à un repos et à des loisirs suffisants.

XVIII. – DROIT A LA SÉCURITÉ SOCIALE

Toute personne a droit à la nourriture, au logement, à l'habillement, à l'enseignement et aux soins médicaux en fonction des ressources de la communauté. Cette obligation de la communauté s'étend plus particulièrement à tous les individus qui ne peuvent se prendre en charge eux-mêmes en raison d'une incapacité temporaire ou permanente.

XIX. – DROIT DE FONDER UNE FAMILLE
ET QUESTIONS CONNEXES

a) Toute personne a le droit de se marier, de fonder une famille et d'élever des enfants **conformément à sa religion**, à ses traditions et à sa culture. Tout conjoint possède ces droits et privilèges et est soumis aux obligations stipulées par la Loi.

b) Chacun des partenaires d'un couple a droit au respect et à la considération de l'autre.

c) Tout époux est tenu d'entretenir son épouse et ses enfants selon ses moyens.

d) Tout enfant a le droit d'être entretenu et correctement élevé par ses parents, et il est interdit de faire travailler les jeunes enfants et de leur imposer aucune charge qui s'opposerait ou nuirait à leur développement naturel.

e) Si, pour une raison quelconque, des parents sont dans l'incapacité d'assumer leurs obligations vis-à-vis d'un enfant, il incombe à la communauté d'assumer ces obligations sur le compte de la dépense publique.

f) Toute personne a droit au soutien matériel, ainsi qu'aux soins et à la protection de sa famille pendant son enfance, sa vieillesse ou en cas d'incapacité. Les parents ont droit au soutien matériel ainsi qu'aux soins et à la protection de leurs enfants.

g) La maternité a droit à un respect, des soins et une assistance particuliers de la part de la famille et des organismes publics de la communauté (*Umma*).

h) Au sein de la famille, les hommes et les femmes doivent se partager leurs obligations et leurs responsabilités selon leur sexe, leurs dons, talents et inclinations naturels, en tenant compte de leurs responsabilités communes vis-à-vis de leurs enfants et de leurs parents.

i) Personne ne peut être marié contre sa volonté, ni perdre sa personnalité juridique ou en subir une diminution du fait de son mariage.

XX. – DROITS DE LA FEMME MARIÉE

Toute femme mariée a le droit :
a) de vivre dans la maison où vit son mari ;
b) de recevoir les moyens nécessaires au maintien d'un niveau de vie qui ne soit pas inférieur à celui de son conjoint et, en cas de divorce, de recevoir pendant la période d'attente légale (*Iddah*) des moyens de subsistance compatibles avec les ressources de son mari, pour elle-même ainsi que pour les enfants qu'elle nourrit ou dont elle a la garde ; de recevoir toutes ces allocations, quels que soient sa propre situation financière, ses propres revenus ou les biens qu'elle pourrait posséder en propre ;
c) de demander et d'obtenir la dissolution du mariage (*Khul'a*) conformément aux dispositions de la Loi ; ce droit s'ajoute à son droit de demander le divorce devant les tribunaux ;
d) d'hériter de son mari, de ses parents, de ses enfants et d'autres personnes apparentées conformément à la Loi ;
e) à la stricte confidentialité de la part de son époux, ou de son ex-époux si elle est divorcée, concernant toute information qu'il pourra avoir obtenu à son sujet et dont la divulgation pourrait être préjudiciable à ses intérêts. La même obligation lui incombe vis-à-vis de son conjoint ou de son ex-conjoint.

XXI. – DROIT A L'ÉDUCATION

a) Toute personne a le droit de recevoir une éducation en fonction de ses capacités naturelles.

b) Toute personne a droit au libre choix de la profession et de la carrière aux possibilités de total développement de ses dons naturels.

XXII. – DROIT A LA VIE PRIVÉE

Toute personne a droit à la protection de sa vie privée.

XXIII. – DROIT A LA LIBERTÉ DE DÉPLACEMENT ET DE RÉSIDENCE

a) Compte tenu du fait que le Monde de l'Islam est véritablement *Umma Islamia*, tout musulman doit avoir le droit d'entrer librement dans tout pays musulman et d'en sortir librement.

b) Personne ne devra être contraint de quitter son pays de résidence, ni d'en être arbitrairement déporté, sans avoir recours à l'application normale de la Loi.

NOTES D'EXPLICATION

1. Dans la formulation des Droits de l'Homme qui précède, sauf stipulation contraire dans le contexte :

a) le terme « personne » englobe à la fois le sexe masculin et le sexe féminin ;

b) le terme « Loi » signifie la *Sharia*, c'est-à-dire la totalité des ordonnances tirées du Coran et de la Sunna et toute autre loi déduite de ces deux sources par des méthodes jugées valables en jurisprudence islamique.

2. Chacun des Droits de l'Homme énoncés dans la présente Déclaration comporte les obligations correspondantes.

3. Dans l'exercice et la jouissance des droits précités, chaque personne ne sera soumise qu'aux limites imposées par la Loi dans le but d'assurer la reconnaissance légitime et le respect des droits et de la liberté des autres et de satisfaire les justes exigences de la moralité de l'ordre public et du bien-être général de la Communauté (*Umma*).

4. Le texte arabe de cette Déclaration représente l'original.

(Extrait de *L'Islam et les Droits de l'Homme*, Paris, Librairie des Libertés, 1984.)

Imprimé en France
Dépôt légal : juin 1987
N° d'édition : 5222 – N° d'impression : 6736